www.tredition.de

RONAN

Die Suche nach dem magischen Kristall

Friederike E. Spielmann

Sanfte-Brise.de

Die Internetseite für die schönen Seiten des Lebens.
Gönnen sie sich eine Auszeit von ihrem Alltag.
Besuchen sie uns im Internet, dort können sie die sanfte Brise
abonnieren und weitere Exemplare von Ronan erwerben.
Die Seite wird in Kürze verfügbar sein.

- Interessantes über Bäume
- Wussten sie das? unsere heimischen Tiere
- Neues über Blumen und Heilpflanzen
- Spannendes über Gewürze
- Erfrischende Poesie
- Schöne Bilder
- Wissenswertes über Nutztiere
- Leckere Rezepte
- Spannende Geschichten
- Jeden Monat ein liebevolles Geschenk, dass das gute
Gefühl in ihren Alltag transportiert.

° 2019 Friederike Spielmann

Tredition GmbH Hamburg Halenrreie 40 – 44, 22359 Hamburg

ISBN Paperback978 – 3 - 7482 8944 - 9
ISBN Hatdcover 978 – 3 – 7482 8945 - 6
ISBN e-Book   978 – 3 – 7482 8946 - 3

Bibliografische Information der deutschen Nationalbibliothek i
Die deutsche Nationalbibliothek verzeichnet diese Publikation in der deutschen Nationalbiogrrafie detaillierte Bibigrafische Daten sind im Internet überhttp.//dnb.d-nb.de abrufbar

VORWORT

Ich danke besonders meinem Mann, meiner guten Freundin Tanja
und meinen Eltern, die mir mit viel Geduld und Einsatz geholfen
haben
und meinen Katzen für die schnurrende Unterstützung besonders
meiner
kleinen Triniti - vielen Dank.

Das Buch soll dem Leser ein paar schöne Stunden bereiten.

Lege dir sanfte Musik ein, nimm dir einen Kaffee oder Tee kuschel
dich auf die Coach oder bei schönem Wetter in den Liegestuhl.
Tauche für eine Weile in Ronans Welt ein - viel Spass.

EIN FRÜHSOMMERTAG

Der Nachtwind weht durch die unbefestigten Gassen des Dorfes. Eine getigerte Katze schleicht, satt von der erfolgreichen Jagd, nach Hause. Ein leises Geräusch weckt kurz ihre Aufmerksamkeit, sie bleibt stehen und schaut sich um, keine Gefahr. Beruhigt springt sie auf den Rahmen des scheibenlosen Fensters des derzeit unbenutzten Schafstalls und verschwindet. Hier im Stroh warten ihre Jungen, hier wird sie den Tag verschlafen.

Das Geräusch hat Josh verursacht, als er mit Nepomuk, seinem Hund, aus dem Haus seiner Eltern schleicht, um sich auf den Weg in die nächste Stadt zu machen. Es ist noch dunkel, seine Fackel wirft einen schwachen Lichtschein auf den Weg vor ihm. Die Bewohner des kleinen, kaum mehr als zwei Dutzend Häuser zählenden Dorfes Tolnar, schlafen noch. Es ist ruhig, nur der Wind ist zu hören.
Tolnar liegt in einem weiten Flusstal, ein Stück vom kleinen Flüsschen Tole entfernt.
Die kleinen Holzhäuser und Hütten drängen sich dicht an dicht auf einer leichten Erhebung zusammen. Das Dorf liegt dadurch ein wenig oberhalb des Flusses.
Das reicht normalerweise, um das Frühjahrshochwasser, von Mensch und Tier fern zu halten. Zu dieser Jahreszeit ist die Tole reißend und wild, das Wasser ist schlammig und trüb. Der mitgeführte Schlamm stammt aus den naheliegenden Bergen, er düngt jedes Jahr die Wiesen und Felder.
Die Menschen stellen sich seit Urzeiten auf diese jahreszeitliche Besonderheit ein. Die Aussaat auf den Feldern beginnt erst, wenn das Wasser wieder abgeflossen ist.
Die übrige Zeit des Jahres führt der kleine, langsam fließende Fluss kristallklares, kaltes Wasser.
Das fruchtbare Flusstal ist in Felder aufgeteilt, diese sind durch Wildfruchthecken und Obstbäume abgegrenzt. Die Bewohner des Dorfes werden so mit Obst und Wildfrüchten wie Hagebutten und Nüssen, sowie mit Feuerholz versorgt.

6

So entsteht eine vielseitige, liebliche Landschaft, durch die sich der Weg schlängelt, der Josh und seinen Hund zum Fluss führt.

Die Jungen des Dorfes machen sich einen Spaß daraus, Forellen mit der Hand zu fangen. Die Fische gehören dem Fürsten Isegund, das Fangen ist daher verboten. Wird von der Garde des Fürsten jemand mit einer Angel oder seinem Fang angetroffen, muss der Fisch abgegeben werden. Zusätzlich gibt es eine heftige Tracht Prügel. Die Gardisten dürfen sich ausleben, manch einer wurde halb totgeschlagen, viel zu riskant. In einer Zeit, in welcher der Fürst das Gesetz verkörpert, sollte sich niemand der Willkür der Gardisten aussetzen.

Die Fische mit der Hand zu fangen erfordert keine verräterische Angel. Aus diesem Grund ist es sehr beliebt, es ist ein richtiger Wettbewerb entstanden.

Der dürftige Speiseplan der armen Dorfbewohner wird so heimlich etwas aufgebessert.

Das Tal wird auf der Flussseite, auf der das Dorf liegt, von einem sehr steilen, bewaldeten Hang begrenzt, hier endet der Besitz des Fürsten. Auf der anderen Seite ist der Hang nicht ganz so steil, aber höher. Hier ist der Wald gerodet, auf den so entstandenen, steilen Wiesen grasen die Schafe, Ziegen und Schweine der Dorfbewohner. Rinder und Pferde gibt es in Tolnar nicht, die Menschen sind zu arm.

Oberhalb des Tales gehört das Land auch auf dieser Seite nicht mehr zum Dorf, die Ländereien werden von einem anderen Ort bewirtschaftet. Ein Ausweichen in schlechten Zeiten ist deshalb nicht möglich.

Der älteste Sohn des Schreiners, Josh, ist früh aufgebrochen. Er soll die Waren der Schreinerei auf dem Markt in der nahegelegenen Stadt verkaufen. Besen, Bürsten und Schemel sind auf einer Kiepe verzurrt, diese trägt Josh auf dem Rücken. Ein Fußmarsch von drei Tagen liegt vor ihm. Es ranken sich schaurige Geschichten um den großen Wald, den Josh durchqueren muss und die Wesen die dort angeblich hausen. Auch Diebe, Gesindel und wilde Tiere, machen die Reise gefährlich.

Josh ist ein junger Mann, Mitte zwanzig, er ist schlank, fast mager. Seine hellen, blau-grünen Augen sind warmherzig und lebhaft, sie bilden einen interessanten Kontrast zu den dunkelbraunen, glatten Haaren. Das lange, ungeschnittene Haar, wird im Nacken von einem Lederband zusammengehalten.

Joshs Hemd ist hellgrau, es hat keinen Kragen, vorne ist eine Zierblende eingearbeitet. Am Hals wird diese von einer Schlaufe und einem kunstvoll geschnitzten, kleinen Holz verschlossen. Diese kurzen Hölzer besitzen mittig zwei Löcher und sind aufgenäht. Durch die Schlaufe gezogen, die auf der anderen Seite festgenäht ist, dienen sie als Verschluss und Schmuck zugleich.

Die Hose und die Jacke sind braun, aus groben Leinen gefertigt. Im Sommer läuft jedermann barfuss natürlich auch Josh, dass schont die teuren Schuhe.

Die Familie ist sehr arm, ein Umstand den zu akzeptieren sich Joshs Mutter schwer tut. Sie achtet deshalb sehr auf gutes Benehmen, Sauberkeit und ordentliche Kleidung.

Joshs Leben ist langweilig, es passiert nie etwas Aufregendes in Tolnar. Sein Besuch auf dem nahe gelegenen Markt, sowie der Hin- und Rückweg, sind eine willkommene Abwechslung, wenn auch nicht ohne Gefahr.

Josh weiß nicht genau, was er eigentlich will. In seinem Leben soll etwas Aufregendes passieren, aber was?

Eines weiß er aber sicher, so wie es vorbestimmt scheint, soll sein Leben nicht verlaufen.

Als ältester Sohn des Schreiners, erwartet jeder von ihm, dass er später einmal der Dorfschreiner wird, so wie sein Vater es heute ist und er eines der Mädchen aus dem Dorf heiratet.

Na ja, es sind schon nette Mädchen dabei, aber nicht DIE eine.

Die Tochter des Bäckers zum Beispiel, sicher sie ist eine gute Partie, aber das Schönste an ihr ist ihr Name „Gisell". Sie ist sehr korpulent, nicht gerade attraktiv und dazu noch dumm. Josh findet allerdings, für ein ganzes Leben zu zweit, reicht der schöne Name alleine nicht aus.

Dann gibt es noch die Tochter des Hirten, Athene, sie ist kaum eine gute Partie, aber hübsch. Nur der Charakter lässt sehr zu wünschen übrig, sie ist ein Biest. So hätte er noch fortfahren können, es ist zum Auswachsen.

8

Josh aber wünscht sich ein Mädchen, dass ehrlich zu ihm steht und ihn nicht heiratet, weil auch er, im Verhältnis, eine ganz gute Partie ist. Schön sollte sie natürlich sein, liebreizend und freundlich. Das Mädchen seiner Träume ist schlank, hat langes, blondes Haar und ein fröhliches Lachen.

Er würde sie, hinten auf seinem Pferd sitzend, mitnehmen und mit ihr im Sommerwind am Fluss entlang reiten. Ein schöner Traum eben, perfekt in jeder Hinsicht.

Josh wünscht sich nämlich auch ein eigenes Pferd, vollkommen abwegig für einen einfachen Mann wie ihn, unerreichbar, aber wünschen darf man sich ja vieles.

Seine Großmutter hatte zuweilen gesagt, das seien nur Träumereien, das Leben werde ihn schon noch eines Besseren belehren. Dabei hatte sie verschmitzt gelächelt.

Josh hat kein leichtes Leben, sein Vater bevorzugt eindeutig seine jüngeren Geschwister. Josh kann sich das nicht erklären. Der Vater ist ihm gegenüber unsicher und streng. Josh bemüht sich solange er denken kann, um die Anerkennung seines Vaters. Der Schreiner ist ein eher grobschlächtiger Mann, der wenig Verständnis für das sensible Wesen seines Sohnes aufbringen kann.

Die Mutter dagegen sieht ihn oft verträumt an, besonders wenn sie glaubt er merke es nicht.

Sobald sie gewahr wird, dass er ihren Blick bemerkt hat, ist auch sie besonders streng. Er versteht das nicht.

Gedankenverloren ist er bis zum Flüsschen gelaufen, es wird bereits hell, Josh löscht die Fackel.

Es führt eine Furt durch den Fluss, das Wasser ist hier nur knietief. Josh krempelt die Hosenbeine hoch. Nepomuk, sein Hund, ist bereits ins Wasser gesprungen und paddelt zum anderen Ufer.

Das Wasser ist eisig, als Josh hinein steigt erfasst ihn ein Schauer. „Brrr, ist das kalt", ruft er erschrocken.

Nach einigen Sekunden empfindet er das Wasser als angenehm erfrischend, er hat sich an die Kälte gewöhnt. Der Boden ist mit weichem Sand bedeckt, dieser quillt beim Laufen angenehm zwischen den Zehen hervor.

Wieder ans Ufer gestiegen, krempelt er die Hosenbeine herunter und Nepomuk schüttelt das Wasser aus seinem Fell. Die Tropfen fliegen in hohem Bogen nach allen Seiten und glitzern in der Morgensonne. Nepomuk ist ein schlanker, kräftiger Hund, er ist ca, 70cm gross und hat mittellanges leicht gewelltes goldbraunes Fell.

Vom anderen Ufer der Tole schaut Josh aus einiger Entfernung zurück Richtung Dorf.

Der Wind bläst ihm kräftig ins Gesicht. Er bringt den würzigen Duft nach Kräutern und Blumen mit sich, der für den Frühsommer typisch ist. Die ersten Sonnenstrahlen vertreiben die dunklen Schatten der Nacht.

Es verspricht ein schöner Tag zu werden, der Himmel ist nahezu wolkenlos. Die Hähne im Dorf begrüßen den Tag, ihr Krähen ist deutlich zu hören. Bald wird geschäftiges Treiben das Dorf mit Leben erfüllen.

Das liebliche Bild, das sich Josh aus der Ferne bietet, täuscht über die wahre Lage im Dorf hinweg.

Nachdem das übliche Frühjahrshochwasser abgeflossen war, wurden die Felder bestellt. Doch dann vernichtete ein heftiges Unwetter mit Hagel die jungen Pflanzen auf den Feldern, nicht nur im Flusstal, sondern in der ganzen Gegend. Darauf folgten abermals starke Niederschläge, mit einem zweiten Hochwasser, das sein Übriges tat. Das Wasser stieg ungewöhnlich hoch, das Tal erlaubte der Tole keine weitere Ausdehnung. Im Dorf entstand schwerer Schaden.

Die Menschen und ihr Vieh haben sich für Tage auf den Dächern zusammengedrängt, um nicht zu ertrinken. Die Umstände waren schlimm, das Wasser floss nur sehr langsam wieder ab, es war durch Fäkalien und die Kadaver ertrunkener Tiere verschmutzt, eine übelriechende Brühe. Da auch der Brunnen überflutet war, stand kein anderes Trinkwasser zur Verfügung.

Als Folge breitete sich eine schlimme Krankheit aus, die Erkrankten bekommen hohes Fieber und Schüttelfrost, das Schlimmste ist aber, in kürzester Zeit sind sie vollkommen entkräftet.

Mehrere Bewohner des Dorfes sind an dieser Auszehrung bereits gestorben, auch der Dorfvorsteher war darunter, seither fehlt den Menschen die Person, nach der sie sich richten können. Die Krankheit macht keinen Unterschied zwischen alt und jung, Mann und Frau, alle sind in Gefahr.

10

Auch Joshs Großmutter und zwei seiner jüngeren Geschwister sind erkrankt, niemand weiß, ob sie sich erholen werden.

Aus diesem Grund ist Josh auf dem Weg in die nächste Stadt. Früher im Jahr als gewöhnlich soll er die Waren der Schreinerei verkaufen. Der Vater hofft, so etwas Geld zu verdienen um den Heiler bezahlen zu können.

Es ist ungewöhnlich für einen Schreiner auch Besen herzustellen, aber die Zeiten erfordern dies. Die zu erwartende Hungersnot zwingt dazu vorzusorgen. Joshs Vater ist ein tüchtiger Geschäftsmann und er hat nicht vor, die Probleme untätig auf sich zukommen zu lassen.

Deshalb stellt er jetzt die Besenkörper her, Joshs Schwestern und seine Mutter flechten die Borsten ein.

Teurere Erzeugnisse aus der Schreinerei, Tische, Truhen, Kommoden und Ähnliches können oder wollen sich die Menschen zur Zeit nicht leisten. Jeder hat Angst vor dem, was kommen wird, insgesamt herrscht eine lähmende Hilflosigkeit. Den kommenden Winter werden viele wohl nicht überleben.

Josh atmet tief aus, fast ein Seufzen, als könne er den Widerspruch zwischen dem schönen Anblick und der traurigen Wirklichkeit kaum ertragen.

Er fühlt sich hilflos. Fragend schaut er Nepomuk an: „Wie können wir nur helfen, mein Freund." Nepomuk sieht ihn an und fiept leise, als würde er verstehen.

Josh wendet sich um und folgt weiter dem Weg. Er erreicht den Hang, der das Tal auf dieser Seite begrenzt und steigt den Weg bergauf. Die Sonne ist aufgegangen, während des Aufstiegs wird ihm warm. Er hält kurz an und setzt die Kiepe ab, um die Jacke ausziehen zu können. Mit der Jacke in der Hand, setzt er seinen Weg fort.

Er pfeift eine Weise, um die düsteren Gedanken zu vertreiben. Diese entsprechen überhaupt nicht seinem Wesen, Josh ist ein fröhlicher Mensch. Nepomuk jagt spielerisch nach den Faltern, die über den Weg flattern.

Etwas weiter entfernt, auf der Weide, erblickt Josh den Hirten des Dorfes. Dieser lehnt auf seinem Hirtenstab und beobachtet die grasenden Tiere. Er grüßt freundlich aus der Ferne, als er Josh erblickt. Nepomuk verlässt den Weg und läuft über die Wiese, um den Hirten und seinen Hund zu begrüßen, der Hund kennt beide gut.

11

Nach kurzem Spiel, kehrt Nepomuk zu Josh zurück, der bereits einigen Vorsprung hat und setzt mit ihm den Weg fort.

Die Anwesenheit des Hirten und seines großen Hirtenhundes bei den weidenden Tieren ist dringend erforderlich.
Es geht weniger darum, das Vieh zu hüten, es ist eine sehr kleine Herde, sondern vielmehr darum, es zu beschützen. Aus diesem Grund hat der Hirte auch keinen wendigen Hütehund, sondern einen großen, wessen, schweren Hirtenhund, einen mächtigen Gegner mit dem sich niemand gerne anlegt. Die weisse Farbe seines Fells hilft ihn, im Kampf gegen Wölfe, von diesen unterscheiden zu können. Der Hund hilft dem Hirten, das Vieh gegen Wölfe, Wegelagerer und Diebe zu verteidigen.
Nachdem Josh und Nepomuk die Anhöhe erklommen haben führt der Weg weiter durch eine liebliche Auenlandschaft. Sie lassen das Tal und den Blick auf die Heimat hinter sich. Eine Wiesenlandschaft von einem größeren Bach durchzogen, liegt vor ihnen. Bunte Blumen säumen den Weg, geschäftige Insekten suchen nach Nektar.
Der Weg folgt für längere Zeit dem Bach. Dieser schlängelt sich durch sanft, hügelige Wiesen. Schließlich überqueren die beiden den Wasserlauf über einen wackligen Holzsteg. Von nun an steigt der Weg leicht zum Wald hin an.
Bevor der Wald beginnt, steht eine alte Eiche am Weg. Eine Quelle entspringt bei dem Baum, sie speist ein Rinnsal, das plätschernd und gurgelnd ins Tal fließt. Es strebt eilig dem großen Bach im Talgrund zu, um sich mit diesem zu vereinigen.

Die Sonne steht bereits hoch am Himmel. Nach mehrstündigem Weg, mit der Last der Kiepe auf dem Rücken, haben sich die beiden eine Pause verdient.
Das frische, klare Wasser der Quelle schmeckt hervorragend. Weil das Rinnsal direkt dort entspringt, können Josh und sein Hund gefahrlos trinken. Wegen der über das Wasser übertragenen Krankheiten, wird Wasser aus Brunnen, Bächen und Flüssen nur abgekocht getrunken.
Wegen dieses seltenen Genusses und des schönen Ausblicks über das Tal macht Josh hier immer Rast, wenn er des Weges kommt.
Er ist müde und sagt freundlich zu seinem Hund: „Komm Nepomuk, hier rasten wir, lass uns aber erst ausgiebig trinken."

Dann setzt er sich in den Schatten, Nepomuk legt sich neben ihn und beginnt zu dösen.

Josh blickt über sich in das Blätterdach der Eiche. Der Baum ist uralt, was hat der wohl schon alles gesehen? Für Joshs Sorgen hat der sicher nur ein leises Rauschen übrig.

Josh isst einen mitgebrachten Apfel und blickt gedankenverloren über das Tal. Je weiter er sich vom Dorf entfernt, desto leichter wird ihm ums Herz, die Last, die auf seiner Seele liegt, sie scheint ihm etwas erträglicher.

Josh beginnt wieder mal zu träumen.

Er führt ein ausführliches Selbstgespräch über die bedrohliche Lage im Dorf, sein schwieriges Verhältnis zu seinen Eltern und seine Träume. Dieses Thema liebt er besonders und malt sich alles entsprechend farbenfroh aus.

Selbstgespräche führen oder mit seinem Hund sprechen ist eine von Josh's Eigenschaften.

Es fehlen ihm Gesprächspartner, von denen er glaubt, dass sie ihn verstehen. Mit sich selbst zu reden hilft ihm, seine Gedanken zu ordnen.

Er merkt nicht, dass er belauscht wir

DAS SCHICKSAL SPIELT

Ein kleines Wesen steht hinter dem Stamm der Eiche, es ist kaum größer als eine Katze und hört jedes Wort mit. Abos, so heißt der Zwerg, ist nervös. Nepomuk ist ein Risiko, sollte der Wind drehen, würde der Hund ihn wittern.

Abos ist klein und stämmig, ganz so, wie ein Zwerg eben ist. Er hat rotblonde Haare und einen spärlichen Vollbart, auf den er trotzdem mächtig stolz ist. Für einen langen Rauschebart ist er zu jung, immerhin erst an die 70 Jahre alt. Bei einer Lebenserwartung von gut 300 Jahren ist das noch gar nichts.

Er trägt einen lindgrünen Hosenanzug, dunkelbraune Stiefel, mit einem großen Umschlag und einen grünen Hut. Nach vorne läuft dieser Hut spitz zu, ihn schmückt eine Amselfeder.

Richtig, als Zwerg müsste er eigentlich eine Zipfelmütze tragen. Diese weit verbreitete Meinung ärgert ihn sehr, alle wissen das und können Abos zur allgemeinen Belustigung damit aufziehen. Er regt sich auch zu schön auf, er ist eben ein Brummbär.

Vom Zwergenkönig hat Abos den Auftrag erhalten, Joshs Erscheinen zu melden, außerdem hat er genug gehört. Er will nicht riskieren, dass der Wind dreht und er doch noch verraten wird.

Schnell läuft Abos zu seinem zahmen Hasen, der im Gebüsch wartet, steigt auf und lässt sich geschwind zum Zwergenkönig in das provisorische Lager im Wald bringen. Sie müssen handeln, ehe Josh mit seinem Hund weiterzieht, denn dann wird es schwierig, noch einmal eine passende Gelegenheit zu bekommen.

Zum Glück scheint es Josh nicht eilig zu haben, denn er schiebt sich seine Jacke unter den Kopf und legt sich zu einem Schläfchen nieder. Bevor er den großen Wald durchquert, will er noch ausruhen.

Abos kehrt schon nach kurzer Zeit mit einer Gruppe von Zwergen zurück, sie schleichen wieder hinter den Stamm der Eiche.

Jetzt muss alles schnell gehen. Sie wollen Josh und seinen Hund mit einem schnell wirkenden, flüchtigen Pflanzensaft betäuben. Zwei schleichen sich an die Schlafenden an. Das gurgelnde Wasser und das Rauschen im Blätterdach helfen ihnen, sich gegen den Wind, unbemerkt zu nähern. Auf dem Rücken trägt jeder einen Rucksack, in dem sich jeweils ein Lappen und ein Fläschchen mit dem Betäubungsmittel befinden.

Als sie ihr Ziel fast erreicht haben, landet eine Fliege auf Nepomuks Nase. Der Hund erwacht und schnappt nach der Fliege. Allen rutscht das Herz in die Hose, die Zwerge liegen auf dem Bauch, sie ducken sich so tief wie möglich und verharren regungslos. Jeder hofft, das Gras wird sie hinreichend verbergen.

Zum Glück ist der Hund sehr müde, er gähnt herzhaft, streckt sich kurz und legt sich wieder hin, ohne sich für die Umgebung zu interessieren.

Aufatmen, nochmal gut gegangen, also weiter. Abos rudert wild mit den Armen, auch wenn es nichts hilft, beruhigt es ihn irgendwie. Es gibt ihm das Gefühl etwas getan zu haben. Wiederum, nachdem die

14

Zwerge einige Zentimeter weiter gekrochen sind, dreht sich Josh im Schlaf um, der Weg ist jetzt noch weiter.

Endlich und ohne weitere Zwischenfälle angekommen, halten die Zwerge Josh und Nepomuk je einen getränkten Lappen unter die Nase. Josh wird dabei an der Nase gekitzelt und niest herzhaft - Schrecksekunde. Das ist nochmal gut gegangen, Abos atmet erleichtert aus. Jeder Zwerg hat ein Seil um die Hüften. Sollten sie selbst von den Dämpfen einatmen, würden sie von ihren Kameraden aus der Gefahrenzone gezogen.

Die Dämpfe wirken sehr schnell. Jetzt kommen die anderen Zwerge hinter dem Baumstamm hervor.

„Gebt ihnen sicherheitshalber noch einige Tropfen von diesem Mittel in den Mund." Abos reicht ihnen ein anderes Fläschchen. „Sie müssen fest schlafen, der Transport wird etwas ruppig. Ich bin erleichtert, bis hierhin ist schon mal alles gut gegangen." Abos atmet hörbar aus.

Nachdem Josh und sein Hund betäubt sind, kommt ein Mann, mit einem Pferd, aus dem Wald, der Name des Mannes ist Cerjoc. Er begrüsst Abos freundschaftlich: „Hallo Abos, das habt ihr gut gemacht." Abos erwidert leise und sichtlich erleichtert: „Ja, wir haben unseren Teil getan, jetzt bist du dran." Cerjoc nickt und macht sich daran, Josh auf den Pferderücken zu hieven. Schließlich hängt der Schlafende quer auf dem Pferd, wie ein Sack Mehl.

Nacheinander werden beide tiefer in den Wald gebracht und auf einer Lichtung, nahe dem Zwergenlager sanft gebettet. Für Cerjoc ist es nicht einfach, die schlaffen Körper vorsichtig abzuladen, immerhin hat er keine Hilfe, die Zwerge sind zu klein.

Nach getaner Arbeit betrachten Cerjoc und Abos die Schlafenden.

„Meinst du, er wird mitmachen? Was willst du überhaupt sagen?" In Abos' Stimme schwingt unüberhörbar der Zweifel mit.

„Ich habe keine Ahnung, ich weiß nur, dass es keinen Sinn macht, lange um den heißen Brei herumzureden. Ich werde schnell auf das Problem zu sprechen kommen. Dass er den Mut hat, sich auf die Sache einzulassen und dass ich überzeugend genug bin, kann ich nur hoffen. Glaube mir, anders geht es nicht. Wenn er mir nicht glaubt oder sich diesen Schritt nicht zu gehen traut, haben wir ein echtes Problem. Wir können ihn zu diesem Abenteuer nicht zwingen, das würde sowieso niemals zum gewünschten Erfolg führen. Am liebsten würde ich dieses Gespräch aber einem anderen überlassen, nur leider gibt es keine Alternative."

Abos ist froh, dass er ein Zwerg ist und deshalb die Wahl gar nicht auf ihn fallen konnte. Deshalb macht er Cerjoc Mut. „Warum? Sollte sich Josh entscheiden zu helfen, wirst du es sein, der ihn auf der abenteuerlichen Reise begleitet. Es ist also nur logisch, dass du es bist, der den ersten Kontakt herstellt. Du bist ein netter Kerl, meistens jedenfalls, also bemüh' dich, es wird schon klappen." Sie flüstern, um die beiden nicht zu wecken.

„ Ja ja, du hast gut reden, aber jetzt sollten wir lieber gehen, sonst sieht er dich doch gleich. Bitte melde dem Zwergenkönig, dass bis hierhin alles nach Plan verlaufen ist. Dann kommst du wieder, versteckst dich aber."

Abos nickt und läuft in Richtung des Lagers davon.

Es ist beschlossen, dem jungen Mann, wenn er erwacht, zunächst den Anblick der Zwerge zu ersparen. Cerjoc soll den ersten Kontakt herstellen.

Er entfernt sich jetzt einige Meter, gerade außer Sichtweite und setzt sich auf einen umgestürzten Baum, Josh soll sich erst orientieren können, wenn er aufwacht, Cerjoc wartet.

Als Josh erwacht, richtet er sich auf, er befindet sich auf einer Lichtung, mitten im Buchenwald. Die Geräusche des Waldes umgeben ihn. Ein leichter Luftzug bringt das Blätterdach über ihm zum Rascheln. Sein Mund ist sehr trocken, die Zunge klebt ihm am Gaumen. Von der Betäubung hat er einen bitteren Nachgeschmack und vom unsanften Transport, über dem Pferderücken hängend, schmerzen ihm alle Glieder,

Gebettet ist er auf einem Lager aus Blättern und sorgfältig zugedeckt mit einer weichen Decke.

Es dämmert bereits, erschrocken schaut er sich nach Nepomuk um. Der schnarcht friedlich auf einem weichen Bett aus Moos. Sie sind alleine, seine Kiepe liegt unversehrt neben ihm. Eilig schaut er in den kleinen Lederbeutel, den er um seinen Hals trägt. Alles ist noch da, ein paar Münzen, sein wertvollstes Gut, ein Feuerbrett (ein kleines Brett, in das ein Feuerstein eingearbeitet ist, um es besser halten zu können.) und die Hasenpfote, sein Talisman.

Sie sind entführt aber nicht bestohlen worden, seltsam.

16

Fest steht, er ist sanft gebettet und sorgfältig zugedeckt, wirklich böse ist das nicht gemeint, Nepomuk schläft selig.

Josh ist verwirrt, hier passt nichts zusammen. Es ist still, außer Nepomuks regelmäßigem Schnarchen und den Geräuschen des Waldes, ist nichts zu hören. Der Duft des frisch aufgewühlten Waldbodens, steigt Josh in die Nase. Den ganzen Tag hatte die Sonne geschienen und es ist noch immer warm. Er steht auf und dehnt seine steifen Glieder, der Boden ist weich und federnd, das Laub des vergangenen Jahres raschelt bei jedem Schritt. Er geht auf und ab, versucht nachzudenken, die Lage zu erfassen.

Als nächstes, erblickt er einen älteren Mann, der auf ihn zukommt, es ist Cerjoc.

Cerjoc hat schulterlange, dünne, graue Haare, das rechte Bein zieht er leicht nach. Er hat blitzende, wache Augen und ein fröhliches Lächeln. Bekleidet ist er mit einer Hose, die früher einmal braun gewesen sein mochte. Die graue Jacke ist schlicht, die Kleider sind zwar einfach, aber sauber.

„Na aufgewacht?", fragt Cerjoc.

Eine seltsame Begrüßung, aber es sind ja auch ungewöhnliche Umstände und er weiß nichts anderes zu sagen.

Josh fährt ihn an: „Was fällt Euch ein, wo bin ich hier?"

„Na, na, immer langsam mit den jungen Pferden, ich erkläre Euch alles."

„Hoffentlich habt Ihr eine gute Erklärung, das hoffe ich wirklich für Euch." Josh ist körperlich eindeutig überlegen, auch wenn er, abgesehen von harmlosen Raufereien im Dorf, keine Erfahrung im Kampf besitzt. Er ist derart aufgebracht, dass er die ungewohnt höfliche Anrede gar nicht bemerkt. Inzwischen stehen sich beide direkt gegenüber, Josh ist einen guten Kopf größer als Cerjoc.

Nachdenklich fasst sich Cerjoc ans Kinn. „Wo fange ich nur an und vor allem wie?"

„Wie wäre es, wenn Ihr Euch erst einmal vorstellt", fordert ihn Josh leicht hönisch auf.

„Das ist wahr, entschuldigt, wie unhöflich von mir."

Cerjoc fasst sich ein Herz und beginnt, es wird schon gut gehen.

„Mein Name ist Cerjoc, ich bin der Knappe des Ritters Ronan von Orland und möchte ..., nein ich muss ...", seine Stimme verstummt, dann setzt er neu an.

„Wir wissen keinen anderen Ausweg und so müssen wir Euch ein Angebot machen. Aber zuerst eine Frage. Ist alles soweit in Ordnung?"

„Nichts ist in Ordnung", herrscht Josh ihn an. Das ist normalerweise nicht seine Art, aber die Angst, die sich breit macht, lässt ihn so hart reagieren. Die Szene hat etwas Komisches und so muss Cerjoc schmunzeln.

Doch bevor Josh darauf reagieren kann, erwacht der Hund und springt mit einem Satz auf die Pfoten. Nepomuk sieht beeindruckend aus, sein goldbraunes Fell leuchtet warm in der Abendsonne, er hat eine lange Schnauze, Ohren die eigentlich stehen sollten, aber das linke kippt in der Mitte nach vorne. Wenn er den Kopf auf die Seite legt, was er sehr oft macht, verleiht ihm das ein freundliches, komisches Aussehen. Auch hat der Hund eine lustig nach oben gebogene Rute. Er ist ungefähr so groß wie ein Schäferhund. Jetzt knurrt er Cerjoc böse an und gibt dabei ein ziemlich eindrucksvolles Bild ab.

„Bitte", fleht Cerjoc, „ich tue Euch nichts, lasst mich erklären, aber bitte ruft den Hund zurück. Er gehorcht Euch doch, hoffe ich", setzt er noch hinzu, wobei er den Hund mit gemischten Gefühlen ansieht.

Josh weiß nicht, was eigentlich los ist, er hat furchtbare Angst, aber er sieht keinen Grund, sich nicht anzuhören, was Cerjoc zu sagen hat. Welche Möglichkeiten hat er auch sonst?

„Bitte", sagt er höflich zu Cerjoc, „Nepomuk, ganz ruhig, komm her" zu seinem Hund., dieser gehorcht.

„Nun alter Mann, ich höre, ich hoffe Ihr habt eine gute Erklärung." Er setzt sich im Schneidersitz auf den Waldboden, der Hund setzt sich daneben.

Cerjoc seufzt erleichtert, das ist ein Anfang, er setzt sich auf einen Baumstumpf, aber wie soll er nur beginnen.

Josh sieht Cerjoc eindringlich an, dieser spricht mit fester Stimme, als wollte er sich selbst Mut machen.

„Was ich Euch jetzt erzähle klingt etwas seltsam, aber bitte glaubt mir, alles stimmt, alles ist wahr. Wir, der Ritter, ich, du und einfach alle Wesen, Menschen und Tiere, stecken ziemlich in der Klemme. Wir müssen Euch deshalb um nicht weniger bitten, als Euer Leben wie Ihr es kennt, zumindest vorübergehend, aufzugeben. Hoffentlich entschließt Ihr Euch, uns zu helfen, was sehr viel verlangt ist."

Josh versteht noch immer nichts, gar nichts. „Ihr müsst schon etwas deutlicher werden."

Insgesamt ist die Lage sehr verwirrend. Er und sein Hund sind entführt, aber nicht bestohlen worden.

Dazu kommt, Cerjoc's Auftreten ist in keinster Weise bedrohlich, im Gegenteil eher bittend. Das passt alles nicht zusammen, Josh ist sehr irritiert. Außerdem ist er ganz und gar nicht gewöhnt, so förmlich und höflich angesprochen zu werden, fast schon ehrfürchtig. Josh erklärt sich diesen Umstand damit, dass Cerjoc es gewohnt ist, mit dem Ritter so zu reden. Das überträgt der K nappe jetzt auf ihn, so muss es wohl sein.

Cerjoc beginnt mit seiner Erklärung, Josh hört gebannt zu. Nepomuk hat sich inzwischen neben Cerjoc gelegt, der ein grosses Vertrauen ausstrahlt, die Situation hat sich leicht entspannt.

„Alles begann damit, dass der Ritter vor vielen Jahren in großen Schwierigkeiten steckte, er wurde sehr krank, kein Mittel half, kein Heiler wusste Rat. Zwerge heilten ihn im letzten Moment."

„Zwerge?" ,unterbricht ihn Josh ärgerlich. „Die gibt es doch gar nicht." Er winkt ab und steht auf, so ein Unsinn, hier verschwendet er nur seine Zeit. Josh wendet sich zum Gehen. „Komm Nepomuk, wir haben noch einen weiten Weg vor uns."

Cerjoc fleht ihn an: „Bitte hör mir doch erst einmal zu, es ist wirklich sehr wichtig."

Josh reagiert nicht, er will seine Kiepe schultern.

In diesem Moment tritt Abos hinter einem Baumstamm hervor. Nepomuk ist bereits aufgestanden und im Begriff sich umzudrehen, um seinem Herren zu folgen, er hält inne und winselt verwirrt. Josh schaut erst auf seinen Hund, dann erblickt er den Zwerg, er dreht sich wieder um und fällt mit offenem Mund auf die Knie, zeigt auf Abos und stottert.

„Da, da da das ist .." „ ... ein Zwerg", ergänzt Cerjoc und schmunzelt über das ungläubige Gesicht, das Josh macht. „Darf ich vorstellen, das ist Abos, aber Ihr müsst vor ihm nicht niederknien." Er lächelt, amüsiert über die Situation.

Nepomuk winselt verwirrt dreht sich um sich selbst, dann legt er sich wieder hin und leg t den Kopf auf die Pfoten.

Abos hält sich nicht lange mit Höflichkeiten auf, das liegt ihm nicht. Streng sagt er zu Josh. „Du solltest aufhören dich zu wundern und zuhören, wir haben nicht endlos Zeit."

Josh macht den Mund zu und nickt.

Cerjoc fährt fort: „Entschuldigt die forsche Art, so ist Abos eben, Ihr werdet Euch daran gewöhnen, also weiter ."

„Als Dank versprach der Ritter damals dem Volk der Zwerge zu helfen, über den magischen Kristall zu wachen."

„Magischer Kristall?", Josh blickt Cerjoc und Abos fragend an.

„Ja" erklärt Cerjoc weiter. „Dieser ist sehr mächtig, er hält die Welt in sicheren Bahnen. Kommt er aber in falsche Hände und wird missbraucht, hat das schlimme Auswirkungen auf die Menschen und auf alle anderen Wesen. Er kann auftretende, natürliche Ereignisse verstärken, leider ins Unermessliche, aber richtig eingesetzt auch abmildern. Wie gesagt, das gilt nur für Situationen natürlichen Ursprungs.

Jahrelang ging alles gut, aber jetzt ist Ronan wieder schwer erkrankt. Diese Schwäche wurde ausgenutzt und der Kristall gestohlen, durch Verräter aus den Reihen der Zwerge. Sie sind den Versprechungen des bösen und habgierigen Tyros erlegen und haben den Stein an ihn übergeben.

Th yros hat kein Geburtsrecht auf einen Adelstitel, damit will er sich jedoch nicht abfinden und strebt danach, auf unehrliche Weise Macht zu erlangen.

Ohne die Kraft des Kristalls sind dieZwerge nicht in der Lage Ronan zu heilen. Um den Kristall wieder zu beschaffen. Wir müssen den Stein finden und dem Bösen wieder entreißen. Zum Wohl aller Wesen und natürlich auch, um dem Ritter zu helfen."

Dann spricht er lauter, und ganz erregt weiter: „Dies wird nicht einfach, ist nicht ungefährlich und kostet einen hohen Preis. Ihr müsst Ronans Platz einnehmen und den magischen Kristall zurückholen.

Ihr bekommt seinen Namen, sein Pferd, sein Schwert und natürlich meine Dienste und werdet fortan als Ronan auftreten. Josh gibt es dann nicht mehr, mit allen Konsequenzen."

20

Cerjoc wird unruhig, was wenn er nicht überzeugend genug ist. Leise spricht er weiter: „Es ist ein Dilemma, eigentlich habe ich schon viel zuviel erzählt. Solltet Ihr uns nicht helfen, habt Ihr, wenn auch nur unzureichend und unvollständig, Kenntnis von dem magischen Stein. Dieses Wissen kann sehr gefährlich sein. Andererseits braucht Ihr es, um Euch überhaupt entscheiden zu können."

Es entsteht eine Pause. Cerjoc versucht aus Joshs Gesichtsausdruck zu entnehmen, wie diese Offenbarung bei ihm ankommt.
Josh sieht erschrocken aus, mit so etwas als Grund für die Entführung, hat er nicht gerechnet. Soll er all das glauben? Welche Verantwortung lastet plötzlich auf ihm? Er hatte sich immer nach einem anderen Leben gesehnt, aber es ist ein Unterschied davon zu träumen, oder jetzt konkret vor der Entscheidung zu stehen. Außerdem ist er kein Krieger und den braucht es hier wohl, vorausgesetzt natürlich, man glaubt Cerjoc. Diese Verwirrung spiegelt sich auf seinem Gesicht wieder.
Er sieht Cerjoc Hilfe suchend an. Dieser zuckt aber nur mit den Achseln. „Das ist nicht einfach, wir bitten Euch, Euer bisheriges Leben aufzugeben, nicht weniger."
Cerjoc redet jetzt in einem väterlichen Tonfall. Er hat das Gefühl, so leichter an sein Ziel zu kommen und Josh zu überzeugen.
Josh hat tausend Fragen, er ist aber nicht in der Lage diese Fragen zu formulieren, deshalb sagt er wie zu seiner Verteidigung: „Ich kann nicht reiten, nicht kämpfen und mich nicht benehmen wie ein Edelmann".
Cerjoc beeindruckt das wenig. „Das könnt Ihr lernen, wir werden uns bemühen, Euch alles beizubringen. Ihr seid jung und kräftig, ein pfiffiger Bursche seid Ihr obendrein, das wird helfen, es wird schon gehen."
Er sagt dies mit der Bestimmtheit, als würde er Josh schon ewig kennen. Josh seinerseits ist so sehr damit beschäftigt alles zu verstehen, dass ihm das gar nicht auffällt.
„Nepomuk gebe ich nicht auf." Josh wirkt hilflos und fast ein bisschen trotzig.
„Das verlangt niemand von Euch, nur für Eure Familie und Freunde seid Ihr erst einmal tot. Wir werden alles entsprechend aussehen lassen".

Cerjoc spinnt den Gedanken weiter, Josh hört ihm zwar zu, kann die Tragweite der Worte aber nicht erfassen. „Es dürfte reichen von den Sachen, die Ihr bei Euch habt, etwas zu zerbrechen, die anderen verschwinden zu lassen und ein wenig Tierblut zu verteilen. So täuschen wir einen Überfall vor, das ist ja nicht ungewöhnlich. Ich werde morgen ganz aufgeregt und etwas verdreckt in das Dorf laufen. Ich kann sehr überzeugend den leicht verwirrten, alten Mann spielen. Dort werde ich erzählen, was sich angeblich zugetragen hat. Sie werden dann die Stelle am Weg finden und niemand wird noch weitere Fragen stellen."

„Oh nein!", er schlägt sich die Hand vor den Mund. „Ihr habt ja überhaupt noch nicht zugestimmt, ich bin wieder einmal viel zu voreilig, bitte verzeiht." Abos nickt zustimmend und brummt etwas Unverständliches.

Cerjoc sieht Josh eindringlich an. „Wir werden Euch jetzt allein lassen, damit Ihr in Ruhe darüber nachdenken könnt. Abos und ich bleiben in der Nähe, falls Ihr Fragen habt. Bitte lasst Euch Zeit, das ist eine schwerwiegende Entscheidung. Wenn Ihr reden wollt, braucht Ihr nur zu rufen."

Er wendet sich von Josh ab, um zu gehen, da hält er inne und zeigt in Richtung Westen.

„Ach ja, der Weg zur Stadt ist übrigens in dieser Richtung." Dann gehen er und Abos weiter in den Wald hinein.

Josh bleibt zurück, einem Impuls folgend springt er auf und rennt in die Richtung, die Cerjoc gewiesen hat.

Abos und Cerjoc beobachten versteckt die Szene. „Ich habe ja gleich gewusst, es würde nicht klappen." sagt Abos halb enttäuscht, halb triumphierend, er ist nicht gerade für seinen Optimismus bekannt. Cerjoc antwortet nachdenklich.

„Das ist schon eine starke Geschichte, ziemlich viel auf einmal. Aber noch ist der Tag nicht zu Ende, wir sollten ihm Zeit zum Nachdenken geben."

Er blickt Abos mit einem verschmitzten Lächeln an. „Vielleicht hätten wir ihm besser deinen Anblick erspart, das haut den stärksten Mann um." Abos regt sich au, wie erwartet.

Cerjoc dreht sich um und geht lachend in Richtung des Lagers, dass die Zwerge provisorisch im Wald aufgeschlagen haben.

Im Lager angekommen fragt sie der Zwergenkönig.

„Was habt Ihr zu berichten?"

Cerjoc verneigt sich und antwortet ehrfürchtig: „Ich kann es noch nicht sagen, Majestät. Er braucht Zeit zum Nachdenken, wir müssen abwarten."

„ Zeit ist leider etwas, was wir nicht haben", antwortet der König besorgt.

„Ja schon", ereifert sich Cerjoc, „aber zwingen können wir ihn nicht, das bringt niemandem etwas. Wir stellen sein Leben grundlegend auf den Kopf, er hat Dinge gesehen, die er bisher in der Fabelwelt glaubte und das innerhalb kürzester Zeit. Ich glaube wir müssen ihm etwas Zeit geben. Ich möchte genauso sehr wie Ihr, das es gelingt, aber wir müssen uns zusammenreißen, es wäre sonst sehr ungerecht."

Der König ist erstaunt. Eine solche Leidenschaft ist er von Cerjoc nicht gewöhnt, Cerjoc ist sonst eher besonnen.

„Nun gut, so sei es." Der König lenkt erst einmal ein und denkt bei sich: „Das ist ein ganz schön heftiger Tag für den armen Jungen, aber immerhin hat er noch nicht abgelehnt, es besteht also Hoffnung. Mir wäre es lieb, wenn wir den Trank des Vergessens nicht brauchen und den Plan des Ritters umsetzen, auch wenn sein Gelingen sehr ungewiss ist. Vielleicht hat Cerjoc ja Recht, wir müssen abwarten."

Bevor sich der König in seine Höhle, die ihm als Unterkunft dient, zurückzieht, befielt er den Umstehenden: „Also, warten wir ab, ich möchte, dass mir sofort berichtet wird, sobald sich etwas Neues ergibt."

Cerjoc und die Zwerge bereiten sich ein kleines Mahl zu, während sie warten. Abos legt sich nach dem Essen in seine Hängematte.

„Wir können jetzt sowieso nichts unternehmen, da kann ich ebenso gut schlafen, weckt mich wenn es etwas Neues gibt."

Cerjoc schüttelt den Kopf: „Wie kann man nur seelenruhig schlafen, wenn die Welt, wie wir sie kennen, am Abgrund steht und wir nicht wissen, ob ich überzeugend genug war und Joshs Mitarbeit gewinnen konnte?"

„Das wäre noch lange keine Garantie, dass das Vorhaben, den Kristall zurückzuholen, gelingt." Abos ist in Wirklichkeit auch nicht müde, aber es taugt ihm nicht, zur Untätigkeit gezwungen zu sein, was er lässig zu überspielen versucht.

„Das stimmt, aber es ist zumindest eine Chance und darf ich Dich daran erinnern, es ist die beste, die wir haben."

„Die einzige", Abos möchte die Unterhaltung beenden, er dreht sich um.

Cerjoc ist furchtbar nervös, läuft auf und ab und denkt laut darüber nach, was er vielleicht besser gesagt hätte.

Da kommt aus Richtung der Hängematte ein missgelaunter Kommentar: „Hör' auf ständig hin und her zu laufen, du regst mich auf, du kannst doch jetzt ohnehin nichts mehr ändern, such' dir eine Arbeit, das beruhigt." Cerjoc geht, holt die Pferde und das Putzzeug. Er beginnt im schwachen Schein des Feuers die Pferde zu striegeln. Nach einiger Zeit kommt auch der König mit seinem Gefolge zurück, auch er findet keine Ruhe.

„Erhalten wir in jedem Fall eine Antwort durch den Jungen?", fragt er Cerjoc zweifelnd.

Dieser senkt betreten den Blick: „Das vergaß ich so genau zu vereinbaren."

„Nicht zu fassen, wie lange sollen wir deiner Meinung nach warten?" Kopfschüttelnd setzt sich der König , aber er beherrscht sich und verkneift sich jedes weitere Wort.

Jeder hängt seinen Gedanken nach während sie warten.

Josh ist ein gutes Stück gerannt, als könnte er entfliehen und in sein altes, langweiliges, aber vertrautes Leben zurückkehren.

Plötzlich hält er inne, was wenn das Hochwasser und die Krankheit im Dorf schon Folgen des Diebstahls und Missbrauchs des Kristalls sind? Was, wenn die Erzählung wahr ist? Eines ist sicher, den nächsten Winter werden viele Dorfbewohner nicht überleben. Sollte ausgerechnet er in der Lage sein, etwas dagegen unternehmen zu können? Bei dem Gedanken schauert ihn, er fürchtet sich sowieso schon, alleine in dem ihm unbekannten Wald. Diese Erkenntnis macht alles nicht unbedingt besser. Er fühlt sich elend.

Er setzt sich und lehnt sich an einen Baumstamm. Nepomuk spürt die Angst seines Herren, er legt den Kopf auf Joshs Knie. Aber die Ohren sind wachsam gespitzt, Nepomuk entgeht kein noch so leises Geräusch, jeder Muskel seines Körpers ist angespannt, er ist jederzeit verteidigungsbereit.

Josh sieht sich um. Die Vögel singen ihre letzten Strophen, bevor die Geschöpfe der Nacht im Wald übernehmen. Der Wind streicht sanft durch das Blätterdach, es riecht nach Harz.
Ein Reh tritt leise aus dem Unterholz. Mit großen, erschrockenen Augen sieht es Josh und seinen Hund an. Die Ohren straff aufgestellt, wandern aufgeregt von hinten nach vorne. Es scheint zu flüstern „Bitte, hilf uns", bevor es mit eleganten Sprüngen wieder im Wald verschwindet.

Josh grübelt über das Geschehene nach. Er muss seine Familie aufgeben, das könnte er verschmerzen, richtig angenommen hat er sich sowieso nie gefühlt. Es bestand schon immer eine unsichtbare Grenze zu seinen Eltern, im Gegensatz zu Joshs Geschwistern, die wurden immer bevorzugt. Seine Eltern hatten auch nie so hohe Erwartungen an seine Geschwister, damit hat er sich abgefunden. Aber auch seine Freunde und sein gewohntes Leben wird er verlieren. Was bekommt er eigentlich dafür? Da sind nur offene Fragen, alles ist etwas rätselhaft.
Seine Familie zählt auf ihn, aber wie lange würde das bisschen Geld wohl reichen, das er für die Waren bekommt. Zunächst muss er die Sachen überhaupt verkaufen, in diesen Zeiten kein einfaches Unterfangen.
Langfristig hilft er allen wahrscheinlich am besten wenn er sich auf dieses Abenteuer einlässt. Vorausgesetzt natürlich, Cerjoc spricht die Wahrheit. Aber warum eigentlich nicht, Zwerge, die er bis eben in der Welt der Sagen glaubte, gibt es ja offensichtlich auch. Was von dem, was er bisher für wahr hielt, hat jetzt noch Bestand?
Er ist schon wieder an diesem Punkt, verstandesmäßig kommt er hier wohl nicht weiter, hier muss das Herz entscheiden.
Also was ist da noch?
Es ist zu bedenken, es lockt ein Abenteuer. Er ist schließlich ein junger Mann, hätte ein Pferd und wäre endlich jemand. Solch eine Gelegenheit gibt es sicher kein zweites Mal, er muss es versuchen. Die andere, weniger erfreuliche Seite der Angelegenheit, nämlich unbekannte Gefahren, in die er sich begeben muss, kennt er zwar nicht, aber will er alles überhaupt so genau wissen?
Er beschliebt die Bedenken beiseite zu schieben, anders kommt er zu keinem Ergebnis.

Als er wieder aufsteht, erschrickt er, er ist ganz steif von der Kälte der Nacht, der Mond scheint hell. Vor lauter Grübeln hat er die Zeit vergessen, er hat nicht gemerkt, wie spät es bereits ist. Wie lange hat er so dagesessen? Cerjoc und Abos glauben sicher, er ist lange fort, hat er so vielleicht die Gelegenheit vertan?

Eilig läuft er zurück, der helle Mondschein erlaubt das. Auf der Lichtung angekommen, ist niemand da, er ruft nach Cerjoc. Unruhig läuft er auf und ab, immer noch hin und hergerissen. Sollte Cerjoc nicht bald kommen, würde ihn der Mut wieder verlassen. Ihm scheint es, als warte er ewig.

Als er seinen Namen hört, sieht Cerjoc befriedigt zu Abos und dem König hinüber. Wie es aussieht, hat er doch Recht gehabt. „Seht Ihr, es besteht eine gute Chance, nur Mut."

Ohne Eile schlendert er durch den Wald.

Er weiss, der junge Mann muss sehr aufgewühlt sein, für lange Gespräche ist jetzt mit Sicherheit nicht der richtige Zeitpunkt. Deshalb fragt er, bei Josh angelangt nur: „Darf ich von nun an Ronan zu Euch sagen?", Josh nickt, er hat zwar tausend Fragen, aber seine innere Stimme sagt ihm, er solle dieses Wagnis eingehen. Zusammen gehen sie durch den Wald: „Entschuldigung", weiter kommt er nicht Cerjoc hat sich sofort zu ihm umgedreht und fällt ihm ins Wort: „Wir haben in den nächsten Tagen alle Zeit der Welt, um zu reden, ich weiß das es in Euren Kopf drunter und drüber gehen muss, Ihr fragt Euch ob Ihr der Aufgabe gewachsen seid, die Euch so unvermittelt in den Schoss gefallen ist, usw.. Ich verspreche Euch, wir werden Euch alle helfen so gut es geht, morgen werdet Ihr die anderen kennenlernen."

Die anderen, das hört sich gut an, Josh wird nicht alleine sein. Er behält daraufhin seine Fragen zunächst für sich, es ist richtig, morgen ist auch noch Zeit und jetzt ist er hungrig und müde.

Cerjoc lädt Josh nochmals freundlich ein, ihm zu folgen: „Kommt mit, Ihr müsst etwas essen und schlafen, morgen zeige ich Euch dann alles."

Josh folgt Cerjoc zum Lager, er muss ihm vorerst sein Vertrauen schenken. Nachdem sie sich gestärkt haben, zeigt Cerjoc Josh dessen Schlafplatz und sie begeben sich zur Nachtruhe.

EIN NEUES LEBEN

Am nächsten Morgen weckt ihn Cerjoc mit einem deftigen Frühstück. Pfannkuchen mit Honig, Eier mit Bauchfleisch, Brot, Käse und ein würziger Kräutertee erwarten ihn. Josh fühlt sich wie im Himmel, so reichlich hat er noch nie gespeist. Er genießt dieses üppige Frühstück: „Das ist gut, so habe ich noch nie gegessen." „Stärkt Euch gut, dies wird ein ereignisreicher Tag für Euch werden, Josh. Heute lernt Ihr den Ritter Ronan, Euer zukünftiges Pferd Sturmwind und noch einiges mehr kennen. Zuerst wird uns Abos zu seinem König bringen. Es ist Ahmund I König aller Zwerge." kündigt Cerjoc an.
Da kommt auch schon Abos: „Kommt mit, König Ahmund erwartet uns."
Der Zwergenkönig sitzt auf einer Wurzel, die geschmückt mit Kissen und Tüchern, als provisorischer Thron dient. Das Wetter ist schön, so haben die Zwerge den Thron nach draußen gebracht, die Höhle ist sowieso zu niedrig für Josh. Ahmund ist ein streng wirkender älterer Mann, mit einem langen, grauen Bart. Der Bart ist deutlich länger, als der König groß ist. Wie Josh später erfährt, ist dieser Bart ein Symbol für des Königs Würde. Diener tragen ihn, aufgewickelt auf einen goldenen Stab hinter ihm her. Der König ist bekleidet mit einem Mantel aus grünem Samt und trägt eine Krone aus Eisen, verziert mit geschliffenen Bergkristallen. Ahmund mustert den jungen Mann lange und intensiv. Josh kniet zwar ehrfürchtig vor dem König und die Wurzel, auf der dieser sitzt, ist erhöht, aber Josh überragt Ahmund trotzdem um ein gutes Stück. Insgesamt ein seltsames Bild, auch wenn Josh überhaupt nicht zum Lachen zumute ist. Trotz seiner geringen Körpergröße, strahlt der Zwergenkönig Autorität aus.
„Aus dir sollen wir also in kürzester Zeit einen Ritter machen. Das wird nicht einfach, auch oder besonders für dich nicht.
Aber da du offensichtlich eine wichtige Rolle in unser aller Geschick spielen sollst, erwarte ich von dir, dass du dich anstrengst. Was in unseren Kräften steht, werden wir leisten, um dir zu helfen."
Ganz selbstverständlich spricht er Josh mit „Du" an, sein Stand erlaubt ihm dies. „Nun geh, du hast viel vor."
„Ich verspreche Euch, ich werde mein Bestes geben."

27

„Davon bin ich überzeugt."

Damit entlässt er Josh. Dem König wurde bereits berichtet, wie viel Gefallen Josh an seinem Frühstück gefunden hat. Es ist deshalb davon auszugehen, dass der junge Mann alles dafür tun wird, dieses Leben zu behalten. Die Worte des Königs helfen allerdings nicht unbedingt, dass Josh sich besser fühlt. Er hat ein deutlich mulmiges Gefühl in der Magengegend, zum Glück hat er keine Zeit weiter darüber nachzudenken.

Als nächstes lernt er den Ritter kennen. Erstaunt fragt er Cerjoc. „Ist der Ritter hier?"

„Ja, wir waren hier im Wald, als der Ritter plötzlich schwer krank wurde. Er war nicht mehr in der Lage zu reiten. Abos hat Hilfe geholt. Er ist zu krank und zu schwach, um ihn auf seine Burg zu bringen, immerhin einen strammen Tagesritt von hier. Diese Reise wäre für den kranken Ronan zu anstrengend, vermutlich würde er sie nicht überleben. Aus diesem Grund haben die Zwerge tief im Wald ein provisorisches Lager aufgeschlagen."

Cerjoc führt Josh in den Unterstand des Ritters, wo dieser auf seinem Krankenlager wartet. Beide verbeugen sich tief, bevor Cerjoc Josh vorstellt.

„Darf ich Euch vorstellen, mein Herr, das ist Josh, er hat eingewilligt uns zu helfen."

Als Josh Ronan sieht, glaubt er zu verstehen, warum er ausgesucht worden ist. Er sieht dem Ritter unglaublich ähnlich, bis auf den Haarschnitt. Nun ja, das sollte das Kleinste seiner Probleme sein, der Haarschnitt lässt sich am leichtesten ändern, wenn nur alles so leicht wäre. Natürlich ist er bedeutend jünger, er hätte der Sohn des Ritters sein können.

Aber auch das ist nicht so schlimm. Kaum jemand kennt den Ritter, entweder sehen ihn die Leute nur aus der Ferne vorbei reiten oder, sollte er in ihr Dorf kommen, müssen sie sich tief verbeugen, direkter Augenkontakt ist nicht gestattet.

Aktuelle Gemälde gibt es nicht. Der Ritter ist bevorzugt, hat immer genug zu essen, hat es immer warm, so zumindest ist die landläufige Vorstellung der Menschen. Dadurch hat er sich sehr jung gehalten.

28

Der Ritter begrüßt Josh freundlich und eher vertraut, während er ihn aufmerksam mustert. „Seid gegrüßt, das ist eine gute Nachricht, willkommen in unserem Lager."

Josh macht eine tiefe Verbeugung. Daraufhin fordert ihn der Ritter auf. „Kommt her und gebt mir die Hand, bitte nicht so förmlich, ich konnte dieses duckmäuserische Gehabe noch nie leiden. In den allermeisten Fällen ist es sowieso nicht ehrlich.

Wie Ihr seht, bin ich nur ein Schatten meiner selbst. Ich hoffe sehr, Ihr helft uns. Ich werde Euch nach Kräften...", er lachte selber über die Wortwahl, „...unterstützen."

Diese kurze Unterhaltung ist aber auch schon zuviel für Ronan, er ist wirklich sehr schwach. Alle bemerken, dass er kaum noch den Kopf halten kann.

Josh, der das auch bemerkt, erwidert: „Ich hoffe, ich werde Euch nicht enttäuschen. Ich verstehe zwar noch immer nicht ganz, wieso Ihr gerade mich ausgewählt habt. Ich sehe Euch zwar ähnlich, aber ich kann nicht reiten oder kämpfen und mich nicht benehmen wie ein Edelmann. Aber ich werde mein Bestes geben. Ob das allerdings reicht, weiß ich nicht." Schwach antwortet der Ritter:

„Warum wir gerade Euch gewählt haben, werdet Ihr erfahren, wenn die Zeit gekommen ist. Ja sicher werdet Ihr es erfahren und ich bin fest davon überzeugt, Ihr werdet uns nicht enttäuschen." Dann schließt er die Augen, das Zeichen, dass diese Unterhaltung beendet ist. Cerjoc und Josh verbeugen sich höflich und gehen.

Cerjoc sieht sehr besorgt aus, sie haben eine Herkulesaufgabe vor sich. Die Zeit drängt und sie müssen aus einem einfachen Burschen einen Ritter machen, der eine sehr schwierige und gefährliche Aufgabe zu erfüllen hat.

Als sie aus dem Unterstand kommen, sieht Josh betrübt und verwirrt aus.

„Es sieht so aus, als bliebe uns nicht viel Zeit."

„Lasst Euch davon nicht unter Druck setzen. Es hat keiner etwas davon, wenn wir überstürzt handeln."

„Das ist leicht gesagt. Ich mag den Ritter und ich bin massgeblich füür sein Wohlergehen verantwortlich."

Cerjocv wird durch diese Aussage bewusst, wie sensibel Josh ist. Er muss behutsam vor gehen.

Er sieht ihn an. „Kommt, lasst uns erst einmal etwas trinken." Auf der Lichtung gibt es eine Gruppe aus Sträuchern und Kleinbäumen, jetzt im Frühling blüht der Wildapfel überreich. Hier entspringt ein Bach, Josh deutet hin und fragt: „Kann man dieses Wasser gefahrlos trinken?"

„Ja, wir achten genau darauf, dass es nicht verunreinigt wird. Ich hole uns zwei Becher." Cerjoc geht. Josh setzt sich auf einen umgestürzten Baumstamm, Nepomuk legt sich zu seinen Füßen.

Während er wartet, sieht er sich um. Die Sonne scheint von einem nahezu wolkenlosen Himmel, es ist jetzt bereits warm, ein schöner Frühsommertag. Das Lager befindet sich auf einer großen Lichtung, einen etwas längeren Fußmarsch vom Weg entfernt. Außerdem schützt eine niedrige Hügelkette zusätzlich vor ungebetenem Besuch. Ein heftiger Sturm hat am Rande der Lichtung, mehrere große Fichten mitsamt dem Wurzelteller umgeworfen. So entstanden in dem lehmigen Boden, kleine Höhlen, groß genug für die Zwerge, aber freilich zu klein für Menschen und Ihre Pferde. Die Eichen und Buchen haben dem Sturm standgehalten. Der Tag ist friedlich, von dem Schrecken des Unwetters ist nichts mehr zu spüren

Das hier jemand vorbei kommt und sie entdeckt, ist sehr unwahrscheinlich, selbst Jäger und Pilzsammler gehen nicht so tief in den Wald. Die Leute haben Angst vor Geistern und wilden Tieren. Schauerliche Geschichten ranken sich um die Wälder. Muss doch jemand auf einer Reise den Wald durchqueren, hält er sich auf den Wegen und versucht diese unheimliche, unbekannte Gegend so schnell wie nur irgend möglich, hinter sich zu lassen. Trotzdem stellen die Zwerge zur Sicherheit Wachen auf.

Die Luft ist erfüllt von den Rufen und Hammerschlägen der Zwerge. Da sich Josh entschieden hat zu helfen und das Lager längere Zeit benötigt wird, bauen die Zwerge mehrere, bessere und vor allem höhere Unterstände. Mit Hilfe, über Äste geschlungener Seile, werden dünnere Baustämme emporgezogen und zu Hütten verbunden. Die Rufe: „Hau ruck, hau ruck, strengt euch an Freunde", schallen durch den Wald. Die Dächer und Wände werden später mit gegerbtenTierfellen regensicher gedeckt. In der Mitte des Daches gibt es einen Abzug für den Rauch des Feuers. Die Felle und den Kammerdiener des Ritters lässt der Zwergenkönig gerade aus der Burg holen. Cerjoc kommt mit zwei Bechern voll frischen, klaren

30

Quellwassers und zwei Schmalzbroten mit gehackten Kräutern zurück. Er setzt sich neben Josh auf den Baumstamm, sie essen zunächst wortlos.

Cerjoc ist nachdenklich: „Josh, jetzt da Ihr Euch entschieden habt zu bleiben, müssen wir Euch an den Namen Ronan gewöhnen. Ich schlage vor, wir nennen Euch Ronan und den Ritter nennen wir einfach Ritter, was meint Ihr?"

„Das finde ich gut, ansonsten kommen wir dauernd durcheinander. Aber da ist noch etwas, ich weiß zwar nicht, ob sich das gehört, aber ich bin es nicht gewöhnt so förmlich angesprochen zu werden. Ich fühle mich dabei nicht wohl, ich denke, ich muss sehr viel lernen, dann nicht auch noch DAS. Bitte nennt mich einfach Ronan, und mir wäre es lieb, wenn wir beim formlosen DU bleiben könnten, was meint Ihr?"

Cerjoc sieht ihn an, Ronan hat recht, es kommt viel auf ihn zu, es wird sehr schwer. Ronan ist sich der Tragweite ihres Vorhabens noch gar nicht in vollem Umfang bewusst, man könnte leicht verzagen. Ein vertrauter Umgang wird helfen, alles leichter zu verkraften. Deshalb antwortet er: „Ist mir recht, Ihr, beziehungsweise du entscheidest, so soll es also sein."

Cerjocs Stimmung hellt sich deutlich auf, als er an Sturmwind denkt. Fröhlich lädt er Ronan ein. „Kommt, ich stelle Euch, Entschuldigung, dir, dein Pferd STURMWIND vor."

Er liebt Tiere, auf diese kann man sich bedingungslos verlassen, sie haben keine Hintergedanken und treiben niemals ein doppeltes Spiel. Tiere machen sich niemals besser als sie sind, eher stellen sie sich in einem ungünstigen Licht dar, ungeachtet der Folgen.

Sturmwind ist ein großer Rapphengst mit einer Blesse und zwei weißen Fesseln vorn. Er hat eine üppige Mähne, einen dichten Schweif und temperamentvolle, aber gutmütige, braune Augen. Sturmwind ist ein Bild von einem edlen Pferd, eines Ritters würdig.

Da der Unterstand noch nicht fertig ist, haben die Zwerge das Pferd an einen Baum auf der Lichtung festgebunden. Das Seil ist sehr lang und in Bodennähe um den Stamm der Weide geschlungen.

Die Sonne glänzt auf dem schwarzen, sorgsam gestriegelten Fell des Rappen. Das Pferd tänzelt erregt, als sich die beiden Männer nähern. Es wirft den Kopf zurück, die Mähne weht im Wind, Sturmwind steigt leicht, seine Vorderhufe heben sich nur ungefähr einen Meter vom Boden ab, ehe er wiederaufkommt, der Sand spritzt nach allen Seiten hoch. Er senkt den Kopf und versucht sich zu drehen, soweit das Seil es zulässt.

Seit einiger Zeit, seit der Ritter zu krank ist, ist Sturmwind nicht ausgiebig bewegt worden, daher die überschäumende Energie.

Als die Männer an Sturmwind herantreten, empfängt sie ein erregtes Schnauben und der würzig, warme Geruch des Pferdes.

Cerjoc stellt sie einander vor und sagt, so als wolle er sich selbst Mut machen.

„Er ist ein hervorragend ausgebildetes Pferd und ein treuer Freund. Wenn ihr euch erst kennt wird er dich nie im Stich lassen." Ronan streichelt dem Hengst über die weichen Nüstern, der Hengst wird ganz ruhig. " „Sie verstehen sich", denkt Cerjoc erleichtert.

„Du wirst mir helfen müssen", flüstert Ronan dem Pferd leise zu, „denn ich habe noch nie auf einem Pferd gesessen, ich kann nicht reiten, geschweige denn, zu Pferde kämpfen." Sturmwind schnaubt und schmiegt seinen Kopf an Ronans Schulter. Man kann das, mit etwas Wohlwollen, durchaus als Zustimmung deuten. Die beiden Männer wollen jedenfalls so denken.

Ein leichter, warmer Wind zerzaust Ronans Haar und die Mähne des Pferdes. Ronan ist stolz, dieses prächtige Tier, schöner als er es sich je erträumt hat, wird ihm gehören. Was ihm aber noch wichtiger erscheint, in diesen schwierigen Zeiten hat er eine starke Schulter zum Anlehnen und einen sensiblen, immer treuen Freund gefunden.

Cerjoc unterbricht die Szene: „Der König hat nach Torjan geschickt, dem Kammerdiener des Ritters. Er wird angemessene Kleider mitbringen und aus dir, durch Haarschnitt und Rasur, rein äußerlich einen Ritter machen. Allerdings wird es einige Tage dauern, bis er hier eintrifft."

Cerjoc räuspert sich und sagt bedeutungsvoll: „Jetzt bringe ich dich zu Sina."

„Sina" fragt Ronan, „Wer ist das?"

Cerjoc lacht: „Kein wer, eher ein was. Sina ist dein Schwert."

Ronan schaut sehr verwundert. Das muss eine besondere Waffe sein.

Cerjoc hat den Namen ehrfürchtig, fast liebevoll ausgesprochen.

32

Cerjoc geht zur Höhle des Königs und ruft hinein. „Könnt Ihr uns bitte Sina herausbringen." Mehrere Zwerge kommen aus der Höhle, sie tragen ein in Leder eingewickeltes, verschnürtes Bündel und legen es vorsichtig vor Cerjoc ab.

Dieser packt es aus. Zunächst erscheint eine verzierte lederne Scheide, in das Leder ist in goldenen Lettern eingraviert `SCHÜTZEN, HELFEN, RETTEN`.

Als Cerjoc das Schwert aus der Scheide zieht, kommt eine wunderschöne, elegante Waffe zum Vorschein. Solch ein Schwert hat Ronan zuvor noch nie gesehen, er kennt nur die geraden, schweren, eher plumpen Ritterschwerter. Als er es sieht, entfährt ihm ein bewunderndes „Oh, wie schön"

„Schön ist es wohl", entgegnet Cerjoc, „aber es ist auch tödlich und sehr scharf."

Cerjoc legt das Schwert auf seine Handflächen, so überreicht er Ronan die Waffe. „Nimm Sina, sie ist dein."

Ronan zögert, die Sonne bricht sich in der blanken Klinge, wie von einem Spiegel werden ihre Strahlen reflektiert und blenden Ronan, der wendet kurz den Blick ab und macht die Augen zu. „Trau Dich", Cerjoc reckt Ronan die Arme mit Nachdruck nochmal entgegen. Zögerlich ergreift Ronan den Knauf und nimmt das Schwert vorsichtig von Cerjocs Händen. Es ist leichter als erwartet und liegt perfekt in der Hand. Die Klinge ist schmal und leicht gebogen, ungefähr anderthalbmal so lang wie Ronans Arm. Durch das geringe Gewicht lässt es sich sehr genau führen. Die Klinge ist blank poliert und schimmert leicht bläulich, es sind geheimnisvolle Zeichen fein eingraviert. Der Griff ist aus edlem Leder gefertigt, das angenehm zu halten ist. Er hat nicht die typische Kreuzform, sondern zur Klinge hin eine Verdickung, in die ein blauer Edelstein eingearbeitet ist.

Cerjoc reisst ein Blatt von einem Baum und wirft es in die Luft. „Halte das Schwert darunter, mit der Klinge nach oben." Das Blatt segelt langsam zu Boden. Als es die Klinge berührt, wird es in zwei Halften geschnitten, ohne das es sichtbar aufgehalten wird, oder seine Richtung ändert. „Ich wollte dir beweisen, wie scharf dieses Schwert ist, sei also vorsichtig. Die Klinge ist zwar schmal und elastisch, aber lass dich nicht täuschen, sie ist sehr hart und nimmt es im Kampf mit jedem Schwert auf."

Ronan ist beeindruckt, er zerteilt die Luft mit einigen ungelenken, vorsichtigen Schwüngen.

„Wer hat diese Waffe geschmiedet?"

„Das wissen wir nicht, es weiß niemand, wie es überhaupt so fein geschmiedet werden konnte. Als der Ritter damals schwor den magischen Kristall mit seinem Leben zu verteidigen, war es am nächsten Morgen plötzlich da. Dabei lag ein Papier mit einem Spruch." Cerjoc zitiert:

„SINA - DAS SCHWERT DER GERECHTIGKEIT - GEHÖREN WERDE ICH FÜR IMMER DEM HÜTER DES KRISTALLS, VERSUCHE NIEMALS MICH ZU TÄUSCHEN, IMMER EDLE ABSICHTEN SOLLST DU HABEN`.

„Die Wachen sahen niemanden hineingehen. Deshalb hält sich die Legende, das Schwert sei vom Schicksal selbst geschmiedet worden. Ich weiss es nicht, ich weiss nur, dass es mit dem Ritter bereits in vielen Schlachten gekämpft hat und noch nie einen Kratzer bekam."

Ronan sieht Cerjoc ungläubig an. „Ich kann nicht glauben, dass ich diese Waffe benutzen darf."

„Das heißt nicht benutzen sondern führen, aber sei es drum. Das Schwert ist dein, es wird dir helfen, solange du den magischen Kristall verteidigst. Was sich hinter der Warnung auf dem Papier verbirgt weiß niemand, fordere das Schwert nicht heraus.

Es ist eine Ehre, Sina zu führen, aber auch eine große Verantwortung. Das Schwert wird dir helfen, aber nur, wenn es ein Teil von dir wird, du musst es fühlen. Es ist weiblich, behandle es entsprechend einfühlsam. Normalerweise ist Kampf rohe Gewalt, gewöhnliche Ritterschwerter eignen sich zum Hauen und für grobe Hiebe.

Sina dagegen wird dir helfen, dich zu verteidigen und die Feinde des Kristalls im Kampf zu besiegen. Sie ist leicht, liegt gut in der Hand, sie wird mit dir verschmelzen, dadurch wird ein geschmeidiger, eleganter Kampfstil möglich. Du musst aber sehr viel üben, um das zu erreichen."

Dass Sina dem Träger hilft, ist nicht sicher, niemand kennt ihre Fähigkeiten genau. Cerjoc hat sich das ausgedacht, in der Hoffnung, allein dieser Glaube wird helfen. Wenn Ronan glaubt, das Schwert kann geheimnisvolle Kräfte entwickeln, wenn er es nur richtig einsetzt,

34

wird er in einer kritischen Lage über sich hinauszuwachsen. Herzblut, Entschlossenheit und Konzentration sind die Eigenschaften, die jedem Kämpfer den entscheidenden Vorteil verschaffen. Das weiß Cerjoc wohl, ein bisschen moralische Unterstützung kann aber nicht schaden.

„Jetzt aber zunächst genug, ich muss ins Dorf und glaubhaft vermitteln, was Euch, Verzeihung dir, angeblich zugestoßen ist".
„Richtig, das hätte ich beinahe vergessen", bemerkt Ronan etwas bedrückt.
Cerjoc lächelt, „ist ja auch kein Wunder, bei so viel Neuem.
Weil ich zunächst weg muß, wird der Zwergenkönig damit beginnen, dir allgemeine Umgangsformen der besseren Gesellschaft beizubringen. Abos begleitet dich zum König.
Also dann, sehen wir uns morgen." Cerjoc nimmt die Zügel seines Pferdes, das die Zwerge hergeführt haben und die absichtlich verschmutzen Sachen, für seine Verkleidung entgegen.
„Ich ziehe mich gleich noch um, damit ich glaubhaft wirke." Er geht zu einem Gebüsch, bevor er aufbricht.
Ronan sieht ihm nach, er fühlt sich außerordentlich unwohl bei dem Gedanken, dass Cerjoc ihn alleine lässt. Alles ist neu und Cerjoc ist die einzige Person, der er überhaupt vertraut. Trotzdem grüßt er zum Abschied und ruft Cerjoc nach, „Viel Glück, bis morgen."

Nachdem Cerjoc im Wald verschwunden ist, bringt Abos Ronan zum König.
„Komm Ronan, wir sollten den König nicht warten lassen."
Als die beiden ankommen empfängt dieser sie vor der Höhle, Ronan und Abos verneigen sich.
„Seid gegrüßt, Majestät?"
„Sei gegrüßt, also fangen wir gleich an, aus dir einen Edelmann zu machen. Du musst dein Auftreten verändern, nicht nur dein Aussehen. Stell dich einfach einmal vor mich hin."
Ronan steht wie ein Fragezeichen vor dem König, mit hängenden Schultern, das Schwert hält er wie einen Besen.
Der König schaut zu Abos hinüber, der sich direkt daneben in den Schatten gesetzt hat. Als er den Blick des Königs sieht, zuckt er mit

den Schultern und denkt bei sich: „Ihr wolltet ihn ja unbedingt haben, das geschieht Euch jetzt recht."

„So nicht", der König erhebt sich, baut sich vor Ronan auf und demonstriert ihm, was er von ihm fordert.

„Sieh her, du musst immer aufrecht stehen, dein Schwert voller Stolz halten. An deinem Auftreten muss jedermann merken, wer du bist. Das Schwert trägst du links am Gürtel. auf dieser Seite führst du auch deine Dame, so hast du die rechte Hand frei, um das Schwert zu ziehen und deine Dame und dich zu verteidigen. Lass uns das Üben, schreite einfach vor mir auf und ab." Ronan tut wie ihm befohlen, der König beobachtet sein Bemühen.

„Nein, so nicht. Du sollst nicht latschen. Aufrecht! Gerade gehen!", schreit der König ungehalten.

Ronan übt das Stehen und dann das Schreiten. Zunächst ist es aber eher ein Latschen. Stundenlang die gleichen Anweisungen, mit den, immer ungehaltener werdenden Kommentaren des Königs.

Abos langweilt sich, er beginnt Grimassen zu schneiden. Die Diener des Königs, die mit ernster Miene hinter dem Thron stehen sollen, können sich das Lachen kaum verkneifen.

Der König bemerkt die Unkonzentriertheit seiner Wachen.

„Was fällt Euch ein? Stillgestanden." Auf der Suche nach der Quelle dieser allgemeinen Erheiterung bemerkt er, das Abos Faxen macht.

„Lass das! Hast du nichts anderes zu erledigen, musst du uns hier stören?", herrscht er Abos verärgert an.

Dadurch wird auch Ronan darauf aufmerksam. dass sich etwas in seinem Rücken abspielt. Er hört mit seinen Übungen auf und sieht zu Abos hin. Der König ist darüber gar nicht glücklich.

An der harschen Reaktion merkt Abos, der König ist verärgert. Es wäre ratsam diese Lehrstunde zu beenden, bevor etwas gesagt wird, das später zu Verstimmungen führt.

Er schlägt deshalb vor: „Majestät, meint Ihr nicht auch, Ronan sollte sich noch etwas mit Sturmwind vertraut machen, bevor Cerjoc morgen mit dem Reitunterricht beginnt?"

Der König ist etwas verdutzt über diesen anmaßenden Vorschlag, aber die Aussicht darauf, diese anstrengenden Übungen für heute beenden zu können, lässt ihn darüber hinwegsehen.

„Das ist eine ganz hervorragende Idee, du wirst Ronan begleiten und ihm den Umgang mit dem Pferd zeigen."

36

So hatte sich Abos das nicht vorgestellt. Er wollte mit seinem zahmen Hasen noch etwas in den Wald. Er hätte lieber früher aufbrechen sollen, anstatt den Unterricht zu stören. Jetzt wird wohl nichts mehr aus seinen Plänen für den Abend.

„Urks", sagt Abos enttäuscht und verzieht das Gesicht.

„Nimm dich zusammen", tadelt ihn der König.

„Wie ihr wünscht", murrend verneigt sich Abos tief vor dem König.

Dieser wirft ihm noch einen strengen Blick zu, eben hat Abos noch Faxen und sich über das Bemühen des Königs lustig gemacht, jetzt ist er selbst gefordert: „Gib dir ja Mühe, ich habe ein Auge darauf!"

Missmutig fordert Abos Ronan auf: „Kommt mit, wir müssen wohl beginnen."

Ronan verabschiedet sich mit einer tiefen Verbeugung vom König und folgt Abos freudig zu Sturmwind.

Als die beiden fort sind, geht der König zum Ritter und klagt diesem sein Leid: „Oh je, was haben wir uns da nur vorgenommen."

„Seid nicht so ungeduldig. Ihr könnt nicht erwarten, dass in wenigen Stunden aus dem einfachen Sohn eines Schreiners ein perfekter Ritter wird."

„Von perfekt kann gar keine Rede sein. Wir haben sehr viel Arbeit, bis er halbwegs als Ritter durchgeht, wenn es überhaupt gelingt."

„Das wird schon, ich glaube fest an den Jungen. Sobald die ersten Fortschritte zu sehen sind und das wird sehr schnell gehen, seht auch Ihr das etwas anders."

Der Ritter schließt die Augen, er ist erschöpft.

Der König wendet sich ab und geht mit seinem Gefolge zurück in die Höhle, wo bereits Amtsgeschäfte auf ihn warten.

Mürrisch murmelt er in seinen langen Bart: „Will der Ritter nur fest daran glauben oder hat er wirklich Recht. Was für Möglichkeiten bleiben, sollte der Versuch misslingen, aus Ronan einen Ritter zu machen, der in der Lage ist, sich dieser großen Aufgabe zu stellen?"

Spontan fällt ihm keine andere Möglichkeit ein, er seufzt und wendet sich den täglichen Aufgaben zu.

„Hallo, mein Schöner, wie geht es dir?", begrüßt Ronan sein Pferd freundlich. Sturmwind wirft den Kopf in den Nacken und wiehert. Es geht los. Zunächst lernt Ronan Sturmwind zu satteln und ihm das Zaumzeug anzulegen.

Natürlich merkt er nicht, dass Sturmwind tief Luft geholt hat, als Ronan den Sattelgurt festzieht. Abos hatte gesagt, er solle darauf achten, jetzt weist er ihn nicht noch einmal darauf hin, er denkt: „Wenn er unten liegt, wird er es sich sicher besser merken, außerdem habe ich noch meinen Spaß."

Sobald Ronan aufsteigt atmet Sturmwind aus, der Gurt ist natürlich zu lang. Ronan rutscht mit dem Sattel auf der anderen Seite wieder vom Pferd herunter und landet auf dem Boden.

Abos kann sich einen bissigen Kommentar nicht verkneifen, „Du hättest schon darauf achten müssen, ob er den Bauch aufgeblasen hat und hättest den Gurt nochmal nachziehen müssen."

„Das hättest du mir auch früher sagen können", Ronan ist etwas pikiert.

Jetzt klettert Abos auf einen niedrigen Ast, um besseren Überblick zu haben. Die Verständigung ist kein Problem. Trotz ihrer geringen Körpergröße verfügen Zwerge über eine ähnlich laute Stimme wie Menschen.

Ronan steigt noch einmal auf, zunächst steht Sturmwind ruhig, alles ist gut. Abos möchte gerade eine Anweisung geben: „Versuch erst mal..", weiter kommt er nicht, da macht Sturmwind einen Satz zur Seite und Ronan liegt zum zweiten Mal an diesem Nachmittag im Gras.

Sturmwind macht nur zwei Schritte und dreht sich dann um. Prustend senkt er den Kopf und stupst Ronan an. Es scheint so als würde er denken: „Das soll mein Herr und Reiter sein, ihr macht wohl einen Scherz."

Ronan steht wieder auf und will die Zügel greifen, im letzten Moment dreht sich Sturmwind um und läuft einige Schritte. Er spielt mit Ronan, diesem fehlt noch das nötige Auftreten, um den Respekt des Pferdes zu bekommen.

Als sich Sturmwind endlich erwischen lässt, führt ihn Ronan zurück, zu dem Ast, auf dem Abos sitzt und schaut diesen vorwurfsvoll an. Mit deiner Stimme haßt du ihn erschreckt."

Abos verkneift sich einen abfälligen Kommentar, stattdessen baut er Ronan wieder auf:

„Also noch einmal, wer wird den gleich aufgeben?"

Sturmwind spürt, dass Ronan ob dieses Missgeschickes sehr niedergeschlagen ist. Er reibt seinen Kopf an Ronans Schulter.

38

Ronan steigt wieder auf und dieses Mal bleibt er oben. Sicher wirkt Ronan beileibe noch nicht, Tempo und Richtung bestimmt vorerst Sturmwind. Ronan hat zu kämpfen, das Gleichgewicht zu halten.

Abos beobachtet alles mit gerunzelter Stirn, einen lauten Kommentar verkneift sich der Zwerg, aber er denkt bei sich: „Ob aus den beiden jemals eine Einheit wird?"

Der Ritter liegt vor seiner Hütte auf dem Krankenlager und beobachtet die Szene, mit Wohlwollen nimmt er zur Kenntnis, dass Ronan sofort einen neuen Versuch startet. Es ist eben noch kein Meister vom Himmel gefallen, aber die Einstellung stimmt.

Als es Abend wird, sitzt Ronan, zunächst im Schritt, sicher im Sattel. Er kann Kurven reiten und Sturmwind lenken, auch freihändig. Sogar Abos ist sichtlich erfreut über den Fortschritt und verhalten optimistisch.

„Das sieht schon recht passabel aus, aber jetzt machen wir für heute Schluss, das reicht für den Anfang, morgen wird dir das Hinterteil schmerzen. Versorge Sturmwind, wasch dich und komm dann zum Essen."

Nachdem die Tiere versorgt sind, sich alle gestärkt haben und das Lager gesichert ist, kehrt Ruhe ein, man geht zu Bett. Die Ereignisse des Tages haben Ronan derart aufgewühlt, dass er, obwohl er hundemüde ist, zunächst nicht einschlafen kann. Er lässt alles noch einmal vor seinem inneren Auge vorbeiziehen, schließlich schläft er erschöpft ein. Nepomuk liegt neben ihm, er schläft schon lange, seine Pfoten und Lefzen zucken im Traum.

Am nächsten Tag kehrt Cerjoc zurück. Er zieht seine zerlumpten und mit etwas Dreck und Alkohol beschmutzten Kleider aus. Nachdem er sich gewaschen und seine Haare gekämmt hat, kommt er lachend ans Feuer, wo die Anderen beim Frühstück zusammensitzen.

„Das war ein Spaß, das hättet ihr sehen sollen. Eine großartige Vorstellung, beinahe hätte ich mir selbst geglaubt. Wichtig ist, die Dorfbewohner haben mir die Geschichte abgekauft, das Tierblut tat sein Übriges. Niemand wird sich wundern, sie halten dich für tot."

Ronan berührt das stärker als er gedacht hat. Er steht auf und entfernt sich wortlos.

Der Zwergenkönig wirft Cerjoc einen strengen Blick zu.

„Ihr hättet ruhig etwas feinfühliger sein können." Dieser nickt reumütig und senkt den Blick in die Glut. Alle Anwesenden schweigen und schauen in das Feuer. Sie befürchten, dies könnte ein Symbol sein für den Zustand, den die Welt erwartet, sollten sie nicht erfolgreich sein.

Gleich am Morgen beginnt der Reitunterricht. Da Cerjoc auch beritten ist, ist ein intensives Üben möglich. Mittags sitzen dann beide beim Essen. Ronan schaut sinnierend sein Brot an und vergisst, darüber das Essen. Cerjoc beobachtet ihn eine Weile besorgt, ehe er ihn anspricht:
„Grübelst du noch immer darüber nach, warum der Ritter gerade dich ausgewählt hat? Reicht dir sein Versprechen, dass du es erfahren wirst, wenn die Zeit gekommen ist, nicht aus?"
„Nein, das ist es nicht. Ich frage mich nur, wäre es nicht besser, den Fürsten um eine kleine Armee zu bitten, als den Kristall durch mich, einen im Kampf völlig unerfahrenen Ritter, zurück holen zu lassen? Wenn alles stimmt, wie Ihr sagt, ist die Angelegenheit doch viel zu wichtig."
„Ich weiss, was du meinst. Zum einen weiß der Fürst nichts von dem Stein und so muss es auch bleiben, die Versuchung wäre einfach zu groß, er ist zu habgierig. Zum anderen wird Thyros einen Angriff erwarten. Zwei Reiter können sich unauffälliger nähern als eine Armee. Der Kristall ist sehr mächtig, durch eine Überflutung oder einen schweren Hagelsturm ließe sich eine Armee leicht vernichten."
„Schön und gut, aber gibt es nicht erfahrenere Krieger zuhauf?"
„Das stimmt, aber wir können nichts bieten, für einen Söldner uninteressant, außerdem sind bei dieser Aufgabe eher Herzblut und Zuverlässigkeit gefragt. Sina lässt sich nicht auf jeden ein, die Absichten müssen stimmen und wir brauchen sie."
„Du sagtest am ersten Abend doch zu mir. dass ich die anderen kennen lernen werde, welche anderen?"
„Du kennst schon fast alle, andere Krieger gibt es nicht, aus den eben genannten Gründen Glaube mir, das ist sicher nicht der leichteste Weg, aber es ist die einzige Möglichkeit. Der Ritter hat versprochen, dir zu sagen, warum die Wahl auf dich gefallen ist, das muss dir vorerst genügen. Etwas anderes erfreut mich aber sehr. Du hast dich eben ganz selbstverständlich als Ritter bezeichnet. Die Einstellung

stimmt, das ist sehr positiv. Komm, iss auf, damit wir fortfahren können."

In den darauffolgenden Wochen lernt Ronan immer besser reiten, gewöhnt sich an das Schwert, übt den Kampf und sich mit dem Schild zu verteidigen. Er lernt mit Pfeil und Bogen schießen. Auch die Familiengeschichte des Ritters, das Benehmen und den Ehrenkodex eines Edelmannes, etwas lesen und schreiben, all das muss ihm vermittelt werden. Nicht zuletzt muss er sich an seinen neuen Namen gewöhnen und darauf reagieren.

Abwechselnd leiten Abos, Cerjoc und der König höchstpersönlich das Training. Dies ist ein Ausdruck für die Wichtigkeit des Unterfangens.

Der Ritter lässt sich jeden Tag von den Zwergen vor den neuen Unterstand bringen, obwohl er sehr schwach ist und kaum spricht, überwacht er von seinem Krankenlager aus, die Ausbildung.

Ronan seinerseits ist abends regelmäßig so müde, dass er nach dem Essen erschöpft auf sein Lager sinkt.

Alle noch offenen Fragen schiebt er immer auf den nächsten Tag - ja morgen ... ist meistens das letzte, was er denkt, bevor er einschläft.

Mit der Zeit wird das neue Leben für ihn normal, er denkt kaum an seine Familie. Vermissen? Nein, er vermisst nur seine kleine Schwester Enjah, irgendwann ergibt sich vielleicht die Möglichkeit, auch sie in dieses neue Leben zu holen, ja vielleicht, irgendwann ...

Er hat hier neue Freunde gefunden und trotz der anstrengenden Ausbildung ist er glücklich.

Die offenen Fragen verlieren an Bedeutung, er lernt lesen, schreiben, reiten und kämpfen, alles ist aufregend und neu. Auch seine äußere Erscheinung und sein Auftreten haben sich verändert, er stellt jetzt etwas dar.

Solche Möglichkeiten hat er sich immer ersehnt, bisher waren es immer nur Träumereien gewesen. Auch deshalb ist Ronan entschlossen alles zu unternehmen, um niemanden zu enttäuschen.

Warum sie ihn gewählt haben, er stellt sich diese Frage nicht mehr, vielleicht aus Angst vor der Antwort. Dieses Leben will er nie mehr aufgeben, um keinen Preis. Auch wenn ihm bewusst ist, dass er den Preis dafür noch nicht kennt, darüber will er aber jetzt nicht nachdenken.

Ronan übt neben dem Reiten viel mit seinem Schwert. Er wird immer mehr eins mit Sina und zerlegt die von den Zwergen präparierten Objekte mit Genauigkeit und Anmut.

Die Zwerge haben pfiffige Übungen erdacht. Baumstämme werden mit Kufen versehen, Rüben werden auf die Aststümpfe gesteckt, Pferde ziehen den Stamm in vollem Galopp über den holprigen Boden. Ronan, auf Sturmwind sitzend, muss die Rüben auf eine vorher festgelegte Weise treffen und mit dem Schwert zerlegen.

Eine andere Übung soll die Geschicklichkeit und Wendigkeit fördern. Ledersäcke wurden mit Sand gefüllt und an langen Seilen an Äste gebunden. In Schwingung versetzt, bilden sie einen schwierigen Parcour, der Ronan immer wieder zum Ausweichen zwingt, während er mit dem Schwert spezielle Aufgaben erfüllen muss.

In dieser Art hat man sich noch weitere Übungen einfallen lassen. Die Zwerge sind andauernd damit beschäftigt, die mit dem Schwert zerschlagenen Übungsmaterialien wieder zu richten oder zu ersetzen.

Ronan ist nicht mehr wiederzuerkennen, die Wandlung ist verblüffend.

Torjan hat ihm die Haare geschnitten, er trägt sein Haar jetzt schulterlang, gleichmäßig geschnitten, offen und glatt. Ein gerader Pony über den Augen betont den geradlinigen Schnitt. Er ist glattrasiert und dadurch kommen seine klassischen Gesichtszüge gut zur Geltung. Ronan trägt braunrote, enge Beinkleider, Lederstiefel, ein langes, hellgraues Hemd und einen leichten Waffenrock aus Leder, der im Kampf zwar unüblich ist, es dem Träger aber ermöglicht, beweglich und geschmeidig zu kämpfen.

Die mit dem Training verbundene körperliche Ertüchtigung zeigt Wirkung. In der neuen Kleidung gibt er ein wirklich imposantes Bild ab, insbesondere, wenn er Sturmwind reitet. Die anfänglichen Schwierigkeiten beim Reiten sind überwunden. Er sitzt auch bei unebenem Gelände und im vollen Galopp sicher im Sattel. Diese Verbesserungen seines Könnens bemerkt auch Ronan selbst.

Er wird ungeduldig, eines Abends beim Essen wirft er fordernd in die Runde, die am Feuer zusammensitzt:

„Lasst uns aufbrechen, dem Ritter geht es immer schlechter, also warum zögert ihr."

Der Zwergenkönig ergreift das Wort: „Du hast Recht, deine Fortschritte sind bemerkenswert. Ich gebe zu, anfangs tat ich mich sehr schwer, daran zu glauben. Ich dachte nicht, dass diese Wandlung in so kurzer Zeit möglich ist. Wir glauben aber, dass du noch nicht ganz bereit bist. Aber ich verspreche dir, ich werde morgen mit dem Ritter reden."

Der Zwergenkönig und Cerjoc suchen am nächsten Tag, wie versprochen, den Ritter auf.

Die beiden betreten die Hütte, Cerjoc verbeugt sich. „Seid gegrüßt, mein Herr, dürfen wir Euch in einer besonderen Angelegenheit um Euren Rat ersuchen?"

„Natürlich, ich bitte darum."

Ausführlich und wortreich schildern sie dem Ritter die Lage. Cerjoc beschliesst seine Erklärung mit den Worten: „Wisst Ihr mein Herr, ich würde auch lieber sofort aufbrechen, aber eine Bewährungsprobe hatte Ronan noch nicht. Niemand hier im Lager ist momentan in der Lage, richtig mit ihm zu kämpfen."

„Cerjoc hat recht", pflichtet ihm Ahmund bei. „Ich gebe zu, ich war anfangs sehr skeptisch, was Euren Plan anbelangte. Ronan hat jedoch bemerkenswerte Fortschritte gemacht, ob er einem echten Kampf, ohne Regeln aber gewachsen ist, können wir nicht prüfen."

„Ihr meint also, er braucht einen Kampf, um ihm seine Grenzen aufzuzeigen? Ihr habt wohl Recht. Lasst mich nur machen, ich habe da so eine Idee." Fragend sieht Cerjoc den Ritter an, aber dieser sagt nur. „Cerjoc, du sagst ihm, dass ihr in wenigen Tagen aufbrecht. Er soll aber vorher dafür Sorge tragen, dass reichlich Wild gejagt ist, die Speisekammer der Zwerge muss gut gefüllt sein. Es ist Aufgabe von Euch Eure Majestät, das entsprechend einzufordern. Nun geht, um alles Weitere kümmere ich mich."

Die beiden können sich zwar nicht vorstellen, was der Ritter vorhat, aber sie fragen nicht weiter, verbeugen sich höflich und gehen. In den nächsten Tagen kümmern sie sich um die jeweils zugedachte Aufgabe.

FREUND ODER FEIND

In den nächsten Tagen gehen Ronan und Nepomuk häufig auf die Jagd. Ronan ist noch immer ungeduldig und will die Forderung des Ritters, nach genug Fleischvorrat so schnell wie möglich erfüllen. Auf einem dieser Jagdgänge hat Nepomuk die Fährte eines Hirsches aufgenommen, es dämmert bereits, der Himmel ist wolkenverhangen und es sieht aus, als würde es bald regnen. Es ist kühl geworden, es liegt die Stille über dem Wald, die typisch ist kurz vor einem Wetterumbruch. Sie folgen konzentriert der Spur, Ronan will den Hirsch erlegen, bevor es zu regnen beginnt. Der Regen wird die Fährte verwischen und die anbrechende Dunkelheit erschwert die Jagd zusätzlich.

Da hält Nepomuk plötzlich inne, er ist wie erstarrt und zeigt etwas Unbekanntes an.

Ronan aber hat es eilig, er will den Hirsch unbedingt erlegen, deshalb ignoriert er das Verhalten des Hundes und reitet weiter. Er ruft Nepomuk zu sich: „Komm Nepomuk, bleib bei der Sache, wir dürfen den Hirsch nicht verlieren."

Nach einigen Minuten, Ronan hat den kurzen Zwischenfall bereits vergessen, wird er unvermittelt aus dem Hinterhalt angegriffen. Der Angreifer lauert auf einem starken Ast. Als Ronan vorbeireitet, springt dieser ihn an und reißt Ronan aus dem Sattel. Ronan trägt sein Schwert nicht am Gürtel, so wie es Cerjoc ihm eingebleut hat. Jetzt weiß er, warum dies Cerjoc so wichtig ist, jetzt aber ist es zu spät. An dem folgenden, kurzen aber heftigen Kampf beteiligt sich der Hund nicht, niemand hat das mit ihm geübt, ohne sein Schwert hat Ronan gegen den bewaffneten Angreifer keine Chance.

Zur Flucht lässt ihm der Fremde keine Gelegenheit, außerdem müsste er Nepomuk zurücklassen, das kommt nicht in Frage.

Nach kürzester Zeit hat der deutlich ältere Angreifer Ronan mit einem geschickten Griff auf den Rücken geworfen und Ronan spürt die Spitze eines Schwertes unangenehm an seiner Kehle. Der Fremde hat bislang kein Wort gesprochen, nur eine kleine Bewegung des Schwertes und mit Ronan wäre es aus. Das Herz klopft ihm bis zum

Hals, sollte sein Abenteuer hier bereits zu Ende sein? Er hatte noch nicht einmal gekämpft, er schwitzt am ganzen Körper.

Der Fremde lässt plötzlich von Ronan ab, geht einige Schritte zur Seite und lehnt sich schweigend an einen Baum. Der Angreifer ist ein älterer Mann, mit kurzen grauen Haaren und einem freundlichen Gesichtsausdruck. Bekleidet ist er mit einem langen Ledermantel, einem Lederhut, einfacher Hose, Hemd und Stiefeln.

Ronan sieht ihn böse und fragend an: „Wer seid Ihr und was fällt Euch ein?"

„Ihr solltet dankbar sein, ich hätte Euch leicht töten können."

„Man schleicht sich nicht so an. Das gehört sich nicht, außerdem bin ich auf der Jagd, in einem offenen Kampf hätte das ganz anders ausgesehen", ereifert sich Ronan.

„Es stimmt also." Der Fremde sieht ihn streng an: „Ihr seid sogar gewarnt worden, der Hund hat mich gewittert, trotzdem konnte ich Euch ganz leicht überraschen und besiegen. Der Ritter hat Recht, wenn er sagt, Ihr wärt noch nicht bereit. Glaubt Ihr etwa, Ihr werdet nur Ehrenmännern begegnen, die Euch in einem offenen Kampf herausfordern?"

Der Fremde offenbart sich: „Ich bin übrigens Gisbert, der Waffenmeister und Fechtlehrer des Ritters. Ich hatte den Auftrag, Euch vor Augen zu führen, dass Eure Ausbildung noch nicht beendet ist, nur weil Ihr einigermaßen gut reitet."

Ronan ist von einem alten Mann ganz einfach besiegt worden. Er landet sehr unsanft auf dem Boden der Tatsachen. Sturmwind kennt Gisbert und ist deshalb bereits nach wenigen Schritten stehen geblieben, jetzt knabbert er lustlos an einigen frischen Blättern herum.

Ronan ist enttäuscht: „Wahrscheinlich irrt der Ritter, ich bin doch der Falsche."

„Na, na!", beruhigt ihn Gisbert, „Wer wird denn gleich aufgeben, das geziemt sich nicht. Aber wir haben noch etwas Arbeit vor uns, das ist richtig. Ich kann Euch einige Künste lehren, die Euch im Kampf helfen werden. Denn so wie es aussieht, werdet Ihr früher oder später kämpfen müssen. Ich habe aber keine Zweifel, Ihr bekommt das hin", richtet Gisbert Ronan nochmal auf, reicht ihm die Hand und hilft ihm wieder auf die Beine,

„Jetzt aber sollten wir ins Lager zurückkehren, es beginnt zu regnen und das ist nichts für meine alten Knochen." Er pfeift und durch das Unterholz kommt sein Pferd. Es handelt sich um einen großen Fuchshengst. Das Pferd wirkt etwas schwer, kein Vergleich zu der Eleganz Sturmwinds.

Gisbert bemerkt den etwas geringschätzigen Blick mit dem Ronan das Pferd mustert.

„Lasst Euch nicht täuschen, im Kampf gibt es kein besseres Pferd als meinen Halborg, Ihr werdet es schon morgen erleben."

„Na gut, lasst uns zum Lager zurückkehren, den Hirsch erwischen wir sowieso nicht mehr. Im Lager könnt Ihr den anderen erzählen, wie leicht Ihr mich besiegt habt. Wenigstens Abos hätte dann seinen Spaß, der alte Griesgram." Ronan klingt etwas höhnisch.

Gisbert bemerkt dies wohl. Offensichtlich hat sein Schüler auch mit der Miesmacherei einiger Personen im Lager zu kämpfen, darum wird er sich kümmern.

Gemeinsam reiten sie schweigend durch den Regen zum Lager. Irgendwo in der Ferne ruft ein Käuzchen, es verstummt, als das hohe Gebell eines Fuchses erklingt. Ronan ist froh, dass keine Wölfe zu hören sind, die Dämmerung wird durch das Wetter noch verstärkt. Sie müssen langsam reiten, die Pferde suchen vorsichtig ihren Weg auf dem nassen Waldboden. Nebelschwaden verstärken die gruselige Stimmung zusätzlich.

Plötzlich sagt Gisbert nachdenklich: „Euch trifft keine Schuld."

„Wie bitte, was sagtet Ihr!", Ronan war ganz in Gedanken versunken.

„Ich sagte, Euch trifft keine Schuld. Es ist kein Wunder, dass ich Euch leicht überraschen konnte. Bisher habt Ihr nur Geschicklichkeit und Wendigkeit geübt, darin seid Ihr auch schon sehr gut. Aber es war immer vorher bekannt, worum es geht, Ihr konntet Euch darauf einstellen. Jetzt geht es darum, Euch darauf vorzubereiten, auf unbekannte Situationen zu reagieren, im Idealfall instinktiv.

Das Kämpfen muss für Euch so alltäglich werden, wie laufen und atmen. Der Umgang mit Sina muss selbstverständlich werden. Aber keine Angst, das wird schon. Ich werde mir morgen als Erstes ansehen, wie Ihr bisher geübt habt. Ab jetzt werdet Ihr stets mit einem Angriff aus dem Hinterhalt rechnen müssen, jederzeit."

„Euer Zutrauen in meine Fähigkeiten ehrt mich, hoffentlich kann ich Eure Erwartungen auch erfüllen. Den Ritter habe ich offensichtlich schon enttäuscht."

„Das ist so nicht richtig, er ist überzeugt, die richtige Wahl getroffen zu haben. Ihr braucht nur noch etwas Feinschliff, dafür bin ich da. Nun sollten wir uns wieder ganz auf den Weg konzentrieren."

Nepomuk ist ein sicherer Führer, Gisbert bemerkt dies. Sofort ist er mit seinen Gedanken wieder bei seinem Auftrag: „Ihr solltet lernen, mehr auf Euren Hund zu achten. Er hat hervorragende Sinne, viel besser als unsere. Ihr solltet sie Euch zunutze machen. Auch im Kampf kann er Euch helfen, wir sollten das üben."

Als sie das Lager erreichen, ist es dunkel, sie sind durchnässt und hungrig. Drinnen erwartet sie ein warmes Feuer, man hat mit dem Essen auf sie gewartet. Bei dem deftigen Mahl berichtet Gisbert von den Neuigkeiten aus der Burg, aber nichts über den Vorfall im Wald. Später, als sie sich in ihren jeweiligen Hütten zur Ruhe begeben wollen, verabschieden sich die Männer und verlassen den Unterstand.

„Danke Gisbert, ich danke Euch." Ronan flüstert beim Herausgehen.

„Ich weiss nicht, was Ihr meint. Aber ab sofort steht Ihr als mein Schüler unter meinem Schutz. Solange Ihr Euch würdig erweist, wird sich daran auch nie mehr etwas ändern. Ihr könnt Euch immer auf mich verlassen, gute Nacht." Gisbert dreht sich um und geht. Ronan bleibt stehen und schaut Gisbert nach, er kennt Gisbert erst seit wenigen Stunden. Aber hier im Lager hat er etwas gefunden, was er noch nie hatte, echte Freunde.

Gleich am nächsten Morgen, beim Frühstück fragt Ronan in die Runde: „Was mich schon die ganze Zeit beschäftigt ist, was wisst ihr eigentlich über diesen Thyros. Mir ist klar, welche Gefahr von einer Person ausgeht, die das Wetter manipulieren kann, aber was ist das für ein Mensch? Hat er Zauberkräfte? Eine Armee? Worauf habe ich mich da überhaupt eingelassen? Ich weiß, diese Frage hätte ich sehr viel früher stellen sollen. Ich übe die ganze Zeit und weiß doch überhaupt nicht, mit wem ich es zu tun kriege."

Cerjoc räuspert sich, er macht ein Gesicht, als hätte er sich schon die ganze Zeit vor dieser Frage gefürchtet. „Du hast Recht und das ist auch gleichzeitig das Problem, am besten soll Gisbert antworten, er hat immerhin schon mal gegen Thyros gekämpft."

Gisbert lacht gequält: "Du bist gut, das ist eine Ewigkeit her, ich glaube nicht, dass das noch von Bedeutung ist."

Cerjoc fordert ihn erneut auf: „Das spielt keine Rolle, wir nehmen, was wir bekommen können, also los."

"Also Thyros heißt eigentlich Thalian und stammt aus einfachen Verhältnissen, er besaß weder Ländereien noch ein Heer. Er wollte sich mit seiner Rolle in der Welt nicht abfinden, was grundsätzlich nichts Negatives ist, nur fühlt er sich zur Arbeit nicht berufen. Er versucht daher mit unlauteren Mitteln zu Macht und Einfluss zu kommen. Damals bei diesem Wettbewerb war er ein mittelmäßiger Kämpfer von eher schmächtiger Statur, ein hagerer, schwarzhaariger Mann mit kalten, eng beieinander stehenden Augen und einer spitzen Nase. Das verleiht ihm einen irgendwie rattenartigen Ausdruck. Genaues und vor allem Aktuelles wissen wir nicht. Die Informationen begründen sich im Wesentlichen auf das, was so erzählt wird und von unseren Spionen. Na jedenfalls tat ihn jeder als Träumer ab, niemand nahm ihn wirklich ernst, das ärgerte ihn schon damals maßlos. Am ehesten würde ich ihn als verschlagen beschreiben, damals ahnte natürlich niemand, welchen Einfluss Thyros erlangen würde. Wie gesagt, alle belächelten ihn als Spinner.

Als erstes änderte er seinen Namen, fortan nannte er sich Thyros, das klingt eindrucksvoller.

Er ging bei einem alten, weisen Zauberer in die Lehre. Als dieser bemerkte, was für ein Mensch Thyros in Wirklichkeit ist wollte er die Zusammenarbeit beenden. Daraufhin hat ihn Thyros ermordet, danach ist er untergetaucht. Man weiß von dem Mord von einem Gehilfen, der für den Zauberer arbeitete und die Tat beobachtet hat. Wie viel er bereits gelernt hat ist nicht bekannt, man sagt, er könne nur Wesen beeinflussen, die er sieht.

Er befehligt seit längerem schon einen Trupp Schergen, gewissenlose Söldner, stellt sich aber niemals selbst zum Kampf. Seine schwarz gekleideten, höchstens aus wenigen Reitern bestehenden Trupps überfallen wahllos Dörfer und Reisende. Sie sind stets maskiert und über alle Berge, bevor Truppen zur Stelle sein können.

Sie sind unermesslich grausam, foltern, morden, vergewaltigen, stehlen und brandschatzen, kurz sie hinterlassen eine Spur der

48

Verwüstung und schüchtern die Menschen ein, so finanziert er sein Treiben Das ist grausam und lästig, aber nicht wirklich eine Bedrohung. Erst als Thyros in den Besitz des magischen Kristalls gelangte, erlangte er wirklich Macht. Er ist für die Welt zur ernsten Bedrohung geworden. Thyros ist geschickt, tritt niemals zusammen mit seinen Schergen auf, er präsentiert sich den Menschen vielmehr als Heilsbringer, es ist schon ein Kult entstanden.

Gegen den Kristall sind alle machtlos, selbst wenn sich die Heere zusammenschlössen. Leider kennt niemand den Grund, warum ein Heer nach dem anderen ohne Kampf vernichtet wird. Es würde bei der üblichen Selbstüberschätzung der Heerführer auch niemand glauben. Daher sind wir gezwungen zu handeln, wie wir es geplant haben. In der Hoffnung den Überraschungs-moment nutzen zu können. Du siehst also, wir wissen nicht viel über Thyros, das meiste sind Geschichten, aber wir sehen die negativen Auswirkungen des Diebstahls, früher und schlimmer als erwartet. Seine Macht gründet sich im Wesentlichen auf den Kristall, das ist das Problem, wir wissen wie gefährlich Thyros dadurch wird. Ihn mit einem Heer anzugreifen würde zu nichts führen. Wir müssen unsererseits versuchen den Kristall zu stehlen, dazu müssen wir aber erst wissen, wo dieser sich befindet."

Nach diesen Ausführungen schweigen alle betreten. Ronan wird sich langsam bewusst, welche Aufgabe vor ihm liegt.

Nach dem Frühstück beginnen die Kampfübungen. Jetzt geht es nicht mehr um Geschicklichkeitsübungen, sondern um den Kampf Mann gegen Mann, mit und ohne Pferd, mit Stöcken oder Schwertern.
Wenn die Waffen auch stumpf sind, Sina ist dick umwickelt mit Stroh und Leder, ganz ohne Blessuren geht es trotzdem nicht ab.
Ronan ist Gisbert zwar körperlich überlegen, aber der alte Waffenmeister ist ein ausgefuchster Kämpfer. Anfangs hat Ronan keine Chance, aber nach und nach werden er und Nepomuk ein eingespieltes Paar und er wird immer mehr eins mit Sina. Ronan gewinnt immer öfter, sehr zur Freude ihrer Zuschauer. Ahmund, der Ritter und Cerjoc verfolgen das Geschehen mit Genugtuung.
Gisbert ist beeindruckt von der Stärke und Wendigkeit seines Gegenüber. Verglichen mit dem üblichen Kampfstil, bestehend aus

roher Gewalt und Kraft, hat Ronan mit seinem leichten, wendigen Kampfstil auch gegen erfahrene Krieger eine gute Chance.

Gisbert legt deshalb das Hauptaugenmerk auf das Ausweichen und das Setzen schneller und wirksamer Treffer. Die Ausbildung kommt gut voran, als eines Abends Gisbert Ronan aufsucht. Dieser sitzt unweit der Hütte auf einem Baumstamm und genießt mit Nepomuk zusammen die laue Sommernacht.

„Komm bitte mal kurz mit, ich möchte dir jemanden vorstellen, der uns bei unserer Suche helfen wird." Gisbert geht zu einem der Unterstände und tritt ein. Von drinnen ruft er, als Ronan zögert:

„Komm herein, lass aber den Hund bitte draußen warten und gib unserem Begleiter die Hand. Vorsicht, es ist finster, Flox mag es nicht so hell."

Nepomuk legt sich vor dem Unterstand hin und Ronan tritt ein, es ist stickig.

„Komm", ermuntert ihn Gisbert, strecke deine Hand aus. Stell dich nicht so an, du verärgerst ihn noch. Wir sind heilfroh, dass wir Flox überreden konnten, uns zu helfen."

Ronan streckt zögerlich seine Hand in die Dunkelheit. Außer Gisbert, den er mehr erahnen als erkennen kann, sieht er niemanden.

Plötzlich kratzt ihn etwas am Arm, zupft an seinem Ärmel und flattert. Er erschrickt und schlägt in die Dunkelheit. Seine Hand berührt etwas Kleines, Weiches, reflexartig greift er nach Sina.

„Nein, halt", ruft Gisbert erschrocken aus. Gisbert zündet eine Fackel an und im schwachen Lichtschein bietet sich ein eigenartiges Bild.

Gisbert hält jetzt Ronans Handgelenk fest umklammert: „Bitte steck das Schwert weg, das sollte nur ein Spaß sein." Ronan lässt den Schwertknauf los und Sina rutscht zurück in die Scheide. Als nächstes erblickt Ronan Abos. Der steht auf einem Strohballen, hält sich den Bauch und prustet vor Lachen.

Vor Ronan im Stroh liegt eine kleine Fledermaus, noch ganz benommen von dem unabsichtlichen Schlag. „Darf ich vorstellen, das ist Flox." Gisbert ist noch ganz blass, durch Ronans schnelle Reaktion hätte das auch schiefgehen können. Flox verdeckt sein Gesicht mit den Flügeln und linst mit einem Auge hervor, um zu sehen , ob alles in Ordnung ist.

50

„Oh Mann, das sollten wir nicht zu oft machen, sonst tauge ich im nächsten Leben nur als Dreckklumpen. Ich habe Euch gleich gesagt, dass ist eine blöde Idee." Floxs Stimme zittert.

Gisbert hebt ihn vorsichtig auf und fragt schuldbewusst: „Tut mir leid, ist noch alles heil?"

Flox, in Gisberts Hand sitzend, schüttelt sich, reckt sich und streckt seine Flügel aus. Ronan schaut ihn etwas verwirrt an. Eine Fledermaus? Noch dazu eine, die sprechen kann, seltsam.

Gisbert erklärt:

„Das ist Flox er kann zwar leider nicht fliegen, aber dafür kann er die Anwesenheit des Kristalls spüren, auch über große Entfernungen und noch im Nachhinein. Wie er das macht, keine Ahnung. Nach dem Überfall, bei dem der Kristall gestohlen wurde, hat sich Flox in der Burg versteckt. Er vertraut nur drei Personen, dem Ritter, dem Zwergenkönig und mir.

Ronan schaut sehr skeptisch und macht ein entsprechendes Gesicht.

Flox sieht das: „Man muss nicht groß sein und mit einem Schwert kämpfen können, um einen wichtigen Beitrag zu leisten." Er verzieht seine kleine Schnauze, er ist verstimmt.

Gisbert fährt fort: „Da er nicht fliegen kann, wohnt er auf Reisen in einem geräumigen Lederbeutel mit Luftlöchern und einer komfortablen Ausstattung. Offensichtlich und glücklicherweise hatten die Diebe des Kristalls keine Kenntnis von Flox, sie haben ihn nicht beachtet, er konnte sich verstecken. Ansonsten wäre ihm möglicherweise ein Leid geschehen." Damit beendet Gisbert seine Kurzvorstellung.

Ronan schüttelt den Kopf: „Das wird eine lustige Truppe, ohne Zweifel. Im Übrigen war das ganz schön leichtsinnig von Euch, ich hätte Flox unabsichtlich schwer verletzen können. Bitte entschuldige den Schlag, Flox, ich war nicht eingeweiht."

„Schon vergeben, es wird auf unserer Reise noch manches Mal ruppig zugehen, ich bin robuster als ich aussehe. Aber jetzt will ich schlafen, ich habe mich an den Rhythmus der Zwerge angepasst, gute Nacht."

„Ist gut, Flox." Gisbert bringt ihn zu seinem Beutel und die Fledermaus klettert geschwind hinein.

Der Beutel hängt an einem der Queräste, er ist Ronan zuvor nicht aufgefallen. Er muss unbedingt aufmerksamer werden.

„Gute Nacht, ich gehe auch zu Bett", Mit diesen Worten verabschiedet auch er sich und geht mit seinem Hund in Richtung seiner Hütte.

Ronan hat schon lange akzeptiert, dass es in der Welt viele Dinge gibt, die er bisher im Reich der Fabeln und Geschichten glaubte. Dazu gehört auch Flox, die sprechende Fledermaus. Können eigentlich alle Fledermäuse sprechen? Er schüttelt den Kopf, während er durch die Nacht zu seinem Unterstand geht.
Sicher wird es während der Reise noch die Gelegenheit geben, mehr über den seltsamen Gefährten zu erfahren.
In seinem Unterstand angekommen, zieht er Stiefel und Waffenrock aus. Sina legt er griffbereit neben sich, Nepomuk liegt schon auf dem Lager. „Gute Nacht, Nepomuk", der Hund brummt nur leise. Ronan löscht die Lampe, legt sich hin, kuschelt sich an Nepomuk an und schläft augenblicklich ein.

AUFBRUCH INS UNBEKANNTE

Am nächsten Morgen ist es endlich soweit, die Reise beginnt. Nach wochenlanger harter Ausbildung, sind alle der Meinung, Ronan ist soweit. Er kann die unbekannte Herausforderung annehmen. Es fehlt ihm sicherlich noch an Übung, aber dazu wird es unterwegs noch Gelegenheit geben.
Dem Ritter geht es derweil immer schlechter, die Zwerge können ihn nicht mehr aus der Hütte tragen, es ist höchste Zeit. Bevor sie

aufbrechen besucht die Gruppe den Ritter deshalb in seinem Unterstand. Sie verbeugen sich tief, Cerjoc ergreift das Wort: „Wir brechen auf, mein Herr, wir werden unser Bestes geben." Der Ritter öffnet die Augen, er ist blass und sein Gesicht wirkt eingefallen.

„Ich wünsche Euch viel Glück und Mut. Ronan ich habe vollstes Vertrauen in dich. Sina, Cerjoc, Gisbert und Sturmwind werden dir helfen, du kannst dich zu jeder Zeit auf sie verlassen und keine Angst, du wirst mich nicht enttäuschen. Gisbert, pass mir gut auf den Jungen auf."

„Mein Herr, ich werde ihn mit meinem Leben schützen."

Die Freunde stehen betreten schweigend um das Krankenlager des Ritters herum. Trübe Gedanken beschäftigen sie. Ronan murmelt vor sich hin: „Ich habe einfach zu lange gebraucht, um alles zu lernen, wäre ich doch nur schneller gewesen."

Gisbert antwortet leise: „Mach' dir keine Vorwürfe, du hast erstaunlich schnell gelernt, eben noch warst du ein einfacher junger Mann aus Tolnar. Außerdem sollte niemals jemand vergessen, dass es Thyros ist, der uns in diese Lage gebracht hat, ihn trifft die alleinige Schuld, was auch immer geschieht."

Der Ritter bekommt von dieser Unterhaltung offensichtlich nichts mit, er hat eben schon sehr leise gesprochen, er war kaum zu verstehen, jetzt hat er die Augen geschlossen. Cerjoc ruft Torjan, der sich im Hintergrund hält, zu sich.

„Torjan, ich denke der Herr möchte einen Schluck Tee. Wir verabschieden uns jetzt, hoffentlich ist es nicht schon zu spät." Torjan nickt Cerjoc zu: „Ich werde für ihn tun, was in meiner Macht steht. In dieser Hinsicht könnt ihr beruhigt sein. Ich wünsche euch viel Erfolg und hoffe auf ein gutes Wiedersehen." dann tritt er an das Krankenlager des Ritters.

Die Gefährten verbeugen sich nochmals und verlassen die Hütte.

Gisbert will sich für den Anfang der Reise anschließen. Seine Erfahrung im Kampf kann nützlich sein. Er will helfen, auch wenn ihn sein Alter früher oder später zur Aufgabe zwingen wird. Sollte er nämlich zur Behinderung und die Reise für ihn, aufgrund seines fortgeschrittenen Alters, zu beschwerlich werden, wird er umkehren. Ronan sattelt Sturmwind, schnallt Sina um, nimmt den Schild und verpackt alle Notwendigkeiten in die Satteltaschen.

Das Schild ist etwas ganz BBesonderes. Es ist schon seit langer Zeit in der Familie von Orland. Auch hier findet sich das Familienwappen, ein steigender Schimmel, umrahmt von weissen Lilien. An den oberen Enden und unten verzieren es Quasten in den Farben rot und weiss. Cerjoc macht seine braune Stute Amsel reisefertig, Gisbert seinen Halborg.

Amsel ist ein zierliches, zähes kleines Pferd, keine edle Schönheit, aber sie ist die Gutmütigkeit in Person. Cerjoc kann sich jederzeit blind auf sie verlassen. Für nichts auf der Welt würde er sie gegen ein eleganteres Tier eintauschen.

Flox macht es sich in seinem Beutel gemütlich, dieser hängt an Ronans Satteltasche. Nun sind alle reisefertig.

Dem Zwergenkönig wird inzwischen Meldung gemacht, dass die Reiter zum Aufbruch bereit sind.

„Richtet aus, ich komme." befiehlt er.

Er hat Sorgenfalten auf der Stirn, einen kurzen Moment bleibt er noch an seinem Schreibtisch sitzen. Ob Ronan schon bereit ist für diese Aufgabe? Wer kann das überhaupt wissen, wenn niemand weiß, was die Freunde erwartet. Mühsam erhebt er sich von seinem Stuhl, als würde eine schwere Last ihn niederdrücken. So hilft er den Freunden aber nicht, das ist ihm durchaus bewusst. Helfen kann er jetzt nur noch, indem er Zuversicht ausstrahlt.

Als der Zwergenkönig mit seinem Gefolge aus seiner Höhle kommt, hat er sich wieder gefangen und versucht, Hoffnung zu verbreiten. Er verbirgt seine Sorgen so gut es geht hinter einer staatsmännischen Fassade.

„Ich bitte Euch von ganzem Herzen und im Namen Aller, lasst nichts unversucht, ich glaube an Euch, ihr werdet erfolgreich sein, deshalb gebt auf keinen Fall auf, auch wenn die Situation manchmal aussichtslos erscheint. Ihr habt alle notwendigen Voraussetzungen, alle zählen auf Euch, auch wenn es ihnen zum grossen Teil nicht bewusst ist. Du Ronan, hast hart gearbeitet und eine bemerkenswerte Wandlung vollzogen, VIEL GLÜCK euch allen und denkt immer daran

„WER NICHT KÄMPFT HAT SCHON VERLOREN."

54

„Ihr könnt übriges versichert sein, solltet ihr wider Erwarten doch scheitern seid ihr trotzdem willkommen, wir werden dann einen anderen Weg finden."

Die Reiter versprechen ihr Bestes zu geben, dann grüßen sie wortlos und reiten davon. Das Wetter ist schön, es weht ein frischer Wind, die Luft ist erfüllt vom Summen der Insekten und einem würzigen Duft. Der weiche Waldboden federt unter den Hufen der Pferde, er schluckt jedes Geräusch.

Der Zwergenkönig ist sehr unruhig, alle Hoffnungen auf eine gute Zukunft ruhen auf der kleinen Gruppe. Trotz seiner Aussage von eben möchte er sich gar nicht ausmalen, was geschehen würde, sollten sie scheitern.

Besorgt sieht er ihnen mit seinem Gefolge nach, bis sie hinter der kleinen Hügelkette verschwunden sind.

Er seufzt tief, dann gibt den Befehl: „Wir müssen jetzt wachsam bleiben, dürfen nicht entdeckt werden. Thyros wird bald herausfinden, dass Ronan zu ihm unterwegs ist und wird handeln. Wir sind verantwortlich für den Ritter, das bedeutet, die Wachen werden nochmal verstärkt. Abos, du sorgst mit deinem Greif dafür, dass der Kontakt zu unseren Freunden stets aufrecht erhalten wird, ich möchte laufend aktuell informiert sein. Falls notwendig bekommst du Verstärkung. Wenn wir können, helfen wir." Abos steht vor seinem König stramm. Ahmund kehrt mit seinem Gefolge ins Lager zurück.

Die Zwerge nutzen, neben den Hasen auch große Greifvögel als Reisemöglichkeit. Die zahmen, intelligenten Tiere können die kleinen Männer leicht tragen. Sie fliegen so hoch, dass niemand die Zwerge auf ihrem Rücken wahrnimmt. Da die Vögel sehr schnell sind, können die Zwerge schnell große Strecken zurücklegen und halten, wie vom König gewünscht, den Kontakt zu den Freunden.

Ronan und seine Gefährten verlassen sich auf Flox, der ihnen die Richtung vorgibt, immer nach Süden. Der Ritter hat geraten, Städte und Ansiedlungen zu meiden, um nicht so leicht entdeckt zu werden. Thyros hat überall seine Spione, und er soll möglichst spät erfahren, dass Ronan unterwegs ist.

Deshalb erledigt Cerjoc notwendige Einkäufe alleine, Fleisch jagen Ronan und Nepomuk. Gisbert sorgt für die Pferde und übt, wann immer es möglich ist, mit Ronan.

Cerjoc kehrt immer öfter mit schlimmen Nachrichten von seinen Besuchen in den Städten und Dörfern zurück. Krankheiten, Missernten und Feuersbrünste durch Blitzschlag verursacht, machen den Menschen zu schaffen. Die Zustände sind verheerend, keiner weiß, wie man der Situation begegnen soll. Niemand außer ihnen, kennt den Grund, weshalb sie sich beeilen müssen.

Flox führt die Reiter immer weiter nach Süden, zunächst durch eine Flusslandschaft, dann einen großen Nadelwald. Die Bäume stehen sehr dicht und lassen kaum Licht zum Waldboden durch. Es ist finster, wer weiß schon wer oder was in diesem Wald haust. Außer den Rufen eines Käutzchens hört man kein Lebewesen, die Stille ist drückend.

Ronan fühlt sich hier nicht wohl und drängt zur Eile. Um den Wald schnell hinter sich lassen zu können, beschränken sich die Übungen auf Hindernisse am Weg. Solche, die man überspringen kann und Objekte, die Ronan mit Sina in vollem Galopp aufspießt. Gisbert spornt ihn immer wieder an, Ronan wird richtig gut. Immer mehr gewöhnt er sich an seine neue Rolle.

Cerjoc lässt sie gewähren, auch wenn Amsel oft Mühe hat mit zu kommen und Flox in seinem Beutel richtig durchgeschüttelt wird.

Bei einer Rast beklagt sich Flox deshalb bei Cerjoc: „Muss das eigentlich sein, haben wir es soo eilig? Ich kann mich in meinem Beutel kaum halten und werde seekrank."

Cerjoc beruhigt ihn: „Du wirst es überstehen. Schlecht ist das nicht, Ronan wird diese Fähigkeiten schneller brauchen, als uns lieb ist. Außerdem kommen wir auf diese Weise schnell voran und alle bleiben in Übung."

„Na gut, wenn du meinst," Begeisterung hört sich anders an.

Da sie nirgendwo länger bleiben, machen sie sich nicht die Mühe ein regensicheres Nachtlager zu bauen. Sie haben Decken und Felle, um sich vor dem Wetter zu schützen.

Meistens grillen sie das erbeutete Fleisch über dem Feuer, Cerjoc backt Fladenbrot auf einem flachen Stein, der im Feuer erhitzt wird. Manchmal gibt es auch Stockbrot, Teigstreifen, die um einen Stock gewickelt und über der Glut gebacken werden, sehr lecker.

56

Cerjoc kennt sich hervorragend mit wilden Früchten, Kräutern und Pilzen aus und kocht zur Abwechslung hervorragende Eintöpfe und Suppen. Zu trinken gibt es leichten Wein oder Kräutertee.

Ronan hat zu Hause selten so gut gegessen. Fleisch gab es fast nie, seine Eltern sind arme Leute und in letzter Zeit war es noch schlimmer geworden.

Nepomuk frisst sein tägliches Fleisch mit sichtlichem Wohlbehagen, dass ist besser als Mehlsuppe und Hirsebrei. Ronan hat erwartet, dass das Essen schlechter ist, als im Lager. Cerjoc achtet aber darauf, dass alle bei Kräften bleiben, im Hinblick auf das, was ihnen eventuell noch bevorsteht.

Abends sitzen sie am Feuer zusammen, als Nepomuk aufsteht und in die Dunkelheit knurrt. Die Pferde sind unruhig, sie blähen erregt die Nüstern auf, wiehern und steigen, jeden Moment drohen sie sich loszureißen. Es würde lange dauern, sie wieder einzufangen, weshalb Cerjoc und Gisbert aufspringen und die Zügel der Pferde ergreifen.

Ronan zieht Sina vorsichtig aus der Scheide und umklammert ihren Knauf, während er sich sprungbereit neben den Hund hockt. Die Sekunden verrinnen in atemloser Stille, nichts bewegt sich, nur die Pferde lassen sich kaum halten.

Ganz selbstverständlich und ohne Worte sind die Rollen festgelegt.

Ronan starrt in die Dunkelheit, in die Richtung, die Nepomuk anzeigt, es ist nichts zu erkennen. Da ein leises Knacken im Unterholz, plötzlich bricht, mit mächtigen Sätzen, ein riesiger Bär zwischen den Bäumen hervor, er richtet sich vor Ronan und seinem Hund auf die Hinterbeine auf und brüllt furchterregend. Dabei reißt er sein Maul weit auf, die gelben Fangzähne ragen wie Dolche aus seiner Schnauze. Sein mittelbraunes Fell ist zottelig und seinen strengen Geruch nimmt Ronan deutlich war.

Der Bär schlägt mit den Pranken nach Ronan. Er ist aufgerichtet ungefähr drei Meter groß, zu groß um vom Boden aus, wirksam mit ihm kämpfen zu können.

„Ich brauche mein Pferd SCHNELL !" Cerjoc ergreift Sturmwinds Zügel, wirft Gisbert Amsels Zügel zu und zerrt den, sich heftig wehrenden Hengst zum Feuer, wo Ronan aufspringt.

Sobald Ronan aufgesessen ist, wandelt sich das Verhalten des Hengstes, er ist bereit, seinen Herrn im Kampf zu unterstützen. Leicht lässt er sich lenken, fast tänzelnd, ohne dass Ronan die Zügel einsetzen muss, ruhig trägt ihn Sturmwind nahe an den wilden Bären, an Flucht denkt er nicht mehr. Er weicht geschickt den tödlichen Prankenhieben aus. Der riesige Bär hat rasiermesserscharfe, zentimeterlange Krallen. Der Kampf ist heftig, der Bär ist im Blutrausch, er will töten.

Im schwachen Schein des Feuers versucht Ronan mehrmals den tödlichen Stoß zu setzen.

Der Bär ist jetzt verwundet, dadurch wird er nur noch aggressiver. Cerjoc und Gisbert beobachten den Kampf atemlos. Im flackernden Schein des Feuers bietet sich ein gespenstisches Schauspiel. Ronan führt einige Hiebe mit dem Schwert, die jedoch nicht tödlich sind. Der Bär brüllt und faucht, es ist ein lautes, beängstigendes Getümmel. Der Kampf wogt hin und her. Nepomuk umkreist den Gegner, mit lautem Gebell versucht er die Aufmerksamkeit des Bären auf sich zu lenken.

Nach vielen gefährlichen Prankenhieben, denen Ronan nur Dank der Wendigkeit und intelligenten Mitarbeit seines Hengstes entkommt, gelingt es ihm, den tödlichen Stich zu setzen. Der Bär stößt einen schauerlichen Laut aus, der in einem Röcheln verebbt. Dann bricht er sterbend zusammen, es ist vorbei.

Flox schaut zitternd und mit weit aufgerissenen, angsterfüllten Augen, oben aus seinem Beutel. Wenn es möglich wäre, dann wäre er blass geworden.

„Ist ist er tot?" fragt er mit zitternder Stimme.

„Es sieht so aus, du kannst dich beruhigen," beruhigt ihn Gisbert.

Auch Halborg und Amsel beruhigen sich wieder, Cerjoc und Gisbert können die Zügel loslassen.

Ronan und Sturmwind sind verschwitzt und erschöpft, beide waren auf einen Kampf nicht mehr vorbereitet.

Ronan steigt ab und geht zu dem toten Bären: „Das war knapp, ich werde mein Schwert zukünftig immer griffbereit haben. Stellt Euch vor, er hätte uns im Schlaf angegriffen, vielleicht sollten wir wirklich abwechselnd Wache halten." Er stößt den Bären mit dem Fuß an, ehe er sich zu den anderen umdreht.

Cerjoc steht der Schrecken noch ins Gesicht geschrieben: „Du hast Recht, besser wäre es."

Gisbert schüttelt den Kopf: „Ich habe in meinem Leben schon viele Bären gesehen, gegen mehrere sogar selbst gekämpft, aber so ein Riese, Mann oh Mann, Ihr habt Recht, wir müssen besser aufpassen, das hätte schief gehen können." Er geht zu dem massigen Kadaver des Bären hinüber und schaut diesen nachdenklich an. „Wir sind zwar alle müde, trotzdem sollten wir vernünftig sein und den Bär gleich verwerten, das ist eine Menge Fleisch. Ronan, du brauchst einige Tage nicht zu jagen, die Zeit sparen wir. Auch das Fell ist für Euch wertvoll, außerdem stehen Ronan die Eckzähne als Trophäe zu. Lasst uns gleich damit anfangen, ehe der Kadaver andere Tiere anlockt." Sie zerlegen den Bären und begeben sich dann zur Ruhe, wobei sie abwechselnd Wache halten.

SCHICKSALHAFTE BEGEGUNG

Nach einer kurzen Nacht brechen die Freunde am nächsten Morgen zeitig auf.
Sie lassen den großen Wald hinter sich und kommen in eine Grasebene. Äcker, Weiden und Obstbäume soweit das Auge reicht.
Die Sonne scheint, es ist warm, aber nicht zu heiß. Ein leichter, warmer Wind weht über die Ebene und am blauen Himmel ziehen wattig, weiße Wolken vereinzelt ihre Bahn. Die Vögel singen, Schmetterlinge tanzen in der Sonne, es ist ein friedlicher, schöner, ein fast perfekter Tag, wäre da nicht der besorgniserregende Grund der Reise.
Sie folgen einem Fahrweg als Ronan im Sonnenschein ein Wesen erblickt, dessen Anmut ihn verzaubert.
Ein Mädchen läuft in kurzer Entfernung über die Wiese, gedankenverloren summt sie eine Melodie.

Sie ist einfach gekleidet, mit einem weiten blau-grauen Rock und einer hellen Bluse. Ein großer Strohhut, um den ein buntes Tuch gebunden ist, rundet das Bild ab. Sie trägt ihre Sachen voller Anmut. Der schlanke Körper des Mädchens ist ein sinnliches Versprechen. Sie hat ein wunderschönes, liebreizendes Gesicht, die langen, goldblonden Haare zu einem dicken Zopf, locker geflochten. Eine liebliche Szene, wie ein Gemälde.

Ronan stoppt sein Pferd, fasziniert. Sie ist es. DIE EINE, nach der Ronan immer gesucht hat. Diese Erkenntnis trifft ihn wie ein Blitz. Er verschwendet keinen Gedanken daran, ob sie vielleicht einem Anderen gehört, er ist in ihrem Bann gefangen. Als das Mädchen die Reiter bemerkt, erschrickt sie.

Der erste Impuls ist fortlaufen, in diesen Tagen auf jeden Fall ratsam. Aber sie kann sich von dem Anblick nicht losreißen, sich nicht bewegen. So steht sie einfach nur da und schaut zu Ronan herüber, die anderen bemerkt sie gar nicht. Sie ist halb ängstlich und halb gebannt.

Sturmwind tänzelt, Ronans Erregung überträgt sich auf den Hengst.

Beide geben so ein beeindruckend schönes Bild ab. Der kräftige, gutaussehende junge Mann, der scheinbar mühelos den starken, schönen Hengst beherrscht.

Der Rappe tänzelt im Sonnenlicht, das sich auf seinem glänzenden Fell spiegelt. Der Hals ist gewölbt und das Pferd schnaubt, während unter seinen stampfenden Hufen der Kies knirscht und der Sand aufspritzt.

Der Reiter ist jung und kräftig, aber was das Mädchen fesselt sind seine Augen – gütig und mild aber gleichwohl voller Tatkraft und Stärke.

Sie sehen einander nur an, diesen Moment werden beide nie vergessen. Sie kennen nicht einmal den Namen des Anderen, aber der Blick ist intensiv, das Knistern ist spürbar, es ist ein Versprechen.

Cerjoc bemerkt diesen Blick und will, was sich da anzubahnen scheint, sofort wieder beenden. Er mahnt zur Eile.

Ronan aber springt vom Pferd, er bemerkt Cerjocs Versuche, ihn aufzuhalten nicht und geht auf das Mädchen zu. Eigentlich hätte sie, seinem neuen Stand entsprechend, vor ihm niederknien müssen.

Aber bei ihr angekommen, kniet er nieder und bringt kein Wort heraus, er sieht sie nur an.

60

Er ist so fasziniert, dass er in sein altes Verhaltensmuster zurückfällt.

In diesem Moment ist das Mädchen so aufgeregt, das auch sie diesen Widerspruch zwischen Aussehen und Verhalten, nicht bemerkt.

Das Mädchen zittert, weniger vor Angst, mehr vor Erregung. Sie errötet leicht und lächelt Ronan unsicher an. Ronan findet die Worte wieder und stellt sich und Nepomuk vor, blumig und unbeholfen drückt er seine Bewunderung für sie aus, sie lächelt ihn an und sagt leise:

„Mein Name ist Dana."

Schüchtern flüstert er: „Ihr seid das Mädchen, das ich immer suchte, von dem ich immer geträumt habe, da bin ich mir ganz sicher. Ich kenne Euch noch nicht, aber ich möchte Euch kennen lernen, mit Euch lachen, weinen und träumen, aber leider...", seine Stimme versagt.

Nach endlos wirkenden Sekunden fährt er leise und mit schwerem Herzen fort: „Ich kann leider nicht bleiben, wir haben eine wichtige Aufgabe zu erfüllen. Aber danach komme ich wieder und wir werden uns dann nie mehr trennen." Er schweigt kurz, dann fragt er scheu: „Werdet Ihr auf mich warten?" Sie sieht ihn lange an. Sie kennt ihn erst wenige Augenblicke, aber sie spürt es, sie weiß es ganz sicher, er ist der Richtige. Es ist sicher nicht sinnvoll, aber ihr Gefühl sagt, „JA", und sie ist plötzlich sehr aufgewühlt, aber fest entschlossen.

„Ich werde auf Euch warten, Ritter Ronan, ja das werde ich", bekräftigt sie ihre Worte nochmals. Dann gibt sie ihm das Amulett, das sie um den Hals trägt, der aus Horn geschnitzte Anhänger stellt ein Fabelwesen dar.

„Bitte nehmt dieses Amulett als Liebespfand von mir an. Das ist ein guter Geist, er wird Euch immer beschützen", Dana lächelt verlegen. Als er das Amulett nimmt, spürt er noch ihre Wärme. „Bitte legt es mir um." Er kniet wieder vor ihr nieder und Dana legt das Amulett um seinen Hals. Sie berührt dabei für einen Moment seine nackte Haut. Bei dieser Berührung läuft ein Schauer durch ihren Körper, Dana errötet.

Um die Situation aufzulösen, streichelt sie Nepomuk den Kopf und flüstert: „Pass' immer gut auf deinen Herren auf."

Gisbert unterbricht die beiden: „Komm Ronan, wir müssen weiter."

Widerwillig lösen sie sich voneinander. Das Band, das in dieser kurzen Zeit geknüpft wurde, ist stark und wird niemals reißen.

Ronan schaut Dana fragend an:

„Wo kann ich Euch wiederfinden? Ich werde versuchen, Euch regelmäßig Nachrichten zukommen zu lassen, Ihr dürft Euch aber niemals wundern und zu niemandem sprechen, hört Ihr, zu überhaupt niemand und Ihr dürft niemandem trauen." Dana wird klar, der Abschied ist unausweichlich, daher verspricht sie unter Tränen, sich niemandem anzuvertrauen.

Sie weiss nichts über seine Aufgabe, ist es gefährlich, wird sie Ronan und die anderen Reiter wiedersehen? Bis dahin vollkommen unbekannte Gefühle durchfluten sie.

Mühsam bringt sie heraus: „Ich lebe auf dem Ummenhof, kurz vor dem Wald, folgt einfach dem Fahrweg, es ist nicht weit. Wenn Ihr mich hinter Euch aufsitzen lasst, zeige ich es Euch."

Leichtfüßig steigt sie hinter ihm aufs Pferd. Sie hält sich an ihm fest. Es schickt sind eigentlich nicht, aber dadurch werden Ihnen noch einige Augenblicke der Nähe geschenkt. Sturmwind trägt beide mühelos.

Ronan schaut sich zu den Freunden um. „Wir bringen erst Dana heim, dann reiten wir weiter." Er wendet Sturmwind.

Cerjoc und Gisbert nicken und folgen den beiden wortlos. Sie sind machtlos, hier hat Amor ganze Arbeit geleistet.

Nach wenigen Minuten sagt Dana: „Lasst mich bitte an dieser Weggabelung absteigen, von hier ist es zum Hof nur noch ein kurzes Stück und ich möchte nicht, dass Euch jemand sieht."

Er steigt ab und hilft ihr galant vom Pferd. „Lebt wohl, ich weiß leider nicht wie lange es dauern wird. Aber ich weiß genau, dass ich dich zur Frau nehmen will, schöne, liebreizende Dana."

Sie hat während des kurzen Rittes ihre Fassung und ihr Lächeln wiedergefunden, bei diesem Kompliment droht sie beides wieder zu verlieren.

Dana reißt sich zusammen und antwortet scheu: „Ich werde bestimmt auf Euch warten, ganz egal wie lange es dauert. Merkt Euch diesen Abzweig gut, damit Ihr ihn auch wiederfindet."

„Das werde ich sicher wiederfinden, lebt wohl." Er verbeugt sich leicht vor ihr, verlegen und unschlüssig stehen sie einander gegenüber, der kurz bevorstehende Abschied droht ihnen das Herz zu zerreißen. Über Danas Wange kullert eine Träne. Ronan wischt sie fort: Weint nicht, es wird alles gut werden, ich verspreche es Euch."

Erst als Cerjoc erneut zur Eile mahnt, gibt sich Ronan einen Ruck und steigt wieder auf. Ronan wendet sein Pferd, er lässt Sturmwind ganz langsam gehen und sieht sich fortwährend um. Das letzte Bild, dem er gewahr wird, bevor er um eine Wegbiegung reitet, ist ihr lächelndes Gesicht. Sie winkt zum Abschied, dann kann Ronan sie nicht mehr sehen.

Ronan wendet sich seinen Gefährten zu: „Merkt Euch diesen Ort, wir müssen ihn wiederfinden, auch wenn die Jahreszeit gewechselt hat."
Dana und Ronan sind glücklich, einander gefunden zu haben. Zugleich sind sie verzweifelt, sich sofort wieder trennen zu müssen, es kann zu viel passieren.

In der nächsten Zeit läuft Dana mit einem seligen Lächeln umher. Niemand kennt den Grund, aber sie lehnt alle Heiratsanträge mit Bestimmtheit ab. Sie bekommt reichlich, auch sehr interessante Anträge. Danas Vater Eric, der Großbauer dieser Gegend, ist hin und hergerissen, teilweise erzürnt, will er sie doch gut versorgt wissen, man weiß ja nie. Andererseits ist er froh, sie ist immer noch sein kleines Mädchen, das er nicht gerne einem fremden Manne überlässt, vor allem dann nicht, wenn sie sich wehrt. Außerdem hat Dana ein fast übernatürliches Talent im Umgang mit Tieren, ist eine sehr gute Köchin, gewandte Gastgeberin, immer fleißig und guter Laune, bei allen Bediensteten ist sie sehr beliebt.
Seitdem unerwarteten, frühen Tod seiner Frau führt sie den Haushalt, er braucht sie.

Allerdings ist da noch Farah, die Magd. Sie ist kräftig gebaut und herrisch im Wesen, sie hat weder Danas Schönheit noch ihre liebliche Art.
Sie hat fleischige, rote Arme und ein rundes, feistes Gesicht, insgesamt sieht man ihr an, dass sie gerne isst. Sie nascht gerne heimlich, Kleid und Schürze spannen sich um ihre üppigen Formen.
Sie trägt gewöhnlich ein einfaches braunes Kleid, eine weiße Schürze und ein braunes Kopftuch, dass ihre dünnen, blonden, strähnigen Haare weitgehend verbirgt.
Nach dem Tod der Bäuerin erkannte sie ihre Chance, tröstete Eiric und versüßt dem Bauern seither die Nächte. Eiric ist zu naiv, um zu

merken, dass diese Zuneigung nicht ehrlich, sondern nur berechnend ist.

Farah macht sich Hoffnungen, dass Eiric sie brauchen und heiraten würde, sobald Dana heiratet und seinen Haushalt nicht mehr führen kann.

Deshalb wartet Farah sehnsüchtig auf diesen Tag. Zu ihrem großen Missfallen lehnt Dana alle Heiratsanträge ab, von Ronans Existenz weiß Farah natürlich nichts.

Ronan indes, ist in den nächsten Tagen sehr mit sich selbst beschäftigt, meistens reiten die drei Männer schweigend nebeneinander über die Grasebene.

Ronan träumt von Danas Lächeln und der Berührung durch Ihre Hand. Plötzlich meldet sich Flox aus seinem Beutel: „Ich mag nicht immer in diesem Beutel sitzen, ich möchte etwas sehen und brauche frische Luft. Las' mich an deinem Waffenrock hochklettern. Ich halte mich an der Lasche fest, die auf deiner Schulter aufgenäht ist, keine Angst du wirst mich nicht verlieren." Er klettert aus seinem Beutel und an Ronans Waffenrock hoch. So hängt er kopfüber und hält sich mit seinen kräftigen Füßen fest, kein noch so wilder Ritt macht ihm etwas aus.

Er sieht die Welt zwar auf dem Kopf, aber für eine Fledermaus ist das ganz in Ordnung.

Flox ist so groß oder klein wie eine Maus. Alles eine Frage der Perspektive. Er hat ein grau-braunes, seidiges Fell, sehr große Ohren und eine spitze Schnauze.

Sofern sie doch einmal Menschen treffen, verhält er sich ganz ruhig und sieht aus wie ein, wenn auch eigenwilliger, Schmuck.

Es kommt ohnehin nicht oft vor, dass sie jemandem begegnen. Die Leute verlassen ihr Dorf oder ihre Stadt nur, wenn es gar nicht anders geht.

Als Abos das nächste Mal mit seinem Greifvogel kommt, um dem Zwergenkönig die neuesten Nachrichten zu bringen, fordert ihn Ronan unvermittelt auf: „Du musst mir einen Gefallen tun und Nachrichten an Dana überbringen. Es darf natürlich niemand etwas merken und die Briefe darf außer Dana niemand sehen."

Cerjoc und Gisbert sehen sich an, das wird Schwierigkeiten geben.

64

Abos reagiert sicherheitshalber abweisend.

„Ich weiß zwar nicht worum es hier geht, aber ich nehme an, Dana ist ein Mädchen, das Ihr unterwegs kennengelernt habt, ist auch egal." Er winkt ab. „Das mache ich nicht, ich bin doch nicht Amor, woher kennst du sie überhaupt."

Ronan wird rot und ganz verlegen, anstatt zu antworten, schaut er auf den Boden.

Cerjoc räuspert sich und erläutert: „Also, das ist so..." Nachdem Abos sich die Geschichte angehört hat, sagt er bestimmt zu Cerjoc:

„Ronan soll dieses Mädchen vergessen, das wäre viel zu riskant." Cerjoc nickt zustimmend. Abos führt seine Bedenken weiter aus.

Ronan ist verletzt, Cerjoc und Abos reden über ihn wie über ein Kind, obwohl er anwesend ist. Trotzig unterbricht er sie: „Wie Ihr wollt, dann reite ich eben zu ihr zurück, heirate sie und nehme sie mit."

Ronan lässt Abos und Cerjoc einfach stehen, er dreht sich um und entfernt sich wortlos.

Cerjoc und Abos sehen einander an. Abos zuckt mit den Schultern:

„Na ja, morgen sieht alles anders aus."

Gisbert macht ein skeptisches Gesicht. Er hat während der Ausbildung Ronans Starrsinn kennengelernt. So einfach wird es nicht gehen, aber er sagt nichts, vielleicht irrt er ja, man wird sehen. Später sitzen sie am Feuer zusammen, die Männer erwähnen das Thema nicht mehr, sie essen und begeben sich dann zur Ruhe.

Am nächsten Morgen kontrollieren die Freunde das Sattelzeug ihrer Pferde. Sie brechen auf, nur wendet sich Ronan in die falsche Richtung.

„Wo willst Du hin?" fragt Cerjoc „Da geht's lang", er weist nach Süden.

„Nein, ich habe Euch gesagt, wenn ihr keine Nachrichten an Dana überbringt, reite ich zurück und frage sie, ob sie meine Frau werden will. Die Unternehmung wird dadurch nicht einfacher, aber dann muss ich sie mitnehmen, ich liebe sie."

„Das Ist nicht dein Ernst," erwidert Cerjoc ungläubig.

Als er Ronan ansieht, wird ihm klar, dass dieser wild entschlossen ist. Ronan denkt offensichtlich überhaupt nicht darüber nach.

Er erkennt, dass es dem verliebten Ronan ernst ist. Eine Frau auf dieser Reise ins Unbekannte, das ist undenkbar. Es würde sie langsam machen, und Ronan würde sich nicht mehr voll auf ihre Aufgabe konzentrieren können, er wäre fortwährend abgelenkt, von der Sorge um Dana. Wie stellt er sich das vor, es wird so schon schwierig genug. Abos, der gerade auf seinem Greif starten will, sieht Cerjoc fragend an.

Cerjoc denkt bei sich: „Wir wollten einen charakterstarken jungen Mann, das haben wir nun davon. Andererseits warum eigentlich nicht, ehe sie lange reden und wir viel Zeit verlieren.

Dana ist sicherlich ein zusätzlicher Ansporn, erfolgreich zu sein. Noch sind keine großen Schwierigkeiten aufgetreten, abgesehen von dem Bär, aber das wird noch kommen."

Ronan lebt momentan in einem Rausch und dazu bedurfte es nicht mal einer Dana, dessen ist sich Cerjoc durchaus bewusst. Er macht sich große Sorgen, ob Ronan eine richtige Herausforderung bestehen würde. So gesehen ist der Umstand, der jetzt in Sachen Dana eingetreten ist, vielleicht sogar von Vorteil.

Gisbert scheint den gleichen Gedanken zu haben. „Wir sollten Ronan diesen Gefallen tun, es wäre von Vorteil."

Cerjoc winkt Abos zu sich heran.

„Abos, warum geht das eigentlich nicht. Wir brauchen Ronan, könntest du ihm nicht diesen Gefallen tun?" Er sieht Abos eindringlich an, dieser Blick sagt: „Ein NEIN werde ich nicht akzeptieren, ich erkläre es Dir ein anderes Mal."

Abos sieht diesen eindringlichen Blick. „Die Arbeit und das Risiko liegen natürlich wieder Mal bei mir, ganz toll", brummt er missgelaunt vor sich hin. Dann ruft der Zwerg Ronan zu: „Also gut, aber eine Bedingung ist unumgänglich. Die Briefe dürfen keine Rückschlüsse auf einen von uns oder auf unsere Aufgabe zulassen, falls doch einmal einer in fremde Hände kommt."

Ronan stimmt zu, er wendet sein Pferd und reitet zu Abos hinüber. Er springt ab und bückt sich zu dem Zwerg hinunter.

„Hand drauf und denke daran, dass gilt auch für alle anderen Boten", Abos schlägt brummend ein, so ein Pech, er hat bereits darüber nachgesonnen, wie er sein Versprechen umgehen kann. Ronan hat ihn durchschaut, jetzt kommt er nicht mehr aus.

Flox kichert: „Ronan hat dich durchschaut, du solltest dein Gesicht sehen Abos."

66

Abos macht eine genervte Handbewegung: „Ach, lass mich doch in Ruhe." Er geht zu seinem Greif.

Abos startet übellaunig, während Ronan, Gisbert und Cerjoc sich wieder auf den Weg machen, den Ihnen Flox weist.

UNBEKANNTER FREMDER

Die nächsten Tage verlaufen ereignislos, obwohl sie schnell vorankommen wollen, halten die Gefährten streng Pausen ein, um die Pferde nicht zu überlasten. Sie haben unterwegs noch ein Packpferd gekauft. Das kostbare Bärenfell und das viele Fleisch sind einfach zu schwer, um alles einem der Tiere als zusätzliche Last aufzubürden. Insbesondere jetzt, da das Fell noch nicht endgültig behandelt ist.

Der Himmel ist an diesem Tag bedeckt, die Wolken hängen tief, aber es ist trocken, der Wind hat abgeflaut, alles wirkt grau.

Sie reiten einen großen Fluss entlang, der träge in weiten Bögen seinem Bett folgt. Die Ufer werden von großen Bäumen gesäumt, die auf der Gegenseite im Dunst verschwimmen.

„Dieses Wetter schlägt auf das Gemüt."

„Da hast du Recht, Ronan," Gisbert schaut verdrossen in die Landschaft, „es ist zum Schwermütig werden, wir könnten etwas Aufheiterung gut vertragen.

Wer sagt eigentlich, dass Frohsinn verboten ist. Du, Ronan, kannst dich wenigstens an dem Gedanken an Dana erfreuen, aber was bleibt uns?"

„Genau", pflichtet Flox bei. „Ich hätte meine Schwägerin mitnehmen sollen, sie spricht in einem fort, selbst wenn sie nichts zu sagen hat.

Jeden bringt sie so um den Verstand, aber wenigstens wird es nie langweilig."

Als sie sich so unterhalten treffen sie auf einen Musikanten, der am Wegesrand Rast macht, er hat ein kleines Pferd dabei.

Farib, so heißt dieser Musikant, ist ein sehr dünner, kleiner Mann mittleren Alters. Er ist schrill bunt gekleidet, mit einer großkarierten Hose, seltsamen, löchrigen Stiefeln, einem gelbbraunem Hemd und einem verbeulten, grauen Hut. Der Musikant hat ein hageres, längliches Gesicht und blasse Haut. Beim Lachen und das tut er sehr oft, zeigt er seine schlechten Zähne. Er hat wirre, braune Haare mit ersten grauen Strähnen und ist schlecht rasiert, sein größter Schatz ist eine Fidel.

„Wohin des Weges? darf ich den edlen Herren huldvoll meine Dienste anbieten", spricht er die Freunde an, als sie des Weges kommen.

„Ich würde mich gerne anschließen, werde auch niemals zur Last fallen und die Herren mit Musik und heiteren Geschichten unterhalten." Der Vorteil dieser Vereinbarung läge offensichtlich bei Farib, der Schutz der Gruppe ist viel wert und sein Essen wäre auch besser. Sowohl die drei Männer, als auch ihr Hund sehen wohlgenährt aus, was Farib natürlich nicht entgangen ist.

Ronan hält an und mustert den Musikanten. Farib ist eine bunte, fröhliche Erscheinung und er macht einen gut gelaunten, freundlichen Eindruck. Ronan ist versucht, auch aufgrund der voran gegangen Unterhaltung, auf das Geschäft einzugehen, es ist sehr verlockend an diesem grauen Tag.

Aber der hagere Mann und das kleine braun-weiß gescheckte Pferd sehen nicht so aus, als könnten sie mithalten. Außerdem sollten so wenige Personen wie möglich von dem Zweck ihrer Reise Kenntnis bekommen.

Deshalb antwortet er: „Es tut mir leid, aber Eure Dienste benötigen wir nicht, außerdem haben wir es eilig, also lebt wohl."

Dann wendet er sein Pferd und reitet weiter, Cerjoc und Gisbert folgen ihm erleichtert.

So leicht lässt sich Farib aber nicht abweisen, das kleine Pferd ist zäh und ausdauernd, in einiger Entfernung folgt er der Gruppe, tagelang.

Er übernachtet in angemessener Entfernung, die Freunde sehen den Schein seines Feuers, Abend für Abend. Sie fragen sich immer öfter, warum Farib so hartnäckig ist.

Eines Abends meint Gisbert schließlich nachdenklich: „Ich weiß nicht, wie es euch geht, ich für meinen Teil bin der Meinung, wir sollten den Musikanten zu uns ans Feuer einladen. Ich werde das Gefühl nicht los, wir werden ihn noch brauchen, ich kann es nicht erklären."

Ronan erwidert: „Ich kann das nur bestätigen, ich fühle ähnlich, kann es aber genauso wenig erklären, vielleicht ist es nur die Sehnsucht nach etwas Frohsinn. Wir haben genügend Essen und sein kleines Pferd scheint mithalten zu können. Andererseits sollten so wenige Menschen wie möglich über unsere Reise Kenntnis bekommen. Das spricht eindeutig dagegen, schade, aber das muss eigentlich heißen, nein, ich bin allerdings hin und her gerissen."

„Ja richtig, aber wir brauchen ja nichts zu erzählen." Gisbert scheint der Gedanke an etwas Zerstreuung sehr zu reizen.

Cerjoc ist von dieser Idee gar nicht begeistert: „Irgendwann werden wir uns verraten, da bin ich mir sicher, wir sollten vernünftig sein."

„Sehr schade, wir kennen den Musikanten ja nicht, auch wenn es mir beinahe schon so vorkommt. Erlaubt uns diese Aufgabe denn überhaupt nicht zu leben? Erst musste ich Dana gleich wieder verlassen, jetzt sollen wir uns etwas Frohsinn versagen. So hatte ich mir das Ritterdasein nicht vorgestellt", Ronan ist enttäuscht.

„Was meinst eigentlich du dazu, Flox?" Gisbert erwartet keinen hilfreichen Beitrag, aber da sollte er sich täuschen.

„Ich bin dafür, dass er sich uns anschließt. Bislang reiten wir nur nach Süden, weiter gibt es nichts zu bemerken und ich bin der Meinung er könnte hilfreich sein. In welcher Weise weiß ich auch nicht, aber was sollten wir also schon groß verraten, frage ich euch?"

„Meinst du wirklich? Vielleicht hast du ja Recht. Außerdem wirken wir noch harmloser, wenn er uns begleitet, wer würde schon argwöhnisch, bei einer so bunten Reisegruppe." Gisbert klingt hoffnungsvoll.

Sie diskutieren noch etwas, Cerjocs Bedenken werden weggewischt.

„Also gut, wenn wir uns alle einig sind." Ronan schaut die Gefährten nacheinander an, alle nicken, Cerjoc ist überstimmt.

Ronan fordert seinen Freund freudig auf: „Cerjoc, dann geh' und frage ihn, ob er sich uns immer noch anschließen will. Sollte das der Fall sein, dann bring' ihn gleich mit."

Cerjoc nickt zustimmend, dann geht er hinüber, gemeinsam mit dem Musikanten kommt er zurück.

Als die beiden sich der Gruppe nähern, läuft Nepomuk ihnen entgegen. Der Hund begrüßt den Musikanten freundlich, springt bellend und wedelnd um die Männer herum.

Mit seiner Schnauze stupst er die Hand des Mannes an und fiept freundlich.

Als sie zu Gisbert und Ronan kommen, entschuldigt sich Ronan: „Ich grüße Sie, es tut mir leid, offensichtlich mag Nepomuk Sie, ich hoffe Sie haben keine Angst vor Hunden."

„Keine Sorge, ich liebe Hunde, ganz besonders, wenn sie so freundlich sind."

Zu dem Hund gewandt: „Hallo Nepomuk, komm her und lass dich streicheln."

Der Hund läuft zu ihm, setzt sich hin und lässt sich am Kopf kraulen, während sein Schwanz über den Boden wedelt.

Dann verbeugt sich der Musikant und stellt sich vor: „Ich bin Farib, die edlen Herren werden meine Gesellschaft nicht bereuen, ich werde sogleich eine fröhliche Weise anstimmen."

„Kommt nicht in Frage", Cerjoc erhebt entschieden Einspruch, „zuerst esst und trinkt Ihr, Ihr gehört jetzt zu unserer Reisegruppe, ich bin für Eurer leibliches Wohl zuständig. Also langt tüchtig zu, es gibt gegrillten Bären, Brot und Früchte."

Farib tut wie ihm geheißen, er isst tüchtig, während er isst spricht ihn Cerjoc an: „Wir pflegen einen lockeren Umgangston, ich hoffe ihr stimmt dem zu."

Farib nickt, mit vollem Mund nuschelt er: „Ist mir Recht."

Von jetzt an begleitet sie der Musikant. Farib unterhält sie bei jeder Rast mit seinem Spiel und mit heiteren Geschichten.

Eines Abends nach dem Essen bemerkt Ronan: „Was für ein Glück, dass wir dich aufgelesen haben, so viel haben wir auf der ganzen Reise bisher nicht gelacht, Dana wird dich auch mögen." Ronan hat ein seliges Lächeln, sobald er an sie denkt.

„Wer ist Dana? Sollte ich sie kennen?" Von Ronan bekommt Farib keine Antwort, er ist in Gedanken ganz weit weg.

„Jetzt muss schon wieder ich erklären, was es mit Dana auf sich hat, das wird langsam zur Gewohnheit". Cerjoc beginnt wieder mit seiner Erzählung genau wie bei Abos. „Also das war so..."
Bilderreich und wortgewaltig schwärmt er von Dana. Als er endet antwortet Farib mit einem Schmunzeln: „Ich glaube die Dame hat nicht nur Ronan verzaubert."
Flox kichert: „Wo du Recht hast..."
Cerjoc wird rot, „Ach was weißt du schon", ganz dringend muss er sich um Amsel kümmern. Die Stute schaut etwas verwundert, als Cerjoc um diese Uhrzeit beginnt, sie zu striegeln.
An einem der folgenden Abende fragt Farib die Freunde: „Warum reiten wir eigentlich so schnell und immer Richtung Süden?"
Darauf folgt betretenes Schweigen, alle schauen sich wechselseitig an, endlich antwortet Gisbert:
„Weil Flox uns das so vorgibt."
„Allen Ernstes, eine Fledermaus, wenn auch eine besonders intelligente, gibt den Weg vor?"
In den Gesichtern sieht er, schlechtes Thema, niemand will darüber reden. Darum beeilt er sich zu sagen: „Ist mir ja auch egal, ihr werdet schon wissen, wohin ihr wollt. Ich habe ohnehin niemals ein festes Ziel, ich gehe dahin, wohin der Zufall mich treibt."
Er nimmt seine Fidel und beginnt zu spielen, dieses Thema wird fortan nicht mehr angeschnitten.
Am nächsten Tag kommt die Gruppe zu einer kleinen Ansammlung von ärmlichen Hütten. Als sie die Häuser passieren wollen, bietet sich ihnen ein schreckliches Bild. Vollkommen abgemagerte Kinder und kranke Menschen, die wie Geister durch die Wege schleichen.
Eine alte Frau, die auf einer klapprigen Holzbank sitzt, fragt Ronan von seinem Pferd herunter: „Was ist hier los?"
„Ihr müsst schnell weiter reiten, edler Herr, hier wütet eine schreckliche Krankheit, das Glück hat uns verlassen."
Sobald die Reiter angehalten haben, hängen ausgemergelte Kinder bettelnd an den Beinen der Pferde.
„Warum sehen die Kinder so furchtbar aus?"
„Die Erwachsenen sind krank, viele sind bereits gestorben. Es ist niemand mehr da, der sich um die Kinder kümmern kann. Zusätzlich hat ein schweres Unwetter die Planzen auf den Feldern zerstört. Spätestens der nächste Winter wird hier alle auslöschen."

Die Bilder erinnern Ronan an die Zustände in seinem Dorf, bevor er es verlassen hat.

Da mischt sich ein alter Mann in die Unterhaltung ein.

„Ich habe von einem fahrenden Händler gehört, dass es einen Heilsbringer geben soll, der den Menschen das Glück zurückbringt. Er sichert das Überleben, wenn sie sich seiner Gruppe anschließen und ihn anbeten."

Der Heilsbringer, sollte das Thyros sein? ein schlechtes Zeichen.

Zu seinen Gefährten gewandt sagt Ronan: „Wir sollten nicht absteigen, damit wir nicht auch noch krank werden. Aber wir sollten diesen Leuten etwas zu Essen dalassen, was meint ihr?"

Farib mischt sich ein: „Du hast Recht, aber ohne absteigen wird es kaum gehen. Ich lenke die Menschen mit einem Spiel ab und ihr stellt die Lebensmittel da drüben auf den alten Tisch." Sofort setzt er seinen Plan in die Tat um. Zu den Kindern sagt er: „Setzt euch alle hier ins Gras, ich spiele euch etwas vor, aber ihr müsst sitzen bleiben."

Farib spielt und Cerjoc legt von dem gebratenen Bärenfleisch, Brot von gestern und etwas gesammeltes Obst auf den Tisch. Als er sich umdreht um der alten Frau Bescheid zu sagen, erschrickt er: „Seht mal hier rüber, die Frau ist von uns gegangen, um aller Geister willen ist das grausig. Komm Farib, lass uns schnell von hier verschwinden."

„Hier auf dem Tisch ist etwas zu essen für euch, holt es", fordert Farib die Kinder auf. Die lassen sich das nicht zweimal sagen und stürzen sich auf das Essen.

So bietet sich den Reitern die Gelegenheit, unbemerkt zu verschwinden.

Die Gruppe plagt ein schlechtes Gewissen. Hätten sie die Frau beerdigen müssen? Aber die Männer haben zu viel Angst.

Farib meint: „Diese Bilder gehen mir nicht mehr aus dem Kopf, habt ihr etwas dagegen nochmal kurz zum Fluss zu reiten und ein erfrischendes Bad zu nehmen?"

„Das ist eine gute Idee", Gisbert hält Halborg an, "ich bin dafür."

Sie reiten zum Fluss und baden ausgiebig.

„Anscheinend ist Thyros bereits richtig aktiv", unterbricht Cerjoc die Badenden, „das ist sehr besorgniserregend."

Farib ist neugierig: „Was hat es mit diesem Tyros auf sich, wer ist das?"

72

Gisbert, gerade in der Nähe antwortet: „Thyros ist ein skrupelloser Emporkömmling, der die Menschen unterjochen und ausbeuten will. Dazu bedient er sich ...", weiter kommt er nicht. Cerjoc stößt ihn wie zufällig heftig an, Gisbert verliert den Halt und taucht komplett unter. Prustend kommt er wieder hoch, Cerjoc bedenkt ihn mit einem strengen Blick. Gisbert erinnert sich dadurch an die Abmachung, nichts zu verraten und beendet den Satz unverfänglich, „unlauterer Mittel."

Als sie weiter reiten gesellt sich Gisbert zu Cerjoc: „Ich muss besser aufpassen, ich danke dir mein Freund, beinahe hätte ich alles verraten."

„Genau das hatte ich befürchtet", erwidert Cerjoc und treibt Amsel an.

Etwas später kommen sie an einer Schenke vorbei, eine Spelunke vor der das entsprechende Gesindel herumlungert. Einige billige Huren sind auch darunter. Ungepflegt und vom Alkohol gezeichnet, passen sie ins Bild. Das Gebäude sieht recht heruntergekommen aus, die Fensterladen hängen schief vor den scheibenlosen Fenstern. Die ursprünglich weiß gekalkten Wände sind grau und schmutzig. Von drinnen dringt stickiger Geruch von Alkohol und Unsauberkeit nach draußen. Es ist laut in der Wirtschaft, man hört schlechte Musik und lautes Gegröle. Offensichtlich haben sich die Anwesenden an billigem Alkohol mehr als reichlich bedient.

Ronan hält an, die Gefährten tun es ihm gleich. Sogleich werden sie von billigen Mädchen auf eindeutige Weise angesprochen, niemand geht darauf ein.

Ronan sagt zu seinen Freunden: „Ich würde gerne etwas trinken, aber hier sieht es nicht gerade einladend aus."

Cerjoc schüttelt es: „Du hast Recht, das riecht förmlich nach Ärger und wenn die Becher genauso dreckig sind wie alles andere hier, nein danke, wir machen besser woanders Rast."

Sie reiten schnell weiter.

Eine kurze Wegstrecke später, gerade außer Sicht, sitzt am Wegesrand ein leicht und aufreizend gekleidetes Mädchen auf seinem Bündel. Es weint bitterlich, wieder hält Ronan an: „Was habt Ihr schöne Maid?", fragt er höflich.

Scheu schaut sie Ronan an, „Ich bin mit meinem Partner in der Schenke aufgetreten, an der Ihr gerade vorbeigeritten seid, ich war die Sängerin. Zuerst war alles wie immer, die Männer haben anzügliche Bemerkungen gemacht. Nach einiger Zeit kippte die Stimmung. Die Kerle wurden handgreiflich und wollten mich von der Bühne zerren. Mein Partner versuchte mich zu schützen, doch sie haben ihn einfach erschlagen. Er war mir Beschützer und väterlicher Freund, mit knapper Not entkam ich dem wütenden Mopp", schluchzt sie. Es ist nicht leicht so zu leben, aber meine alten Eltern sind krank. Mir wurde die Gnade eines ansehnlichen Körpers und einer schönen Stimme zuteil, so muss ich Geld für die Familie verdienen", fährt sie mit ihrer Erzählung fort. Sie schielt verschlagen zwischen den Tränen hervor, um zu sehen, wie diese Geschichte ankommt.

Sie schluchzt wieder Herz zerreißend. „Jetzt bin ich schutzlos und allein., mein Name ist übriges Ariann." Ariann hat langes schwarzes Haar und einen verführerischen, schlanken Körper. Sie ist als Sängerin und Tänzerin nur leicht bekleidet, ihr Augenaufschlag ist lasziv. Sie trägt eine rot-braune, nur hüfthohe Hose mit ausgestellten Beinen, einen silbernen Gürtel, der locker um ihre Hüften hängt. Ein bauchfreies Oberteil mit langen Ärmeln und einem tiefen Ausschnitt, im Stil einer Bauchtänzerin, Ärmel und Ausschnitt sind mit Rüschen verziert. Das Haar wird von einem schmalen silbrigen Netz gebändigt, dass rechts und links an ihrem Kopf, über dem Ohr von einer silbrigen Spange gehalten wird.

„Darf ich mich euch anschließen", fragt sie unschuldig, ihr seht so aus, als wärt Ihr anständige Menschen," schiebt sie noch nach, während sie die drei Männer mit einem unschuldigen Augenaufschlag anschaut, nur Farib beachtet sie nicht.

74

„Tut uns leid, aber das geht nicht", Gisbert weist dieses Begehr entschieden zurück.

„Etwas weiter die Strasse entlang kommt Ihr zu einer Herberge, es ist nicht weit, fragt dort nach Arbeit."

An Amsel's Sattelzeug hat sich ein Riemen gelöst. Cerjoc steigt ab, um das Lederzeug wieder in Ordnung zu bringen, diesen Moment nutzt Ariann und fällt ihm um den Hals.

„Bitte, bitte", fleht sie, „ihr könnt mich doch nicht einfach meinem Schicksal überlassen."

Cerjoc löst sich aus der Umarmung, einen Moment steht er da und schaut ins Leere, er macht einen verwirrten Eindruck.

Dann scheint er wieder zu sich zu kommen und meint: „Wisst ihr, wir wollten doch sowieso Rast machen, ich habe Durst, lasst uns doch hierbleiben. Ariann kann etwas trinken und essen bevor sie sich auf den Weg zur Herberge macht, wir können dann auch gleich weiter reiten."

Ronan und Gisbert sind ebenfalls erschöpft und froh aus dem Sattel zu kommen, sie steigen ab. Ariann umarmt Ronan sofort, ein ungewöhnliches Betragen, wohl ihrer Lebensweise und ihrer Notsituation geschuldet.

„Vielen Dank, edler Herr, eine Stärkung wird mir guttun, ehe ich mich auf den Weg mache."

Ronan ist dies lästig, er schüttelt Ariann wieder ab: „Schon gut, nehmt Platz."

Er fühlt sich schlapp, bei sich denkt er: „Cerjoc hat Recht zu rasten, ich bin nicht ganz auf der Höhe, die Pause wird mir gut tun."

Farib steigt als einziger nur widerwillig ab, er mag Ariann anscheinend nicht, Ronan zieht ihn auf:

„Mach dir nichts daraus, Farib, so ein prächtiges Mädchen lässt sich nicht mit jedem ein."

Farib ist darauf bedacht keinen Unmut auf sich zu ziehen und antwortet deshalb gar nicht. Er versorgt liebevoll sein Pferd und zieht sich dann zu einem Bad im Bach zurück.

Gisbert hockt sich hin, um Feuer zu machen. Ariann setzt sich dazu:

„Ihr erinnert mich an meinen Vater als er noch gesund war, er hat immer gut für die Familie gesorgt, es ist so traurig." Sie legt den Arm um Gisbert und lehnt sich hilfesuchend an. Als Farib ans Feuer zurückkommt, nimmt er seine Fidel zur Hand, um zu spielen.

75

Ariann steht auf: „Legt das Instrument zur Seite, wir wollen tanzen."
Ehe Farib sich versieht, hat ihm Ariann die Fidel aus der Hand genommen und zur Seite gelegt. Sie fasst ihn an beiden Händen und wirbelt ihn im Kreis herum.
Anschließend will Ariann Nepomuk anfassen, der Hund knurrt sie böse an und fletscht die Zähne. Ariann zieht ihre Hand zurück und ruft erschrocken aus: „Ich tue dir doch nichts."
Ronan tadelt den Hund für sein Verhalten: „Pfui, Nepomuk wirst du dich der Dame gegenüber wohl benehmen."
Nepomuk senkt den Kopf, zieht den Schwanz ein und entfernt sich.
„Es tut mir leid, so benimmt er sich sonst nicht, ich weiss nicht was in ihn gefahren ist."
„Nicht so wichtig, ich war wohl zu ungestüm. Er kennt mich ja noch nicht." Ariann schenkt Ronan ein verführerisches Lächeln, aber sie ist gewarnt, Nepomuk muss sie im Auge behalten.
Die Männer sind alle ganz verzaubert, plötzlich sagt Ronan gedankenverloren:
„Hört mal her, wo sind unsere Manieren, wir können Ariann doch nicht sich selbst überlassen. Wir sollten sie auf jeden Fall bis zur Herberge begleiten und dort ein gutes Wort für sie einlegen."
„Sie hat aber kein Pferd, wir werden eben das Fell und das Fleisch hierlassen müssen." Cerjoc wartet eine Antwort gar nicht erst ab. Er wirft beides auf den Boden, legt seine Jacke auf den Pferderücken und hilft Ariann hinauf.
Sie löschen das Feuer und setzen dann den Weg zusammen fort, wobei alle darauf bedacht sind, neben Ariann zu reiten.
Nur Farib bleibt nüchtern, er wundert sich über das seltsame Verhalten der Männer. Anfänglich waren sich alle einig, dass man weitermüsse und jetzt? Was ist mit ihnen geschehen?
Als sie die Herberge erreichen, schmachtet Ariann Ronan mit einem Unschuldslächeln an.
„Hier gefällt es mir nicht, bitte lasst mich mitkommen. Ich werde Euch auch nicht zur Last fallen, ich verspreche es, bitte, bitte. Ihr seid so stark, bei Euch fühle ich mich sicher."
„Ronan fühlt sich durch diese Worte geschmeichelt: „Also gut, ein Pferd hast du ohnehin schon, ich bestimme, du kommst mit."
Flox ist entsetzt, obwohl er nicht genau sagen kann warum, es ist mehr so ein Gefühl: „Das ist nicht gut," protestiert er.

76

„Ihr macht einen Fehler, sag doch auch mal etwas dazu Farib", fordert er den Musikanten auf. Er spürt, dass etwas nicht stimmt und sucht einen Verbündeten.

„Mir ist es egal, welchen Weg wir reiten und wer sich der Gruppe anschließt." Farib zuckt mit den Schultern. „So ein Mist", denkt Flox, „merkt denn niemand außer mir, dass hier etwas seltsam läuft. Ich bin doch nur eine kleine, schwache Fledermaus." Aber das war erst der Anfang, es sollte noch schlimmer kommen.

„Halt den Mund, einer Fledermaus steht keine Meinung zu oder sollen wir etwa eine Fledermaus entscheiden lassen, wer mitkommen darf", weist Ronan ihn barsch zurecht und lacht höhnisch. Gisbert und Cerjoc stimmen ein, ihr Lachen klingt bedrohlich und Ariann wirft Flox einen beängstigend bösen Blick zu.

„Ihr werdet euch doch von dieser lausigen Kreatur nicht vorschreiben lassen, wer mitkommen darf, ihr seid doch schließlich Männer."

„Keine Angst Ariann, das bestimme immer noch ich", beruhigt sie Ronan, bei seiner Ehre gepackt. Flox kriecht dennoch aus seinem Beutel, er fühlt sich nicht mehr sicher. Vorsicht scheint ihm angeraten, Farib erscheint ihm als einziger vernünftig. Auch wenn er sich nicht sicher ist, auf welcher Seite der Musikant wirklich steht, mit seiner letzten Bemerkung hat er Flox verwirrt. Farib ist nicht der Stärkste und als Beschützer nicht wirklich geeignet, aber wie es aussieht, ist er die einzige Alternative und so hofft Flox bei diesem sicherer zu sein. So schnell er kann, kriecht er zu Farib und klettert an dessen Hosenbein hoch. Er versteckt sich in einer Hemdfalte, er traut sich nichts mehr zu sagen.

„Psst, Farib", flüstert Flox, „gib einfach vor, du müsstest dich erleichtern, ich muss ungestört mit dir reden." Farib reagiert gedankenschnell.

„Bin gleich wieder da Freunde, ich muss mal kurz für kleine Musikanten." Farib verschwindet mit Flox im Gebüsch. Außer Hörweite der Anderen regt sich Flox gegenüber Farib auf:

„Also was ist los, Farib, alle benehmen sich wie von Sinnen? Nur du scheinst noch richtig zu sein im Oberstübchen. Obwohl ich mir auch nicht mehr so sicher bin, seit du mir eben nicht geholfen hast", Farib sieht Flox sehr ernst an, von der von ihm ansonsten ausgehenden Fröhlichkeit ist nichts mehr zu merken:

„Tut mir leid, aber ich musste gerade vollkommen harmlos erscheinen. Ich vertraue dir jetzt ein Geheimnis an, wovon jetzt unser aller Überleben abhängen kann. Schwöre es bei allem was dir heilig ist, es für dich zu behalten."

Mit großen Augen schaut Flox Farib gespannt an: „Ich gelobe es, aber du machst mir Angst. Ich bin keine mutige Fledermaus, solltest du wissen." Flox hebt seinen rechten Flügel feierlich in die Höhe, macht ein andächtiges Gesicht und spricht: „Ich schwöre!"

Farib muss bei diesem Anblick lachen: „Das sieht aber ulkig aus!"

Flox ist pikiert: „Du solltest ganz still sein ..."

„Ist ja auch egal, wir haben nicht viel Zeit, also pass gut auf, ich verrate dir jetzt mein Geheimnis. Ich bin ein Nom."

Verständnislos schaut Flox ihn an: „Nom? Noch nie gehört, wer oder was soll das sein?"

Farib ereifert sich: „Anscheinend bist du nicht nur eine feige, sondern auch eine dumme Fledermaus. Die Nom sind Geisterwesen, sie bestehen aus reiner Energie und sind unsichtbar, eingreifen können wir daher normalerweise nicht."

„Das verstehe ich nicht, du bist doch hier, ich kann dich anfassen und du verspürst Schmerz." Er beisst Farib herzhaft in die Hand.

„Au! Spinnst du? Ich erkläre es dir ja," Farib betrachtet sichtlich genervt die Bisswunde, „ich glaube es nicht, ich rede mit einer Fledermaus."

„Ich mit einem Geist, wer ist hier demnach verrückter."

Farib fährt fort:

„Einmal im Leben eines Nom, ist ein Transfer in die materielle Welt möglich. Allerdings benötigen wir Nom den Körper eines gerade gestorbenen Wesens. Wir übernehmen dessen Fähigkeiten und Gebrechen, auch dessen natürliche Lebensspanne. Die einzige besondere Fähigkeit, die uns dann noch bleibt ist, dass wir das Wesen einer Person sehen. Es ist nicht möglich, einen Nom zu belügen, wir erkennen das wahre Gesicht eines Wesens. Seine wahren Absichten, unabhängig von der äußeren Erscheinung. Jedenfalls sehe ich, dasS Ariann keine Schönheit ist und harmlos schon gar nicht."

„Schön und gut, aber warum benehmen sich alle so seltsam? Bei Dana hat noch die Vernunft gesiegt, aber jetzt?"

78

„Ich weiß nicht genau was hier abläuft, nur bei mir scheint es nicht zu wirken, aber ich weiß, wir sind alle in grosser Gefahr."

Vom Lagerplatz ertönt plötzlich der Ruf: „Farib, wo bleibst du, wir müssen weiter." Cerjoc hört sich nicht freundlich an. Farib beeilt sich.

„Wir reden später weiter, denk' daran was du versprochen hast. Wir müssen zusammenhalten und auf der Hut sein."

Farib kehrt mit Flox wieder zu den anderen zurück und schließt sich der Gruppe wieder an, er steigt eilig auf und reitet los.

Farib muss vorsichtig sein und das Spiel mitspielen, damit Ariann keinen Verdacht schöpft und die Männer gegen ihn aufbringt, bevor er handeln kann. Das Problem ist, er hat bislang keine Idee, wie er hinter ihren Plan kommen soll und die Gruppe retten kann. Er weiß nur, das Ariann es nicht ehrlich meint. Gedanken lesen kann er nicht, daher hat er auch keine Kenntnis über Ihre genauen Absichten.

So gibt auch er den Betörten und Bezauberten, damit niemand Verdacht schöpft.

Abends tanzt Ariann am Feuer und Farib spielt dazu auf, die Männer sind von ihr verzaubert.

Ariann versucht Ronan zu verführen, sie bietet alles auf. Aber die Tatsache, dass Ronan Dana in seinem Herzen trägt, verhindert, dass er schwach wird.

Zum Glück wurde Farib über Dana aufgeklärt und er möchte verhindern, dass Ronan etwas tut, was er sich später nicht verzeihen kann. Er erinnert Ronan deshalb an Dana. Wohl wissend, dass er in dem jungen Mann einen Konflikt herauf beschwört, von dem er nur hoffen kann, dass dies sein Vorhaben nicht erschwert.

Nach dem Tanz sagt Ariann: „Die Richtung Eures Weges gefällt mir nicht. Ihr solltet nach Osten reiten, im Süden kommt eine karge, unwirtliche, kaum besiedelte Landschaft, dort gibt es nichts. Im Osten aber kommt Ihr in eine reiche, fruchtbare Landschaft und dann, etwas später in die Stadt Grom.

Flox setzt an, um etwas zu sagen, Farib gibt ihm ein Zeichen, den Mund zu halten.

Ariann fährt fort. „In Grom wird man Euch gebührend empfangen, angemessen wie Edelleute, denn man sucht dort einen neuen König und hat zu diesem Zweck ein Turnier ausgerufen. Der glorreiche Sieger bekommt die Krone, das wäre doch etwas für Euch, Ronan," gespannt wartet sie auf die Antwort.

Ronan ist sofort Feuer und Flamme, sogar Gisbert ist ganz aufgeregt, „Vor vielen Jahren war ich einmal mit dem Ritter in dieser Stadt und erinnere mich lebhaft"." „Los erzähl, wie ist es dort", drängt ihn Ronan, der eigentliche Auftrag ist vergessen.

Ariann beobachtet befriedigt, dass sie gar nichts weiter zu unternehmen braucht, ihr Plan ist besser aufgegangen als erwartet.

Farib und Flox beobachten die wild durcheinander sprechenden Männer mit heimlicher Sorge. Diese benehmen sich wie Kinder, denen in Aussicht gestellt wurde, dass sie auf den Jahrmarkt dürfen. Sogar der sonst so vernünftige Gisbert, ist ganz aus dem Häuschen. Das wird nicht einfach für Farib, zunächst muss er mitspielen. Flox beachtet zum Glück niemand, trotzdem müssen sie herausfinden wie Ariann die Männer gefügig macht. Erst dann kann Farib Gegenmaßnahmen ergreifen.

Mitten in seine Überlegungen hinein, spricht ihn Ronan an.

„Was denkst du Farib, ein König braucht auch einen Musikanten, ich mag deine Musik, komm doch mit uns."

„Gerne", tut Farib begeistert, „das ist eine große Ehre für mich, Eure Majestät, ich hoffe ich werde Euch nicht enttäuschen, ich bin doch nur ein einfacher Musikant."

Ronan lacht laut auf: „Ihr seid witzig, vielleicht oft ungewollt, das mag ich an Euch, die Angelegenheit ist beschlossen." Er steigt auf und reitet los, ohne sich darum zu kümmern, ob alle fertig sind. Das ist sonst nicht seine Art, offenbar hat er es eilig, nach Grom zu kommen.

„Das ist der falsche Weg!", ruft Ariann ihm zu: „Da geht's lang", sie weist mit dem Arm die Richtung, Ronan treibt Sturmwind an.

Er scheint keinen Gedanken an die Möglichkeit zu verschwenden, dass er bei dem Turnier verlieren könnte.

Ariann hatte niemals die Absicht nach Grom zu reisen, ob es dieses Turnier wirklich gibt oder nicht, ist für sie daher ohne Belang. Farib muss unbedingt handeln, aber wie? Sein Körper ist so schwächlich, dass es unmöglich ist, Ariann zu überwältigen, Farib braucht eine List. Wenigstens hat sich Ronan klar dafür ausgesprochen, dass Farib sich der Gruppe anschließt, das verschafft ihm leichter die Möglichkeit einzugreifen.

Sie reiten schnell, um Ronan nicht zu verlieren. Ariann lächelt zufrieden, die Gruppe jagt direkt auf ein gefährliches Moorgebiet zu.

80

Der Weg wird die Männer tief in das Moor hineinführen, aus dem es bisher nur für Wenige ein Entrinnen gab.

Farib hat das Wissen des Nom, dieser kannte die Gegend. Er weiß daher, dass dies nicht der Weg nach Grom ist, er durchschaut langsam Ariann' Plan.

Am Abend dreht sich das Gespräch am Lagerfeuer um das Turnier.

„Gisbert, bitte erzähl uns nochmal von Grom", bettelt Ronan.

„Was soll ich sagen, damals war die Stadt wohlhabend und zählte mehrere hundert Einwohner. Die Stadt ist auf einem frei stehenden Hügel gebaut, enge Gassen führen spiralförmig nach oben, zur Burg des Königs. Zweistöckige Häuser aus gelbem Sandstein säumen die Straßen und Gassen. Diese sind mit Kopfstein gepflastert, sehr modern. In der Mitte jeder Straße verläuft eine Rinne, in die der ganze Unrat gekehrt wird. Bei Regen wird alles in die Ebene gespült.

Vor der Burg ist ein großer Platz, auf dem, die dort angepflanzten Bäume, Schatten spenden. Märkte und Versammlungen finden hier statt.

Im Frühling stehen die Bäume in voller Blüte, über und über geschmückt mit weiß-rosa, duftenden Blüten. Wenn die Blütenblätter fallen, ist der Boden dick bedeckt. Einen Tag lang darf der Platz nicht betreten werden, um den Anblick nicht zu zerstören. Am nächsten Tag ist es für jung und alt ein großer Spaß durch die Pracht zu toben, bevor Bedienstete des Königs alles zusammenkehren. Der Turnierplatz ist unten auf der Ebene, außerhalb der Stadttore. Ein großer Sandplatz gesäumt von kleinen Tribünen aus Holz. Die Ehrentribüne für den König und die Königin von Grom ist überdacht und mit Fahnen geschmückt. Fanfarenbläser stehen zu beiden Seiten des Königspaares, an ihren Instrumenten sind kleine Wimpel in den Stadtfarben rot und gelb befestigt."

„„Wenn ich das Turnier gewonnen habe", träumt Ronan laut, „werden alle Straßen zum Anlass der Krönung mit den Stadtfarben rot und gelb geschmückt. Die Menschen, die die Straßen säumen, werden mir zujubeln, wenn ich auf dem prächtig geschmückten und herausgeputzten Sturmwind vom Turnierplatz im Tal zur Burg empor reite. Die Tafel wird unter der Last des Festmahls, Fleisch, Obst, süßes Gebäck und Wein, fast zusammenbrechen. Viele Blumen werden einen süßen Duft verbreiten und schöne Frauen, in prächtigen Kleidern, mit engelsgleichen Stimmen die Tafelmusik begleiten. Ihr, meine Freunde, werdet mein Gefolge sein." Ronan seufzt, er hört die jubelnden Menschen, sieht sich im Sonnenschein in die Burg einziehen und hat den Duft der Blumen in der Nase. Er verschwendet noch immer keinen Gedanken daran, dass er verlieren könnte, er ist vollkommen verzaubert.

Ariann lächelt zufrieden, die Männer hängen ihren Träumen nach, jeder für sich.

Nur Farib ist besorgt, natürlich darf er sich das nicht anmerken lassen, geschweige denn es äußern. Ronan und die Anderen sind vollkommen im Bann Arianns gefangen, eine bedrohliche Situation.

Währenddessen sucht Abos die Gruppe, er kann sie nicht finden, auch keinen Hinweis. Sie müssen die Richtung geändert haben, aber warum? Er kann nicht fragen, ob jemand die Reiter gesehen hat, er darf die Existenz der Zwerge nicht preisgeben. Deshalb fliegt er zurück und berät sich mit dem König. Dieser hört sich die Sache an, dann entscheidet er: „Du stellst eine Mannschaft aus Greifvogelreitern zusammen, dann teilst du das Gebiet ein und ihr sucht es großflächig ab. Irgendwo muss die Gruppe doch sein. Ich glaube nicht, dass drei Männer und ihre Pferde so einfach spurlos verschwinden. Sucht sie und kommt nicht eher zurück, bis ihr sie gefunden habt."

Abos ruft ausreichend Zwerge zusammen, teilt sie ein und verabredet einen regelmäßigen Treffpunkt, dann starten sie.

Zur gleichen Zeit reitet die Gruppe weiter auf das Moor zu, Ronan träumt von Grom, Arianns Plan geht auf.

Als sie das letzte Nachtlager vor dem Erreichen des Moors aufschlagen, fällt Farib auf, dass die umstehenden Laubbäume zwar tot sind, aber voller Misteln hängen. Jetzt kommt es dem Nom zugute, dass er Farib gewählt hat. Farib kannte sich hervorragend mit magischen Kräutern aus. Dieses Wissen steht jetzt auch dem Nom, der ja Faribs Körper nutzt, zur Verfügung.

„Psst, Flox", flüstert Farib, „halte dich bereit, heute Nacht will ich dem Spuk ein Ende setzen, kann ich auf dich zählen?"

„Verlass dich auf mich." Flox's Stimme zittert hörbar, Farib wird klar, er wird alleine handeln müssen. Flox ist zwar guten Willens, aber die

Fledermaus ist sowieso nicht die Stärkste und jetzt zittert sie wie Espenlaub.

Als alle schlafen und die Wache kurz einnickt, schleicht er sich mit seinem Pferd aus dem Lager und erntet Misteln. Der Mond steht hell am Himmel, das Licht hilft ihm. Er klettert auf die Bäume, reißt die Misteln ab und lässt sie auf den Boden fallen. Obwohl er durch die ungewohnte Kletterei bereits ganz außer Atem ist, beeilt er sich, die Misteln einzusammeln und in einen Sack zu stopfen.

Zaghaft kommt eine leise Stimme aus der Hemdfalte: „Was versprichst du dir von dem Grünzeug, sag' schon was hast du vor?"

„Die Misteln, so hoffe ich, werden die geheimnisvolle Kraft brechen."

„Du hoffst? Du weisst es also nicht, alle guten Geister mögen uns beistehen."

„Sei ruhig, ich habe so schon genug Angst, ich brauche deine Zweifel nicht auch noch."

Nachdem Farib genug Misteln gesammelt hat, macht er sich wieder auf den Weg zum Lager. Es ist unheimlich, die Stille liegt wie Blei auf dem Lager, vom nahen Moor ziehen Nebelfetzen durch die Bäume, da plötzlich zerreisst der Ruf einer Eule die Stille, Farib schreckt zusammen und Flox wird in seiner Hemdfalte immer kleiner. Der Wald ist hier sehr licht, eigentlich sind es nur einzelne, große, tote, alte Bäume. Sie recken ihre Zweige in den Himmel, ohne sich gegenseitig zu berühren. Im Mondlicht sehen sie aus, wie bizarre Gestalten, mahnend und beängstigend. Die Stimmung ist schon bei Tageslicht unheimlich, jetzt im Dunkeln erst recht. Die Männer sind von Ariann so verzaubert, dass ihnen dieser Umstand nicht aufgefallen ist. Jetzt schlafen alle, sogar Ronan, der eigentlich Wache hat, im Lager ist es ruhig. Farib schauert es, er bleibt stehen und schaut sich um, richtig gruselig. Flox verkriecht sich so tief wie möglich, er zittert vor Angst und natürlich auch vor Kälte. „Farib, lass uns verschwinden solange wir noch können", flüstert er leise und mit zittriger Stimme.

„Das werde ich auf keinen Fall tun, ich kann unsere Freunde nicht ihrem Schicksal überlassen, bist du dabei?"

„Ich weiß zwar nicht, was du genau vorhast, aber ich bin dabei, habe ja auch keine Wahl."

„Großartig, diese Einstellung macht direkt Mut", flüstert Farib ironisch.

Farib schleicht vorsichtig ins Lager zurück, er traut sich kaum zu atmen.

So lange alle schlafen will er die heimlich geernteten Misteln, über Ariann ausschütten und so den Bann brechen. Sobald ihre wahre Gestalt sichtbar ist, will er die Männer wecken.

Leider geht der Plan so nicht auf, er war eigentlich sowie sehr naiv zu glauben, dass Ariann still bleiben würde. Als Farib allerdings zur schlafenden Ariann schleicht, tritt er auf einen Zweig der deutlich hörbar knackt. Dadurch erwacht Nepomuk und beginnt zu bellen, Ronan schreckt hoch, auch die anderen wachen auf und es entsteht ein richtiger Tumult.

Als Ronan Farib erblickt und Ariann schreien hört, zieht er sein Schwert und stürmt auf Farib zu.

Dieser wirft in Panik noch Misteln auf Ariann, er trifft sogar, aber die Pflanzen haben keine Wirkung. „Verdammt, das hilft nicht, lass uns abhauen", schreit Flox in Panik.

„Was glaubst du mache ich, halt den Mund und störe mich nicht."

Farib kann sich jetzt nicht um die Misteln kümmern, er ist beschäftigt den Schwerthieben Ronans auszuweichen. Zum Glück ist Farib klein und zierlich, die Todesangst lässt ihn über sich hinauswachsen, außerdem entwickelt Sina ein Eigenleben. Sie sorgt dafür, dass die Schwerthiebe fehlgehen, wenn auch knapp. Während Farib flieht, verfolgt ihn Ronan wütend und laut schreiend, sein Gesicht ist zu einer wutverzerrten Grimasse entstellt. Nepomuk ist verunsichert, er kann mit dieser Situation nichts anfangen. Er spürt, dass Farib gut ist, warum Ronan diesen angreift, versteht er nicht. Daher beteiligt er sich auch nicht an diesem Kampf, er setzt sich hin.

Bei Ariann setzt derweil eine Veränderung ein. Farib und Ronan sind zu beschäftigt mit ihrem Streit, um etwas zu bemerken.

Gisbert und Cerjoc dagegen beobachten das grausige Geschehen. Ariann versucht die Misteln von ihrem Körper abzustreifen, es gelingt aber nicht. Obwohl Ariann inzwischen aufgestanden ist, hängen die Pflanzen an ihr wie große Kletten, und brennen sich regelrecht in ihren Körper ein.

„Hilfe, helft mir, ich muss dieses eklige Zeug loswerden", ruft sie verzweifelt, ahnend welche Wirkung die Pflanzen haben werden.

Die beiden Männer rühren sich nicht vom Fleck: „Siehst du was geschieht?"

84

„Ich sehe es, kann es aber kaum glauben." Cerjoc ist angewidert und gebannt zugleich.

Die Wirkung setzt erst nach einigen Augenblicken ein, dadurch hat Farib es nicht mehr bemerkt.

Da Farib, ein Nom, die Misteln berührt hat, wirken sie nicht mehr nur dem Bann entgegen, sondern sie heften auch wie Kletten an dem Objekt, dessen wahre Natur sie aufdecken sollen und brennen sich ein.

Jeweils rund um die Mistel verschwindet die Wirkung des Zaubers. Die wahre, äußerst unschöne Gestalt der Hexe kommt kurz zum Vorschein, bevor sich die Glut ausbreitet. Es entzündet sich ein Feuer, die Hexe verbrennt bei lebendigem Leib. Gisbert reagiert am schnellsten, läuft zu dem Sack Misteln den Farib fallen ließ und bewirft Ariann weiter. Nepomuk kommt angelaufen, er spürt das Böse überdeutlich, als der Zauber schwächer wird und umkreist die Hexe laut bellend.

Die Hexe stößt in ihrem Todeskampf schreckliche Laute aus, mit letzter Kraft schleudert sie einen Blitz auf Gisbert und verletzt ihn schwer.

„Da nimm das, stirb du Teufel, ich verfluche dich", sind ihre letzten Worte. Gisbert stürzt verwundet zu Boden, er windet sich vor Schmerzen.

„Nein!", ruft Cerjoc erschrocken aus, auch er erwacht langsam aus dem Bann und eilt zu Gisbert. „Mein Freund, halte durch, ich helfe dir", er beugt sich über den anderen und dreht ihn auf den Rücken. Er kann sein Entsetzen kaum verbergen, als er die tiefe Wunde sieht. Gisbert sieht den Gesichtsausdruck: „Ist es so schlimm? Sie war doch so schön."

„Eindeutig zu schön, wir sind ein paar alte Trottel, nicht zu glauben, was haben wir uns gedacht?", Cerjoc schüttelt den Kopf.

„Anscheinend überhaupt nichts", stößt Gisbert unter Schmerzen hervor, er versucht sich abzulenken, indem er Witze macht. Cerjoc ist aber gar nicht danach zu mute, er antwortet deshalb nicht, Sorgenfalten stehen auf seiner Stirn.

„Die Wunde wurde glücklicherweise sofort versiegelt, sonst würdest du verbluten", besorgt schaut er sich zu Ariann um, geht von ihr noch eine Gefahr aus? Nein, er wendet sich sogleich erschauernd wieder ab: „Ist das grausig", die Hexe windet sich in einem Feuerball, wobei ihre Gestalt immer wieder für kurze Augenblicke aufblitzt.

Bald ist von der schönen Ariann nichts mehr übrig, auch der Bann, der die Männer gefangen hielt, lässt nach.

Als die Hexe stirbt, fällt der Zauber endgültig von den Anwesenden ab, es kommt ihnen vor, als würden sie aus einem Traum erwachen. Farib ist bei seiner wilden Flucht gestürzt und Ronan holt mit dem Schwert gerade aus, um den letzten tödlichen Hieb zu setzen, doch plötzlich hält er inne und schüttelt sich. Vor ihm liegt der leichenblasse, ängstlich zitternde Farib, Flox schaut mit vor Angst weit aufgerissenen Augen auf auf das Schwert, dass sie beide gleich töten wird. Ronan aber lässt Sina sinken, er ist verwirrt: „Wo bin ich und was mache ich hier?" Farib ist erleichtert, der Spuk ist vorbei.

Leise ist die dünne Stimme von Flox zu hören. „Ist es vorbei, Farib?"

„Ja, ich glaube schon, offensichtlich haben die Planzen doch noch geholfen."

„Was machst du bei Farib, Flox?, warum bist du nicht in deinem Beutel?, und von welchen Pflanzen redet ihr?" fragt Ronan verwirrt.

„Ich fühlte mich nicht mehr sicher, ihr habt euch sehr seltsam benommen!", erklärt ihm Flox beleidigt.

Farib mischt sich in die Unterhaltung ein: „Später erkläre ich euch alles ausführlich, ihr könnt dann alle Fragen stellen, aber jetzt müssen wir erst einmal Gisbert helfen."

„Wieso, was ist mit ihm?"

„Ich weiß es nicht genau, ich habe nur nebenbei mitbekommen, dass er schwer verletzt wurde."

„Wer hat Gisbert verletzt? Ich etwa?"

„Nein, keine Angst, du hast uns die ganze Zeit verfolgt. Die Hexe hat ihn mit ihrem Energiestrahl getroffen. Ich konnte mich bisher nicht darum kümmern, ich war mit überleben beschäftigt."

„Tut mir leid, aber welche Hexe überhaupt?"

„Ariann, später mehr, kommt erst einmal mit."

„Ariann?", ungläubig schaut Ronan Farib an, kopfschüttelnd folgt er ihm.

Sie gehen zu dem Verletzten hinüber, Cerjoc versucht bereits die Wunde zu reinigen.

Nepomuk liegt neben dem Verletzten, als Ronan sich neben ihm hinkniet, spürt er die Verunsicherung seines Herrn und leckt diesem die Hand. Ronan streichelt dem Hund abwesend über den Kopf, während er sich umschaut. Erstmals nimmt er die Umgebung wahr, wie sie wirklich ist, ihm läuft ein kalter Schauer den Rücken herunter. Als er sich wieder Gisbert zuwendet, streift sein Blick die Hexe oder vielmehr das, was von ihr übrig ist, ein hässliches, qualmendes Etwas. Angewidert fragt er: „Ist das Ariann?"

Farib nickt: „Ihr eigentlicher Name war Horga. Sie war eine böse Hexe, angeheuert von Thyros. Sie sollte euch ausschalten, dazu hat sie ein schönes, aufreizendes Trugbild erschaffen und euch mit ihrem Zauber gefügig gemacht. Sie wollte euch in die Sümpfe ohne Wiederkehr locken, um euch zu vernichten." Er setzt noch hinzu: „Hätte ja auch um ein Haar geklappt. Ich habe leider etwas gebraucht, um ihren Plan zu durchschauen."

„Also gibt es gar kein Turnier in Grom?" fragt Ronan immer noch etwas ungläubig.

„Ich weiß es nicht, ich glaube aber eher nicht. Was ich aber mit Sicherheit weiß, ist, dass dies nicht der Weg nach Grom ist."

„Kaum zu glauben, ich war felsenfest überzeugt von allem, was uns diese Hexe erzählt hat."

„Ich weiß, ihr Zauber war sehr gut, Ihr hättet für sie sogar Eure Freunde getötet."

„Gruselig, aber jetzt sollten wir uns um Gisbert kümmern."

Angewidert schaut Ronan die Leiche an, dann wendet er sich Gisbert zu.

Dieser hat, wie gesagt, durch Horgas Energiestrahl eine tiefe Wunde in der Seite, diese macht es Gisbert unmöglich zu laufen oder gar zu reiten.

„Wie kommt es, dass er vor uns sein eigenes Bewusstsein wiedererlangt hat." fragt Cerjoc Farib, immer noch reichlich verwirrt.

Farib antwortet ihm: „Ich glaube die Misteln, die nicht getroffen haben, sind in seine Richtung gerollt, dadurch wurde die Zauberkraft Horgas abgeschirmt, so konnte er helfen."

Gisbert meldet sich leise zu Wort. „Warum hat dich der Zauber eigentlich nicht betroffen, Farib."

„Ich bin ein Nom, eigentlich heiße ich Quant. Ich verstehe, dass ihr neugierig seid, aber sollten wir nicht zuerst ein Feuer machen? Wir können etwas essen, überlegen, wie wir weiter vorgehen und ich erzähle euch alles."

Cerjoc, der die Dinge wieder praktisch zu sehen beginnt, meint: „Farib hat Recht, weit kommen wir heute ohnehin nicht mehr. Auch wenn es hier nicht angenehm ist, sollten wir einen Lagerplatz suchen, bevorzugt ohne Leiche und uns etwas ausruhen."

„Hurra", Flox ist begeistert, „ich kann wieder in meinen gemütlichen Beutel einziehen." Farib bringt ihn hin und er klettert geschwind hinein. Von drinnen hört man ihn juchzen. „Alles ist noch so, wie ich es verlassen habe, sogar mein angebissenes Stück Brot ist noch da. Zuhause ist es doch am schönsten!"

Alle lachen und machen sich daran einen Lagerplatz vorzubereiten. Als Gisbert und die Pferde versorgt sind und alle beim Essen am Feuer zusammensitzen, beginnt Farib die Geschichte zu erzählen.

„Das Volk der Nom hat den Diebstahl des Kristalls sofort bemerkt. Augenblicklich, sobald Thyros den Einfluss auf den magischen Kristall erlangt hat, wurde das Gleichgewicht der Kräfte gestört. Die Auswirkungen können verheerend sein und in Anbetracht der Absichten von Thyros sind sie es sehr wahrscheinlich auch. Der Hohe Rat der Nom war daher überaus besorgt.

Deshalb überwachten wir Nom Thyros, für uns ein leichtes, unsere Unsichtbarkeit hilft uns ungemein. Thyros wusste ja, dass der Ritter schwer erkrankt ist, er hatte da seine Hände im Spiel. Durch seine Spione erfuhr er von dem Tausch der Männer.

Um Ronan abzufangen und den Schwierigkeiten, die dieser verursachen würde, vorzubeugen, suchte Thyros die Hexe Horga auf. Horga hauste in einer geräumigen Höhle. Ein Sammelsurium seltsamer und gruseliger Gegenstände empfing den Besucher. Totenschädel von Menschen und Tieren, Fläschchen mit Tinkturen und Gläser mit eingelegtem "was auch immer" standen auf wackligen Holzregalen. Fackeln erleuchteten die Höhle spärlich. An den Wänden befanden sich mystische Zeichnungen. Eine schwarze Katze mit einem zerfetzten Ohr und ein einäugiger, großer, grauer Wolfshund mit zotteligem Fell, teilten die Behausung mit ihr. Ein unheimlicher Ort an dem die Kundschafter der Nom folgendes Gespräch belauscht haben.

Thyros trat selbstsicher und fordernd auf. Er platzte in ihre Höhle herein, ohne Begrüßung forderte er: „Du wirst mir helfen, andernfalls wirst du meinen Zorn fürchterlich zu spüren bekommen. Solltest du aber erfolgreich sein, werde ich dich reich belohnen, mit Gold und

Juwelen." Seinem Gesichtsausdruck war bereits anzusehen, dass er sich an dieses Versprechen nicht halten wird. Horga allerdings hörte nur Gold und Juwelen. Moralische Bedenken hatte diese Hexe sowieso keine. So fragte sie: „Wie kann ich unwürdige Person Euch zu Diensten sein, mein Herr?"

Thyros gefiel diese kriecherische Art sichtlich, er erklärte ihr:

„Meine Spione haben mir berichtet, dass der kranke Ritter durch einen jungen Mann ersetzt wurde. Er wird mit seinem Gefolge nach Süden reiten. Fang ihn ab, nimm eine verführerische Gestalt an und verhexe die Männer, beides dürfte dir nicht schwerfallen. Sobald sie dir hörig sind, bringst du sie von ihrem Weg ab und lässt sie verschwinden. Wie genau, dass überlasse ich ganz dir."

Grußlos, wie er gekommen war, rauschte er wieder von dannen, im Schlepptau sein düsteres Gefolge.

Sein letzter Satz war unser Problem. Wir wussten nicht, was die Hexe vorhat, nur dass sie etwas gegen euch unternehmen wird.

Ich wurde zum hohen Rat gerufen und bekam die Aufgabe, ausgestattet mit diesen spärlichen Informationen, was auch immer zu verhindern.

Wir Nom sind eigentlich Energiewesen, unsichtbar und nicht fähig in der materiellen Welt einzugreifen. Einmal im Leben hat jeder Nom allerdings die Möglichkeit, den Körper eines gerade verstorbenen Wesen zu besetzen. Zuerst brauchte ich also schnell einen Körper. Leider waren die meisten aufgrund der Seuche unbrauchbar, ich hatte keine Auswahl und nahm Farib, deshalb bin ich hier."

„Eines verstehe ich nicht," Cerjoc ist sichtlich verwirrt, „wie konnte uns Ariann oder Horga, wie du sagst, derart beeinflussen und uns dazu bringen, von unserem Weg abzuweichen?"

„Könnt ihr euch erinnern, bei unserer ersten Rast, als wir Ariann gerade getroffen hatten, hat sie jeden von uns wie zufällig berührt. Ich nehme an, dass sie da eine Verbindung hergestellt hat, wie genau weiß ich auch nicht.

Ronan nickt: „Ja, ich erinnere mich dunkel und jetzt verstehe ich auch, warum du uns so beharrlich gefolgt bist, dass hat uns schon gewundert. Jedenfalls sind wir dir für deine Hilfe überaus dankbar, ohne dein Eingreifen wäre der Plan der Hexe sicher aufgegangen."

„Also, dann wusstest du die ganze Zeit, wer wir sind und was wir vorhaben," Cerjoc schaut ungläubig.

„Natürlich! Ich fand es aber köstlich, wie ihr euch bemüht habt, nichts zu verraten." feixt Farib.

Ronan beschäftigt sich aber schon mit einem ganz anderen Thema: „Wann und wie findet deine Rückverwandlung statt?"

„Das ist der Haken, eine Rückverwandlung ist nicht möglich, auch kann ich mit Meinesgleichen nicht mehr in Kontakt treten. Ich bin jetzt in dieser Wirklichkeit und in diesem Körper gefangen."

Flox krabbelt zu Farib hinüber, er hängt sich an dessen Brust: „Das tut mir leid, das ist gar nicht gut für dich."

In diesem Augenblick wird den Freunden klar, welch großes Opfer der Nom gebracht hat, um ihnen zu helfen. Nach einigen Augenblicken betretenen Schweigens unterbricht Cerjoc die Stille.

„Ich glaube, ich spreche für alle, wenn ich sage, wir würden uns freuen, wenn du dich uns dauerhaft anschließt. Wir sind Freunde und werden niemals vergessen, welches Opfer du gebracht hast. Trotzdem würden wir gerne, dein Einverständnis vorausgesetzt, bei dem Namen Farib bleiben."

Farib hat Tränen in den Augen: „Sehr gerne, ich mag diesen Namen. Ich habe in dieser Welt Freunde gefunden und abgesehen davon bieten sich hier Genüsse, die es in unserer immateriellen Welt nicht gibt. Wir können nicht weinen oder uns umarmen, bei uns gibt es die Verschmelzung, was aber ein sehr intimer Vorgang ist. Ich hoffe nur, Faribs Körper ist stark genug, dass ich noch einiges erleben kann. Lasst uns auf die Freundschaft und das Gelingen der Aufgabe trinken."

Cerjoc schenkt jedem Wein ein, dann erheben sie ihre Becher und trinken auf ihre Freundschaft und das Gelingen ihrer Mission.

Anschließend machen sie sich an die Arbeit eine Trage zu bauen, die Halborg hinter sich herziehen kann, um Gisbert zu transportieren.

Gisbert protestiert: „Ich werde euch nur behindern, lasst mich zurück."

„Das kommt nicht in Frage, du kommst mit." Ronan lässt an dieser Entscheidung keinen Zweifel aufkommen.

Farib schaltet sich ein, „ich glaube, mein neuer Körper wird dieses Abenteuer auch nicht durchhalten, ich habe da wohl eine schlechte Wahl getroffen."

„Das glaube ich nicht," widerspricht ihm Cerjoc entschieden. „Ohne Faribs Wissen über Hexenkräuter wären wir Horga nicht losgeworden, also was machen wir jetzt?"

Allgemeine Ratlosigkeit, was ist zu tun? Farib meldet sich wieder zu Wort.

„Ich werde Gisbert zum Lager der Zwerge zurückbringen. Wir beide würden euch nur aufhalten. Ich spüre, dass die Kraft dieses Körpers begrenzt ist."

„Aber deine besondere Fähigkeit wäre wirklich hilfreich für uns", protestiert Ronan heftig.

„Ja sicher", entgegnet Farib, „aber wenn ich nicht mithalten kann, nutze ich euch gar nichts, im Gegenteil. Ihr müsst mit eurem Bauchgefühl, so nennt Ihr das glaube ich, auskommen. Als Ihr aufgebrochen seid, wusstet Ihr ja auch nichts von mir. So gesehen verliert ihr nichts, denkt nicht mehr daran."

„Das ist leichter gesagt als getan," Cerjoc ist sichtlich nicht begeistert, „aber Ihr habt Recht, wir müssen es wohl so machen. Jetzt sollten wir essen und dann schlafen, dieser Tag hatte es wirklich in sich."

Später setzt sich Ronan zu Farib: „Die Erinnerungen an das, was geschehen ist, seit wir Ariann trafen, verblassen sehr schnell, ich weiss nur verschwommen etwas über das angebliche Turnier in Grom. Ich hoffe, ich habe in dieser Zeit nichts getan, dessen ich mich schämen müsste. Bitte sag mir die Wahrheit." Er spricht leise, Cerjoc soll ihn nicht verstehen.

„Nun", Farib lächelt ihn an, „ihr habt euch alle benommen wie verliebte junge Burschen und du hattest große Pläne in Grom, aber ich habe dich rechtzeitig an Dana erinnert. Der Gedanke an sie hat dich davor bewahrt eine Dummheit zu begehen, es war erstaunlich leicht, sie muss ein tolles Mädchen sein."

„Das ist sie, obwohl unsere Begegnung sehr kurz war, hat sie mein Herz gestohlen. Ich danke dir, ich stehe tief in deiner Schuld. Leider kann ich euch nicht begleiten und beschützen, Cerjoc und ich müssen weiter."

„Ist schon gut, ich habe mein Ziel erreicht und Horgas Plan durchkreuzt, das war wichtig. Ich bin fest davon überzeugt, dass wir uns wiedersehen. Nun solltest du dich aber ausruhen, gute Nacht."

„Gute Nacht, Farib."

Am nächsten Morgen macht sich die Gruppe auf den Weg, zunächst zusammen. Hier entdeckt sie einer der Zwerge aus der Luft und macht sich sofort zu Abos auf. Schon im Anflug ruft der junge Zwerg aufgeregt: „Abos, Abos, ich habe sie gefunden, sie reiten auf der Straße nach Westen. Gisbert ist verletzt, Halborg zieht eine Trage, außerdem ist ein Mann bei ihnen, den ich nicht kenne!"

Er landet und springt von seinem Greif ab. Ganz aufgeregt versucht er vor Abos stramm zu stehen, was dem Jungen vor lauter Aufregung nicht recht gelingen will.

Abos schmunzelt etwas über den ungeschickten Auftritt. „Gut, du wartest hier und schickst alle zum Lager zurück, ich fliege hin und werde nachsehen, was geschehen ist." Abos macht sich umgehend auf den Weg, die Freunde zu suchen.

Angekommen, landet er vor den Reitern auf dem Weg, er steigt ab und stemmt die Hände in die Hüften. Bei dem Versuch ernst zu wirken und böse drein zu schauen, gibt er leider ein eher komisches Bild ab. „Was ist jetzt schon wieder los, warum seid ihr vom Weg abgewichen, ohne mir eine Nachricht zu hinterlassen? Wer ist dieser Kerl überhaupt?", er deutet auf Farib. Die Reiter halten an, Farib wundert sich kein bisschen über den Zwerg, als Nom kennt er alle Geschöpfe. Ronan wird rot, er schämt sich ganz offensichtlich, Cerjoc ergreift deshalb das Wort.

„Das ist eine längere Geschichte, ich schlage vor wir machen eine Pause, Gisbert braucht sowieso etwas Ruhe." Sie steigen ab und machen abseits des Weges ein Feuer.

„Was ist Gisbert zugestoßen?", erkundigt sich Abos ungeduldig.

„Nur langsam, wir erzählen dir alles," Cerjoc kümmert sich zuerst um den Verletzten.

Anschließend erzählen sie, was sich zugetragen hat. Auch über Farib klären sie den Zwerg auf. Abos reagiert sehr ärgerlich, wütend tadelt er Ronan: „Wenn du nicht endlich anfängst, mit dem Kopf zu denken, sehe ich für eure Aufgabe sehr schwarz, zuerst ist Dana jedes Risiko wert, jetzt Ariann, nicht zu fassen. Ronan, du benimmst dich keineswegs wie ein Ritter, eher wie ein verliebter Bursche."

Der so Gescholtene blickt verlegen zu Boden.

„Sei nicht so streng", beruhigt Farib die Situation. „Alle standen unter dem Einfluss der Zauberkraft der Hexe Horga. Es ist sehr schwer bis unmöglich sich dagegen zu wehren. Ich war nur deshalb in der Lage

neutral zu bleiben, weil ich ein Nom bin. Ich war sehr froh, dass Dana fest in Ronans Herzen verankert ist, so hat sie mir sehr geholfen."
Abos brummelt missmutig vor sich hin.

„Aber jetzt etwas anderes", Farib geht nicht weiter auf Abos ein und redet weiter.

„Wir müssen uns trennen. Ich begleite Gisbert ins Lager der Zwerge, die beiden müssen ihren Weg fortsetzen. Ich habe mit Farib leider einen sehr schwächlichen Körper gewählt. Ich kann uns ganz sicher nicht gegen Wegelagerer verteidigen. Könntest du aus der Luft den Weg überwachen, damit wir jedem Ärger aus dem Weg gehen können?"

Abos, noch immer verärgert, insbesondere über den Zeitverlust, schaut ihn verständnislos an, „Was meinst du?"

„Ich fragte, ob du aus der Luft unseren Weg überwachen könntest, damit wir jedem Ärger aus dem Weg gehen können?", wiederholt Farib.

„Ach ja natürlich, entschuldige, das mache ich. Wir sollten wirklich jedem Ärger aus dem Weg gehen. Aber wäre es nicht besser, wenn du den beiden mit deiner besonderen Fähigkeit hilfst?"

„Ja, im Prinzip hast du Recht, wir haben auch darüber beraten. Unglücklicherweise ist Farib eher kränklich, ich würde die beiden nur aufhalten, wenn ich die Reise überhaupt überstehen würde. Sie müssen sich in Zukunft wieder auf ihr Bauchgefühl verlassen."

„Na großartig, jetzt hatten wir einmal Glück, wie gewonnen so zerronnen. Na gut, einverstanden, wir trennen uns hier. Ich begleite dich und Gisbert zum Lager, dann komme ich zurück, in der Hoffnung, dass bis dahin alles glatt läuft." Abos sieht nicht gerade zuversichtlich aus.

Cerjoc schlägt vor: „Du musst dich um Gisbert kümmern, zum Jagen bleibt dir keine Zeit. Ihr solltet auf dem Packpferd, genügend Vorräte und das leichte Leder als Wetterschutz mitnehmen, wir können unsere Vorräte leichter wieder auffüllen."

„Danke", Farib ist erfreut, „das erleichtert mir die Aufgabe sehr."

Sie machen sich ans Werk, das Packpferd mit allem Notwendigen zu beladen.

Dann wünschen sie einander Glück, löschen das Feuer und trennen sich. Während Ronan und Cerjoc ihre Reise ins Unbekannte fortsetzen, macht sich Farib auf den Weg, den schwerverletzten Gisbert ins Lager zu bringen. Ob sie sich wohl wiedersehen werden? Ronan sieht den anderen nach und denkt: „Ich dachte, ich hätte noch Zeit, wer hätte das gedacht. Ich wollte Gisbert fragen, wie sich Cerjocs doch recht bedeutsame Stellung erklärt. Ich kenne nur den Stammbaum des Ritters, dabei wäre das, was nicht aus dem Stammbaum zu lesen ist, viel interessanter. Ich muss wohl warten, bis sich eine andere Gelegenheit ergibt.

DIE FELSENSCHLUCHT

Nach kurzem, strengen Ritt durch eine karge Landschaft, sie versuchen die verlorene Zeit wieder aufzuholen, kommen Ronan und Cerjoc an ein Gebirge. Schneebedeckte Gipfel türmen sich vor ihnen auf. Das Bergmassiv wirkt unwirtlich und abweisend.
Flox weist eindeutig in eine enge Schlucht, so eng, dass ihr Eingang kaum zu sehen ist, die Männer zögern. Es ist der einzige Zugang zu dem Felsmassiv von dieser Seite, eine Alternative gibt es nicht.
„Sollen wir etwa da hinein?" Cerjoc fühlt sich gar nicht wohl bei diesem Gedanken.
„Was ist nun", Flox ist ungehalten, „vertraut ihr mir oder nicht? Ich bin von diesem Weg auch nicht begeistert, aber das ist der Weg zu dem Kristall oder denkt ihr etwa, ich hätte mir das ausgedacht um euch zu ärgern?"
Ronan beruhigt ihn: „So war das nicht gemeint, es sieht nur überhaupt nicht einladend aus. Die Schlucht ist zu schmal, wir müssen im Bach reiten. Ich hoffe nur, in dem kalten Wasser werden sich die Pferde nicht erkälten."

Cerjocs wenig begeisterter Kommentar dazu: „Ich habe nicht nur Sorge wegen der Pferde. Na dann mal los, es hilft ja nichts, aber wir steigen lieber ab, der Boden ist sicher voller Geröll."

Ronan steigt ab und zieht Schuhe und Strümpfe aus, beides befestigt er am Sattel. Cerjoc macht keine Anstalten ebenfalls die Schuhe auszuziehen, er wartet, dass Ronan vorangeht.

„Willst du deine Schuhe nicht ausziehen?", fragt Ronan.

Cerjoc schaut ihn mit einem verschmitzten Lächeln an und antwortet mit einem Augenzwinkern: „Machst du einen Scherz? Wenn ich dies täte, würden garantiert einige der Lebewesen in diesem Bach dies mit ihrem Leben bezahlen."

„Besser die, als du, wenn du in nassen Schuhen laufen musst, zieh' deine Schuhe aus."

Beide lachen, so lässt sich der beschwerliche Weg leichter in Angriff nehmen. Cerjoc zieht, immer noch lachend, seine Schuhe aus.

Als er fertig ist, führt Ronan Sturmwind in die Schlucht. Jetzt kommt ihm zugute, dass er in seinem alten Leben nahezu immer barfuß gelaufen ist, das macht es einfacher. Sturmwind vertraut ihm vollkommen und folgt seinem Herren ohne zu zögern in das kalte, tosende Wasser.

Der reißende, eiskalte Bach zwängt sich gurgelnd und tobend zum Ausgang, es ist sehr laut, an eine Unterhaltung ist nicht zu denken. Die Männer und ihre Pferde kämpfen sich durch das aufgewühlte Wasser. Der Bach fällt ab, daher haben die Männer und ihre Tiere eine Steigung zu überwinden.

Das Wasser spritzt so hoch, dass Ronan und Cerjoc bis weit über ihre Knie nass werden. Auf den ersten Metern gewöhnen sie sich etwas an das Laufen auf den Steinen, die überall das Bachbett bedecken. Vor allem für die Pferde ist es sehr schwierig, das Gleichgewicht zu halten. Im Augenwinkel sieht Ronan, der voran geht, wie Nepomuk plötzlich auf dem glitschigen Boden den Halt verliert und von der Strömung fortgerissen wird. Einige Pferdelängen unterhalb kämpfen sich Cerjoc und Amsel durch den Bach. Ronan kann Cerjoc nicht warnen, was da auf ihn zukommt, die Geräuschkulisse ist zu groß. Er fuchtelt zwar wild mit den Armen, aber Cerjoc sieht ihn nicht, er ist vollkommen auf den Weg konzentriert. Der Hund schafft es nicht, wieder einen sicheren Stand zu finden. Glücklicherweise ist die Schlucht so schmal, dass er unweigerlich gegen Cerjoc prallt und so aufgehalten wird.

Leider kommt Cerjoc durch den unerwarteten Stoß zu Fall, er setzt sich unsanft auf den Hosenboden. Geistesgegenwärtig hält er den Hund fest und beide landen an den Beinen des Pferdes. Amsel kann einen Sturz gerade noch verhindern, alle müssen in einer ziemlich misslichen Lage im eisigen Wasser ausharren. Ronan ist zurückgeeilt, er muss schnell eingreifen solange Amsel dem Druck noch standhält. Sturmwind kann sich in der engen Felsspalte nicht drehen und bleibt zurück. Ronan greift Cerjoc an den Schultern und stellt ihn wieder auf die Beine. Dann übernimmt er den Hund, den Cerjoc noch immer festhält und schreit Cerjoc an, wobei er das tosende Wasser zu übertönen versucht. „ALLES IN ORDNUNG?" Cerjoc, vollkommen durchnässt nickt und brüllt zurück, „DANKE, WEITER."

Ronan nimmt den nassen, zitternden Hund auf den Arm, er dreht sich um und tastet sich vorsichtig zurück, zwängt sich an Sturmwind vorbei und gemeinsam gehen sie weiter.

Niemand denkt daran, das auch Flox, in seinem Beutel, ein unfreiwilliges Bad im eisigen Wasser genommen hat. Der Bach ist so laut, dass sein Rufen niemand hört.

Nach einiger Zeit wird die Schlucht etwas breiter, der Bach nimmt nur ungefähr die Hälfte der Breite der Schlucht ein. Trotzdem müssen sie zunächst im Wasser weiterlaufen, neben dem Bach ist das Ufer zu steil.

Der Wind weht kalt durch die Schlucht, Mensch und Tier sind durchnässt und müde, trotzdem müssen sie weiter. Endlich, nach einer gefühlten Ewigkeit weitet sich die Schlucht nochmals. Neben dem Bach ist jetzt ein breiter Geröllstreifen, auf dem die Männer erschöpft zusammensinken.

Als erster kommt Cerjoc wieder zu Atem: „Hoffentlich hat sich diese Anstrengung gelohnt. Wir sind total durchnässt und es ist kalt. Es wäre ein Wunde wenn keiner von uns krank wird."

Ronan antwortet, froh das es nicht mehr so laut und damit eine Unterhaltung möglich ist.

„Du hast Recht, auch wenn ich am liebsten sitzenbleiben würde, wir müssen weiter. Wir sollten einen Lagerplatz suchen, ein Feuer machen, damit wir uns aufwärmen und unsere Sachen trocknen können."

„Halt!", Cerjoc schaut entsetzt. „Wir waren so beschäftigt, heil durch den Bach zu kommen, dass wir Flox ganz vergessen haben, bei meinem unfreiwilligen Bad ist er bestimmt auch nass geworden. Warum nur hatte jetzt gerade ich den Beutel bei mir." Er schaut in den Lederbeutel. Darin sitzt eine vollkommen durchweichte, vor Kälte bibbernde Fledermaus.

„Hallo, nett dass ihr an mich denkt. Hatschii, schnief." Das schwache, piepsige Stimmchen aus dem Inneren des Beutels, ist kaum zu verstehen.

„Du musst noch eine kleine Weile durchhalten. Hier hast du ein Hemd, das trocken geblieben ist, kuschel dich ein. Wir müssen erst einen Lagerplatz suchen und ein Feuer machen."

Zu Ronan gewandt: „Wir müssen uns beeilen, alle brauchen Ruhe und müssen sich aufwärmen, aber unseren kleinen Freund hat es besonders schlimm erwischt."

Sie steigen wieder auf und reiten langsam weiter, tief in das Bergmassiv hinein.

Nepomuk der ein Stück vorausgelaufen ist, kommt zurück und meldet winselnd eine Entdeckung.

Sein Verhalten, wenn jagbares Wild in der Nähe ist, ist anders. Die Schlucht ist breiter geworden, hier ist genug Platz neben dem Bach, um zu lagern. Feuerholz und Futter für die Pferde gibt es auch, wenn auch nur wenig.

Ronan findet eine geeignete Stelle, „hier können wir bleiben, es ist nicht optimal, aber es geht."

„Du hast Recht, ich werde ein Feuer machen und uns ein kleines Mahl bereiten," erwidert Cerjoc und steigt erschöpft ab. Ronan fängt an, seine nassen Sachen auszuziehen. Er sieht Nepomuk an und sagt mehr zu sich selbst: „Am liebsten würde ich mich jetzt ausruhen, ich bin total erledigt, aber es ist besser ich sehe nach, was du entdeckt hast."

Seine erste Begegnung mit Gisbert hat ihn gelehrt, wie verhängnisvoll es sein kann, Nepomuk zu ignorieren.

Deshalb zieht er sich bis auf die Unterhose und seinen Schwertgurt aus, keine Kleidung ist immer noch besser, als nasse.

Bevor er geht ruft er Cerjoc zu: „Ich gehe jetzt und sehe mal nach was los ist, hoffentlich muss ich nicht kämpfen, drück mir die Daumen."

„Sei' bitte vorsichtig, du bist erschöpft, das verbessert nicht unbedingt die Wachsamkeit", antwortete ihm Cerjoc besorgt. „Ich werde inzwischen das Lager aufbauen und anfangen, alles wieder zu trocknen, geh nur."

Er sieht Ronan nach, wie dieser, nahezu unbekleidet, mit seinem Hund davonschleicht. Der gut durchtrainierte junge Mann ist sehr ansehnlich.

Die Schlucht öffnet sich nach einigen hundert Schritten zu einem weiten Hochgebirgstal. Der Talgrund und die Hänge sind mit frischgrünen Alpenwiesen bedeckt, unterbrochen von malerisch, wie dahin geworfenen Felsbrocken. Im Talgrund schlängelt sich der Bach friedlich dahin, bevor er durch die Enge der Schlucht eingezwängt wird. Erst dadurch wird er tosend und reißend. Das Tal wird auf der einen Seite durch ein hohes Felsmassiv begrenzt. Es ist später Nachmittag, die Schatten werden schon lang.

Am rechten Berghang duckt sich, ungefähr auf halbem Weg zum Gipfel, eine Holzhütte an den Hang, sie liegt noch in der Sonne. Dies wird nicht mehr lange so bleiben, Unwetterwolken ziehen auf.

Ronan versteckt sich und schaut sich gründlich um.

In den, am Hang stehenden Latschenkiefern, kann er sich verbergen und sich an die Hütte anschleichen, um erst einmal die Lage einschätzen zu können. Zu Pferd ist das allerdings nicht möglich, die Gebirgskiefern sind zu niedrig und würden sie nicht verbergen.

Da der Weg seine Zeit in Anspruch nehmen wird, ein Unwetter aufzieht und er sowieso schon erschöpft ist, hat das heute keinen Zweck mehr. Auch scheint von der Hütte keine unmittelbare Gefahr auszugehen.

Er beschließt daher zunächst zurückzukehren, die Nacht abzuwarten und morgen in aller Frühe, alleine aufzubrechen und nachzusehen, was es mit der Hütte auf sich hat.

Als er zu Cerjoc zurückkommt hat dieser bereits einen Felsvorsprung ausgewählt, der Ihnen etwas Schutz für die Nacht bietet. Er hat Feuer gemacht, ein Eintopf aus den Resten eines wilden Truthahns und allerlei Wurzeln und Kräutern, die er unterwegs gesammelt hat, kocht über dem Feuer und riecht verführerisch.

„Hallo Ronan, schon zurück?", fragt Cerjoc. „Einen Vorteil hatte der Weg übrigens, die Lebensmittel waren schon gewaschen", meint er noch scherzhaft.

Die nassen Kleider hängen provisorisch über, aus Zweigen gebauten Ständern, in der Nähe des Feuers zum Trocknen.

98

Ronan berichtet ihm von der Hütte und seinem Plan, während er sich in eine Decke einwickelt und ans Feuer setzt. „Das hört sich gut an, aber nimm Nepomuk mit und sei bitte sehr vorsichtig, man weiß ja nicht, wer oder was in dieser Hütte haust."

Er gibt Ronan eine große Portion des dampfenden Eintopfes und Nepomuk die Reste des wilden Truthahns. Dann holt er den vor Erschöpfung eingeschlafenen Flox aus seinem Beutel: „Hallo aufwachen, kannst du uns etwas zu der Hütte am Berghang sagen?"

„Hatschii!", antwortet Flox.

„Hier hast du ein Tuch, putz dir erst einmal die Nase."

Flox schnäuzt sich: „Ich bin der Meinung, Ronan sollte unbedingt in der Hütte nach einem Hinweis suchen, Hatschii."

Ronan fühlt sich in seinem Plan bestätigt und die Sache ist damit beschlossen.

Mit einem Donnerschlag und den ersten Tropfen kündigt sich das Unwetter an.

Cerjoc blickt zum Himmel: „Oh, nein, so werden die Sachen niemals trocken."

„Ich schätze, da hast du Recht." entgegnet Ronan erschöpft. „Wir sollten versuchen, dass das Feuer nicht ausgeht und wenigstens etwas schlafen."

„Ja, aber Flox müssen wir warmhalten, meinst du er kann sich in Nepomuk's Fell einkuscheln?"

„Ich weiss es nicht, er sollte Nepomuk nicht kratzen, nicht das der im Schlaf nach ihm schnappt, dass würde kein gutes Ende nehmen."

Ronan ruft den Hund zu sich: „Nepomuk, komm und leg dich hier hin. Du musst Flox in deinem Fell warmhalten."

Er zeigt dem Hund die zitternde Fledermaus und lässt ihn schnuppern.

„Du musst auf Flox aufpassen, hörst du." Dann setzt er die kleine Fledermaus in das dichte Fell am Hals des Hundes.

„Schlaft schön ihr beiden." Das Unwetter ist losgebrochen, Ronan deckt Nepomuk mit einem großen Leder zu, damit er vor dem Regen wenigstens einigermaßen geschützt ist und weder der Hund noch Flox nass werden. Dann wickelt er sich in eine Decke und kriecht ebenfalls unter das Leder. „Gute Nacht Cerjoc." Er rollt sich fester in die Decke und schläft augenblicklich ein.

Später in der Nacht erwacht Ronan. Trotz der Erschöpfung kann er nicht mehr schlafen, es tobt immer noch ein schweres Gewittert über der Schlucht. Die Blitze zaubern bizarre Schatten an die Felsen, Donner krachen, als würden die Berge zusammestürzen. Der Regen peitscht durch die Schlucht, was noch trocken geblieben war oder am Feuer notdürftig wieder getrocknet ist, wird jetzt wieder nass. Es ist unheimlich, Ronan kuschelt sich fest an Nepomuk und zieht die Decke über den Kopf.

Momentan hat er nicht das Gefühl ein Held zu sein, was erwartet ihn morgen?

Ist er dem überhaupt gewachsen? Bisher musste er keine wirkliche Prüfung bestehen, sieht man einmal von Ariann's Verführungskünsten ab und da hat er versagt. Ihm wird klar, dass sein neues Leben, wie eine Münze, auch zwei Seiten hat.

Bisher hatte er hauptsächlich die schönen Seiten dieses Lebens genossen, jetzt ist also die andere Seite dran. Seit heute morgen, seit dem Eintritt in die Schlucht spürt er, dass es ernst wird.

Er hat Angst und ihm ist kalt, die Wetterlage tut ihr übriges. Viele Gedanken schießen ihm durch den Kopf, er kann deshalb nicht schlafen, nur Nepomuk in seinem Arm, weiß nichts von seinen Sorgen und schnarcht vor sich hin. Ronan ist froh als der Morgen dämmert und das Unwetter vorübergezogen ist.

DIE HÜTTE AM BERG

Später frühstücken Ronan und Cerjoc den Hirsebrei, den Cerjoc gekocht hat, dazu gibt es Kräutertee. Flox ist richtig krank, da der Hund mit Ronan zur Hütte gehen wird, nimmt Cerjoc ihn zu sich. Aus seinem Schal bindet er ein kleines Tragetuch, um die Fledermaus an seiner Brust zu wärmen. Die Männer verabschieden sich und Cerjoc wünscht den beiden viel Glück.

Dann bricht Ronan auf, seine Sachen sind zwar noch immer nass, aber die Sonne scheint wieder von einem makellos blauen Himmel. Zudem

100

geht ein leichter Wind, so werden die Sachen in den nächsten Stunden trocknen. Das Unwetter der Nacht hat sich vollends verzogen. Es verspricht ein schöner, warmer Tag zu werden.

Zunächst geht es zum Ausgang der Schlucht, dort angekommen verstecken sie sich, um die Situation zu erfassen. Es ist niemand zu sehen, ein paar Ziegen weiden im Tal und hoch in der Luft ziehen einige Milane ihre Kreise. Ihre lauten, durchdringenden Schreie hallen von den Bergen wider. Ronan und Nepomuk steigen den Berghang hinauf, immer die Deckung der Krüppelkiefern nutzend.

Schon von weitem erkennt er, dass die kleine Hütte aus groben Holzbalken errichtet wurde.

Bei der Hütte angekommen, schaut Ronan zunächst durch das Fenster. Es hat kein Glas, nur eine schwere Decke ist am oberen Rahmen festgenagelt und seitlich über einen ziemlich hoch angebrachten Knauf an der Wand gehängt. Auf diese Weise kann man hinausschauen, aber nachts oder bei schlechtem Wetter kann die Decke heruntergelassen und unten mit Lederschlaufen befestigt werden.

Drinnen erblickt er ein Bett mit einigen unordentlichen Decken und ein Regal mit Alltagsutensilien und Büchern. Es gibt einen stabilen Holztisch und zwei Stühle. Auf dem Tisch steht, auf einer polierten Baumscheibe festgeklebt, eine dicke Bienenwachskerze. Die Kerze ist nicht angezündet, aber sie ist schon fast heruntergebrannt. Auf dem Boden verteilt liegen Bücher und allerlei seltsame Gerätschaften. Anscheinend ist niemand Zuhause, der hintere Teil der Hütte liegt allerdings im Dunkeln, Ronan kann nicht erkennen, was sich dort befindet. Insgesamt macht der Raum einen gemütlichen, aber etwas staubigen Eindruck. Wer immer hier wohnt, nimmt es mit der Sauberkeit nicht so genau.

Ronan geht zur Eingangstür. Eine einfache, schmucklose Holztür, dort hängt ein Schild. Der Ritter hatte Ronan im Lager ja etwas lesen und schreiben beigebracht, dies kommt ihm jetzt zugute. Etwas mühsam entziffert er.

HINFORT MIT DIR, SO DIR DEIN LEBEN LIEB

Sicherheitshalber ist noch eine einfache Zeichnung darunter. Sie zeigt eine Gestalt, die vor einem Geisterwesen flieht. Diese Warnung wird angesichts der Lage der Hütte, wohl kaum jemanden abschrecken. Auch Ronan beeindruckt sie nicht sonderlich, sie haben sich nicht durch den eiskalten Bach gekämpft, damit er jetzt aufgibt. Hoffentlich findet er hier einen Hinweis, der ihnen weiterhilft.

Deshalb fasst er sich ein Herz und klopft, es kommt keine Antwort. Er klopft erneut, dieses Mal fester, wieder keine Antwort. Entweder ist niemand da, oder man hofft er würde wieder gehen. Auch das ist angesichts Lage, kaum zu erwarten. Er ruft sich ins Bewusstsein, dass er jetzt ein Ritter ist und entsprechend handeln kann, wenn es notwendig ist, so tritt er ein.

Es ist weiterhin niemand zu sehen. Im hinteren Teil der Hütte liegt, das kann er jetzt erkennen, der Eingang zu einer Höhle. Die Sonne fällt durch das Fenster, in ihrem Lichtschein tanzt der Staub. Die Höhle dagegen liegt völlig im Dunklen, Ronan kann nichts genaueres erkennen.

„Hallo, ist da jemand?"

Die Antwort kommt leise, eher piepsig.

„Wer fragt das?" Ronan sieht niemanden, aber Nepomuk bellt in Richtung eines Regals, das gegenüber an der Wand steht, er sieht genauer hin. Das Wesen ist klein, aber definitiv kein Zwerg, anders als die etwas pummeligen Zwerge, ist es filigran und schlank.

Ronan ruft den Hund zur Ruhe: „Nepomuk, ruhig." Er macht eine leichte Verbeugung und sagt höflich: „Ich bin Ronan von Orland und wer und was seid Ihr?"

Das Männlein mustert ihn ausführlich, bevor es abweisend antwortet: „Wenn du mich nicht kennst, ist das dein Problem, verschwinde schnell und nimm dieses dreckige Fellknäuel mit!" Damit ist Nepomuk gemeint.

Das ist äußerst unfreundlich, aber Ronan denkt nicht daran, sich so leicht abwimmeln zu lassen. Flox hat eindeutig gesagt, er solle zur Hütte gehen, hier muss etwas sein, wenn nicht der Kristall, so zumindest ein Hinweis.

Ronan nimmt wieder allen Mut zusammen, er erinnert sich selbst daran, das dieses Betragen des Männleins nicht angemessen ist und richtet sich zu seiner vollen Grösse auf. Ihm fallen die Worte des Zwergenkönigs wieder ein „Aufrecht und stolz dastehen, du musst etwas darstellen." Dieses Benehmen des Männleins kann er auf

102

keinen Fall hinnehmen. Außerdem, wenn er etwas erreichen will, muss er das Risiko eingehen und etwas mehr preisgeben.

So sagt er, fordernd: „Ich suche den magischen Kristall und zwar dringend, du weißt nicht etwa etwas darüber?" Statt von dem kleinen Männlein, wie erwartet, kommt aus dem Dunkel der Höhle eine Antwort.

Eine kräftige, aber alte Stimme ruft: „Warte mein Junge, das interessiert mich."

Das 'mein Junge' ist zwar auch nicht angemessen, aber Ronan ist froh, dass man überhaupt freundlich mit ihm spricht. Der magische Kristall scheint hier bekannt zu sein.

Aus dem Dunkel der Höhle tritt ein älterer Mann in die Hütte. Lange graue Haare, grauer Bart. Bekleidet mit einem bis an die Knöchel reichenden, hellbraunen Gewand, darüber eine dunkelbraune Strickweste. Im Gegensatz zu seinem wackeligen Gang, hat der Mann klare, wache Augen.

Er bemerkt Ronans Blick und sagt: „Das ist nur vorübergehend, ich alter Narr konnte es nicht lassen zu springen und bin vom Pferd gefallen. Sie ist ein gutes Pferd, aber ich war übermütig und habe nicht aufgepasst, Alter schützt eben nicht immer vor Torheit." Er setzt sich auf einen Stuhl und legt den Gehstock, einfach ein dünnerer Stamm einer Esche, neben sich.

„Lassen wir das, was Ihr zu sagen habt, ist viel wichtiger. Ich bin übrigens Klamour, der Einsiedler und dieser nette kleine Kerl ist Nuk, ein Soms. Aber kommt, nehmt Platz und erzählt mir alles. Ach entschuldigt, Ihr habt sicher Durst nach dem langen Aufstieg. Nuk hol bitte zwei Becher von dem leichten Wein." Klamour ist jetzt wieder zur förmlichen, angemessenen Anrede übergegangen.

Nuk klettert vom Regal und entfernt sich. Ronan nimmt Platz auf einem der Stühle am Tisch, auf den Klamour gewiesen hat, der Hund legt sich neben den Stuhl.

„Sagtet Ihr wirklich magischer Kristall?" Ronan nickt, der Soms, der gerade den Wein bringt, zetert dazwischen: „Sag ihm nichts Klamour, er könnte ein Spion sein."

Klamour betrachtet Ronan eindringlich.

„Natürlich, aber er hat ehrliche Augen und in der momentanen Situation bleibt uns nichts anderes übrig, als das Risiko einzugehen.

Bitte erzählt, mein Sohn und verzeiht Nuk die unfreundliche Art. Er ist ein von Natur aus misstrauischer Soms."

Nuk zetert über diese Beschreibung mit hoher piepsiger Stimme Unverständliches, als er wieder auf das Regal klettert und auf seinen Platz zurückkehrt.

„Diese Art habe ich bereits kennengelernt, ich wurde so begrüßt." entgegnet Ronan lächelnd, er muss unweigerlich an Abos denken.

Klamour ist sichtlich unangenehm berührt. „Wie unhöflich, Gastfreundschaft sieht wahrlich anders aus."

Ronan winkt ab: „Ach was, macht Euch nichts draus, ich kenne einen Zwerg, der auch so ist, wahrscheinlich sind die beiden aus dem gleichen Holz geschnitzt worden." Er nimmt einen großen Schluck von dem Wein, da wird ihm erst bewusst, wie durstig er ist. Sofort ärgert er sich über sich selber, wie sorglos und unvorsichtig von ihm, das könnte eine Falle sein. Misstrauisch schaut er Klamour an, wenn doch nur Farib hier wäre.

Klamour unterbricht seine Gedanken.

„Also, Ihr kennt ja bereits meinen Namen, aber wer seid Ihr?"

Ronan versteht das „Ihr" falsch und stellt sich und Nepomuk vor.

„Nun gut", schmunzelt Klamour, also dann, jetzt zu Euch, „kennt Ihr Flox ?"

Ronan ist erstaunt, hier sind sie offensichtlich richtig, er verliert sein Misstrauen und erzählt dem Alten die ganze Geschichte, von ihrer Entführung durch die Zwerge, seiner kurzen aber harten Ausbildung und ihrer Reise hierher, von dem Bären, Ariann und dem reißenden, kalten Bach, nur Dana erwähnt er nicht.

Ronan ist froh endlich alles erzählen zu können, es erleichtert ihn. Als er zu reden beginnt, denkt er nicht mehr nach, es sprudelt nur so aus ihm heraus. Klamour bemerkt, da ist bei Ronan keine Art von Berechnung oder Verschlagenheit. Auf der einen Seite ist er begeistert, auf der anderen sieht er die Gefahr. Klamour jedenfalls unterbricht Ronan nicht, nur ein gelegentliches 'Hmmm' oder ein Kopfnicken belegen seine Anteilnahme. Jetzt versteht er auch Ronans Antwort von eben, der junge Mann ist es nicht gewöhnt in der Mehrzahl angesprochen zu werden.

Ronan beschreibt die verheerenden Zustände, die in der Welt herrschen: „Ich weiß nicht, was Ihr hier oben erfahrt, aber es ist furchtbar. Missernten, Hochwasser, Unwetter und Krankheiten suchen die Städte und Dörfer heim."

„So, so", der Alte kratzt sich das Kinn. „Das hat Flox gut gemacht, dass er euch hergeführt hat. Wie du ja bereits weißt, gibt es eine aufständische Gruppe von Zwergen, sie sind mit ihrer Rolle unzufrieden und haben den Kristall gestohlen.

Niemand im Hofstaat des Zwergenkönigs schöpfte Verdacht. Zwerge sind, ihrer eigenen Art gegenüber, extrem gutgläubig. Dass sich Verräter in ihren Reihen befinden, haben sie nicht für möglich gehalten.

Der Ritter war abwesend, es war also niemand da, der den Stein verteidigen konnte. Diesen Umstand haben die Aufständischen ausgenutzt. Ich habe befürchtet, dass die Auswirkungen verheerend sein würden, aber so schnell? Von dem Diebstahl des Kristalls habe ich erfahren, ich habe eine Glaskugel, eine Art Fenster zur Welt, leider zeigt sie mir nicht immer alles, denn ich kann nur erfragen, was ich weiß oder vermute.

Thyros möchte, dass die Menschheit im Chaos versinkt, um sich dann als Heilsbringer einer neuen Religion zu präsentieren. Er hat vor, die Welt zu unterjochen und auszubeuten. Das jedenfalls habe ich durch meine Kugel erfahren können. Mit der Kraft des Kristalls ist er dazu zweifelsohne in der Lage.

Wer ihn anbetet und seine hohen Abgaben entrichtet, bleibt von Katastrophen verschont, alle anderen, na Ihr könnt es Euch wohl denken . . .

Der Kristall wird derzeit in einer dunklen Höhle, von einem gefährlichen Drachen bewacht, dieser Drache hört natürlich auf Thyros.

Ich weiß, wo sich die Höhle befindet, aber vor allem ist wichtig, Ihr dürft nicht jedem Zwerg trauen.

Nun geht erst einmal und holt Cerjoc, Flox und die Pferde, ihr könnt hier rasten und eure Kleider richtig trocknen, wir kochen inzwischen einen kräftigen Eintopf."

Ronan steht auf und will gehen, da schüttelt der Alte den Kopf:

„Nicht zu glauben, Ihr seid viel zu gutgläubig, Ihr habt keinen Beweis, dass meine Worte wahr sind und doch wollt Ihr eure Freunde holen, sehr riskant."

Ronan fühlt sich ertappt, und verletzt. Er bemerkt nicht, dass er Klamour dasselbe hätte vorwerfen können, schließlich hat der Alte soeben bereitwillig von dem Kristall erzählt. Grundsätzlich hat Klamour ja Recht, er richtet sich sehr nach seinem Bauchgefühl und nach Nepomuk und beide haben ihn nicht gewarnt.

Was soll er machen, das Training hat ihn zwar körperlich stark gemacht, aber im Grunde ist er immer noch er. Eine Verhaltensrichtlinie für diesen Fall hat ihm auch niemand gegeben.

Aber was, wenn er sich irrt, dieses ständige Misstrauen ist ihm zuwider, er will den Wesen vertrauen. Die Zweifel sind wieder da, ist er der Richtige? Hier braucht es eher einen erfahrenen, reiferen Mann und einen Krieger noch obendrein und er? Er ist der schüchterne Sohn eines Schreiners aus Tolnar, aus dem man im Schnellverfahren einen Ritter gemacht hat. Ist das gelungen, ja ist das überhaupt möglich?

Klamour bemerkt, dass er große Zweifel geweckt hat und sagt versöhnlich:

„Ihr habt ja Recht man kann nicht immer sicher sein. Manchmal muss man auch ein Wagnis eingehen. Dieses Problem wird Euch ein Leben lang begleiten, das Leben ist immer ein Wagnis, nun geht."

Ronan nickt und verabschiedet sich wortlos, die Zweifel bleiben.

Klamour erwägt Nuk zur Drachenhöhle mitzuschicken. Dieser ist zwar permanent misstrauisch gegen alle und jeden, aber das könnte schon das eine oder andere Mal helfen. Nein, er verwirft diesen Gedanken gleich wieder. Das wäre unfair und Nuks allzu negative Art könnte leicht zum Verzagen führen.

Zunächst würde er herausfinden müssen, wer in dieser Gruppe wirklich das Sagen hat. Er hatte bei Ronans Erzählung den Verdacht, dass Cerjoc noch immer, wie früher mehr Einfluss hat, als es seine Stellung vermuten lässt. Sollte sich daran, in all den vielen Jahren, die er selber in der Einsamkeit der Berge gelebt hat, nichts geändert haben? Nun gut, Ronan und sein Hund sind weg, er muss kochen und backen, zum Glück hat er mit den Soms viele fleißige Helfer.

Ronan kehrt zu Cerjoc zurück, auf dem Weg denkt er über seine Lage nach und wie er sich verhalten soll. Bei Cerjoc angekommen erzählt er was vorgefallen ist. Was er gar nicht gebrauchen kann, auch Cerjoc

106

ist zunächst verstimmt. Er ärgert sich über die Leichtgläubigkeit des Jungen.

„Wie konntest du alles preisgeben? Was, wenn er es nicht ehrlich meint, du gefährdest den ganzen Auftrag."

Aber Flox nimmt Ronan in Schutz, er ist der festen Meinung, dass alles seine Richtigkeit hat.

„Meinst du nicht, das ist sehr unfair? Hätte Ronan nichts erzählt, hätten wir auch nichts erfahren und wir wären keinen Schritt weiter. Was würdest du dann jetzt machen? Sag schon!", seine Stimme ist kratzig und rauh.

„Du hast ja Recht, ich habe leicht reden, im Nachhinein", gibt Cerjoc kleinlaut zu.

Ronan achtet nicht auf die beiden, er nimmt Sturmwind am Zügel und geht wortlos und wütend voraus. Er kümmert sich nicht darum, ob Cerjoc mitkommt und ob er Schritt halten kann. Ronan ist sich der Gefahr, die eine falsche Entscheidung mit sich bringen würde, durchaus bewusst. Wie soll er handeln? Er hat sich diese Aufgabe schließlich nicht ausgesucht, er kann nur nach seinem Instinkt entscheiden.

In seinem Zorn läuft er sehr zügig, Cerjoc mit seinem eingeschränkten rechten Bein und Amsel können nicht Schritt halten.

Wütend denkt Ronan: „Vielleicht ist es besser ich gebe auf, heirate Dana und kehre in mein Dorf zurück, ein Anderer soll diese Aufgabe übernehmen."

Missgelaunt kommt er bei der Hütte an, Klamour erwartet ihn vor der Tür. Er sieht sofort in welcher Stimmung Ronan ist und spricht ihn direkt darauf an.

„Entschuldigt, ich habe es nicht so gemeint." Ronan antwortet schroff: „Wenn es Euch nicht passt, wie ich die Dinge anfasse, dann macht es doch selber oder sucht Euch einen anderen Dummen. Ich bin so wie ich bin und kann nicht anders. Ich steige aus, aber das Pferd behalte ich, das ist ein angemessener Lohn für die Zeit, die ich geopfert habe."

Er lässt Klamour einfach stehen. „Oh, oh", denkt dieser, wenn er geahnt hätte, dass seine Worte, die ganze Unternehmung gefährden, hätte er nichts gesagt.

Dann bringt Ronan Sturmwind hinter die Hütte, wo die Soms bereits Futter und Wasser, bereitgestellt haben und verschwindet.

Inzwischen kommt Cerjoc ganz außer Atem den Berg herauf gehetzt. „Seid gegrüsst, Klamour...", Cerjoc stutzt, „ach IHR seid es. Der gute alte Ehan verbirgt sich hinter Klamour, wenn ich das gewusst hätte, hätte ich anders gehandelt. Es ist lange her, da gibt es einiges zu besprechen", keucht er immer noch außer Atem. „Seid gegrüsst", antwortet Klamour, ohne sich länger mit der Begrüßung aufzuhalten. „Später können wir uns ausführlich unterhalten, aber jetzt fürchte ich, haben wir ein Problem. Ich war wohl zu streng mit Ronan, er will aufgeben."

„Ich habe ihn auch noch gescholten, weil er Euch vertraut hat. Ich ahnte ja nicht, dass Ihr es seid, nachdem Ihr einen anderen Namen angenommen habt. Wohin ist Ronan gegangen?"

„Hinter die Hütte, er wird hereinkommen, wenn er Hunger hat."

„Das wird er nicht, Ihr kennt ihn nicht so wie ich, er ist stur, ich muss sofort mit ihm reden, bitte entschuldigt." Er gibt Klamour die Tasche mit Flox. „Bitte, kümmert Euch um Flox, er ist schlimm erkältet."

„Keine Sorge, ich nehme mich seiner an." Cerjoc lässt Klamour stehen, um nach Ronan zu suchen.

Klamour schaut in die Tasche. „Haatschii", begrüßt ihn Flox.

„Ach herrje, du bist ja wirklich schlimm erkältet. Wir gehen besser hinein ins Warme. Magst du heiße Milch mit Honig?"

„Das hört sich gut an", Flox zieht hörbar die Nase hoch, „ein Taschentuch wäre auch nicht schlecht."

Klamour geht in die Hütte, er nimmt die Tasche und Flox mit.

Cerjoc bringt derweil Amsel hinter die Hütte. Sturmwind steht hier und frisst mit Behagen Heu und Möhren, aber Ronan und sein Hund sind auf den ersten Blick nicht zu sehen. Cerjoc übergibt das Pferd den Soms und sieht sich um. Im Anschluss an den Unterstand beginnt ein Wäldchen aus locker bei einander stehenden Krummholzkiefern. Der Hang ist hier auf einer Breite von wenigen Metern sehr flach, bevor er wieder steiler ansteigt und mit ihm die, von Wind und Wetter zerzausten, kleinen Kiefern. In einiger Entfernung läuft der schmale Absatz zusammen, dort ragt ein Felsbrocken ins Tal. Cerjoc sieht Ronan dort sitzen und mit seinem Hund sprechen: „Gebe ich zu leicht auf, was meinst du? Der Gedanke an Dana ist schon sehr verlockend, kann ich überhaupt noch klar denken? Ist es nicht in Wirklichkeit Furcht, auch vor dem Versagen und der daraus zwangsläufig folgenden Reaktion Aller?" Er streichelt Nepomuk nachdenklich über

108

den Kopf und spricht weiter. „Diese Aufgabe ist riesig, von ihrem Gelingen hängt so viel ab. Was ist, wenn ich versage? Was denkt Dana dann? Wenn ich aber jetzt kneife, was hält sie in diesen Fall von mir und welche Folgen wird das für uns alle haben?" Er wird ganz verzagt. Er hat plötzlich das Gefühl weder Cerjoc noch Klamour trauen ihm den Erfolg wirklich zu.

Cerjoc nähert sich langsam, Nepomuk hat nichts dagegen, deshalb dreht sich Ronan nicht einmal um. Cerjoc setzt sich neben ihn und beide schweigen eine kleine Ewigkeit. Cerjoc weiß, er darf nichts sagen, um keine Abwehrhaltung zu provozieren. Die Sonne steht inzwischen hoch am Himmel, der Wind hat etwas aufgefrischt, er bringt würzige Bergluft mit. Die Schreie der Raubvögel sind noch immer zu hören, sie zerreissen die Stille.

Endlich, nach einer Weile sagt Ronan: „Ihr würdet mir nie verzeihen, sollte ich scheitern, andersits kennt niemand den richtigen Weg. Soll ich weglaufen wie ein Feigling oder weitermachen und versagen? Wenigstens könnte ich mir selber in die Augen schauen oder wäre dann tot und hätte keine Probleme mehr."

Er schweigt wieder. Cerjoc fasst sich ein Herz: „Wir sind dir alle sehr dankbar, dass du uns hilfst. Eine Garantie für den Erfolg kann niemand geben, aber wieso solltest du scheitern? Glaube an deine Stärke, niemand weiß, ob es überhaupt möglich ist, erfolgreich zu sein. Ich für meinen Teil glaube aber fest an dich und das solltest du auch. An ein Scheitern, an diese Möglichkeit dürfen wir nicht denken. Bitte verzeih meine Worte von vorhin. Ich würde dich gerne besser beschützen, aber ich kenne den richtigen Weg genauso wenig wie du. Es ist sehr beruhigend, dass Klamour sich als der langjährige Freund der Familie des Ritters, Ehan, herausgestellt hat. Wir können ihm vertrauen."

Sie schweigen wieder und sehen vom Felsen aus ins Tal und in Richtung Schlucht, aus der sie vor kurzem den Berg heraufgestiegen sind.

Ronan sagt lange nichts, dann sieht er Cerjoc an. Cerjoc erkennt Vertrauen, Verbundenheit und Güte in diesem Blick.

„Ich denke, wir sollten es versuchen, ich werde mein Bestes geben. Aber wie ich dem Ritter schon sagte, ob das reichen wird, weiß ich nicht. Sagt später nicht, Ihr wusstet nicht, worauf Ihr Euch einlasst. Ich bin und bleibe der Sohn eines Schreiners, vergesst das nicht."

Cerjoc ist erleichtert. „Ob es gelingen wird, den magischen Kristall zurück zu erobern, weiß niemand, ich bin aber sicher, dass du dein Bestes gibst. Wie schon gesagt, meine Unterstützung und meine Treue sind dir sicher". Er legt seine Hand auf Ronans Schulter.

„Nun komm erst mal, lass uns zu Klamour zurückgehen und mit ihm speisen."

Die Zweifel sind sicher noch nicht beseitigt, dazu ist Ronan viel zu nachdenklich, aber zu mindestens von sofort aufgeben, ist keine Rede mehr.

Sie stehen auf und gehen mit Nepomuk zur Hütte. Klamour geht nervös vor der Tür auf und ab. Er wartet schon ungeduldig auf die Männer. Von weitem sieht er die drei kommen, sie wirken gelöst. Klamour kann seine Erleichterung kaum verbergen, er hat die Unternehmung durch seine Worte nicht zum Scheitern gebracht, glücklicherweise.

Der Tisch vor der Hütte ist reich gedeckt, alle genießen sichtlich das üppige Mahl.

Nach dem Essen fragt Cerjoc Klamour: „Wo ist eigentlich Flox?"

„Er hat soviel warme Milch mit Honig getrunken, dass ich dachte er platzt, jetzt schläft er. Während er getrunken hat, hat er mir von eurem Abenteuer in der Felsenschlucht erzählt. Jetzt könnt Ihr euch erstmal gründlich ausruhen, wir werden Euch und auch eure Pferde verwöhnen.

Noch etwas anderes, da wir jetzt zusammenarbeiten, möchte ich euch das DU anbieten. Ich bin schließlich der Älteste, was sagt ihr?"

Ronan schaut Cerjoc an, dieser nickt: „Das kommt uns sehr entgegen, danke, lass uns darauf trinken", pflichtet Ronan bei und hebt seinen Becher, sie prosten sich zu.

Dann erzählt Klamour, was er über den Kristall weiß, vor allem wo dieser sich befindet.

„Jenseits des Gebirges beginnt eine Wüste, danach schließt sich wieder ein Gebirge an, schroffer und unwirtlicher als dieses. An dessen südlicher Flanke liegt die Höhle des Drachen. Thyros hat den Kristall dort hinbringen lassen, er glaubt ihn dort sicher.

Mit den Pferden müsst ihr einen Umweg wählen und die Wüste umgehen, aber ohne die Tiere geht es nicht. Wenn ihr die Wüste umgeht, braucht ihr mehrere Wochen für diese Reise, eigentlich zu lange. Leider könnt ihr nicht genug Proviant und Wasser mitnehmen,

110

um den deutlich kürzen Weg durch die Wüste zu nehmen, das ist ein Problem." Klamour schweigt ratlos.

Cerjoc wiegt nachdenklich den Kopf hin und her. „Wie wäre es mit einer Versorgung aus der Luft?" „Aus der Luft?" Klamour und Ronan schauen sich ungläubig achselzuckend an.

„Ja", sagt Cerjoc aufgeregt, „Abos und sein Greif, die Zwerge haben noch mehr zahme Greife. Was kann so ein Greif wohl tragen, was meint ihr?"

„Ich weiss es nicht, aber da haben wir sowieso ein Problem", gibt Ronan zu bedenken: „Abos ist nicht hier und wenn, er würde bestimmt mosern." Klamour schaut etwas verdutzt, Cerjoc sagt zur Erklärung: „Stelle dir Nuk vor und du kennst Abos' Launen."

„Ach so, na dann, wie erreichen wir diesen Abos?"

Cerjoc erwidert: „Das ist ja das Problem, gar nicht, wir müssen warten bis er kommt. Er wollte Farib und Gisbert ins Lager der Zwerge begleiten. Obwohl Gisbert verletzt ist und sie daher langsam sind, dürfte er bald kommen."

„Auf seinem Weg zurück muss er aber auf jeden Fall zuerst eine Nachricht an Dana überbringen, dann soll er die Vögel holen." Ronan klingt kompromisslos, als würde er in diesem Punkt nicht mit sich reden lassen.

„Hoppla, wer ist denn Dana?", fragt Klamour. Ronan hatte sie in seiner Erzählung ja nicht erwähnt.

Cerjoc antwortet: „Ronan traf sie zufällig auf der Reise, er hat sie nur kurz gesehen. Trotzdem hat sie ihn verzaubert und mit ihrem Liebreiz eingenommen, er hat sich verliebt."

Leise murmelt er noch: „Gut zu verstehen." Er fährt weiter fort: „Dann hat er Abos überredet, Nachrichten zu überbringen, bisher kam es aber noch nicht dazu."

Nach dieser Erklärung schweigen sie, jeder mit seinen eigenen Gedanken beschäftigt.

Klamour denkt eine Weile nach, schließlich schlägt er vor: „Wenn wir davon ausgehen, dass das mit der Versorgung aus der Luft klappt, sollten wir keine Zeit verlieren. Am besten geeignet wären Nahrungskuchen. Diese müssen haltbar, klein, energiereich und natürlich auch noch einigermaßen schmackhaft sein. Außerdem solltet ihr euch heute früh zur Ruhe begeben, ihr müsst Kraft tanken für die Reise."

Cerjoc und Ronan sind froh, dass sie endlich wieder einmal ganz beruhigt schlafen können, Ronan hat Sina trotzdem griffbereit neben sich liegen, aber seit längerem können sie sich unbesorgt hinlegen. Klamour und die Soms passen auf.

Am nächsten Morgen sitzt Klamour auf dem Stein, auf dem Ronan am Vortag gesessen hat und genießt den Sonnenaufgang.
Ronan gesellt sich dazu, er hat vor mit Klamour zu reden. Dieses Mal wird er nicht warten, wie bei Gisbert, bis es zu spät ist.
„Du weißt offensichtlich viel über den Ritter, woher eigentlich?"
„Ich habe viele Jahre auf der Burg des Ritters gelebt, schon als sein Vater noch der Burgherr war, bis ich mich als Einsiedler hierher zurückgezogen habe."
„Dann weißt du vielleicht auch, wie sich Cerjocs Stellung erklärt. Er hat viel mehr Einfluss, als ein Knappe normalerweise hat."
„Das ist richtig, als der Ritter noch ein kleines Kind war, nahmen seine Eltern ein Waisenkind auf. Den Sohn der besten Freundin der Burgherrin, beide waren ungefähr gleich alt. Cerjoc wuchs mit dem Ritter zusammen auf und erhielt die gleiche Ausbildung. Nur war er nicht vom gleichen Blut und tritt daher offiziell als Knappe des Ritters auf. Sie sind beste Freunde und haben viel zusammen erlebt."
„Das erklärt einiges, insbesondere auch, warum Cerjoc die Krankheit des Ritters so nahe geht."
„Es gäbe noch viel zu erzählen, aber dafür haben wir später noch Gelegenheit. Jetzt habe ich Hunger, lass uns frühstücken gehen."
Nach einem reichhaltigen Frühstück probieren sie, mit Unterstützung der Soms, für sich selbst, Flox, die Pferde und den Hund platzsparende und leichte Nahrung herzustellen.
Aus klein zerfasertem Trockenfleisch, getrockneten Früchten, Nüssen, Honig und Getreide backen Sie kleine Kuchen in unterschiedlichen Geschmacksrichtungen.
Das größere Problem ist das Wasser, immerhin müssen zwei Männer, zwei Pferde, ein Hund und eine Fledermaus versorgt werden, wobei Flox das geringste Problem darstellt.
„Hier Flox, probier mal einen Kuchen, was sagst du dazu?", Cerjoc hält ihm ein Stück unter die Nase und wartet gespannt auf das Urteil.
Flox beißt ein Stück vom Kuchen ab, verzieht das Gesicht und meint:
„Ganz annehmbar..., zur Not." Cerjoc ist erleichtert: „Nun gut,

112

Nepomuk hat es auch geschmeckt, jetzt müssen wir nur noch die Pferde probieren lassen."

„WAASS?", Flox erhebt sich und plustert sich auf. Entrüstet fuchtelt er mit seinen Flügeln in der Gegend herum: „Ihr habt den HUND vor MIR probieren lassen? Diese Töle kann ja noch nicht einmal sprechen, aber in Sachen des guten Geschmacks ist seine Meinung anscheinend meiner vorzuziehen?" Cerjoc versucht den sichtlich aufgebrachten kleinen Mäuserich zu beruhigen, wählt aber leider den falschen Weg. „Nun, immerhin durftest du noch vor den Pferden probieren." Soeben ausgesprochen wird Cerjoc klar, dass dies nicht zur Beruhigung von Flox beitragen würde, wie wahr. Flox verschlägt es die Sprache, er sieht völlig entgeistert zuerst Cerjoc, dann Ronan und zuletzt den Hund an. Dann wirft er das Stück Kuchen, das er in seinen Krallen hält, Cerjoc an den Kopf und verkriecht sich fluchend in seinen Beutel. Cerjoc sieht hilfesuchend Ronan an, doch dieser meint nur: „Wenn das so ist, gehe ich zu den Pferden um zu sehen, wie die damit zurechtkommen." Ronan nimmt Pferderiegel mit und entfernt sich.

Klamour schaut ihm nach: „Na dann, hoffen wir, dass sie es auch mögen."

Ronan kehrt rasch zurück: „Wir haben richtige Liebhaber gefunden, zumindest vor Sturmwind müssen wir die Kuchen verstecken."

„Na gut, dann lasst uns die Frage des Trinkens lösen." Cerjoc mahnt die anderen zur Eile.

Nach einigen Versuchen stellen sie fest, das Kräutertee geeignet ist. Das gekochte Wasser hält sich in der Sonne besser und die Kräuter sorgen, auch nach längerer Zeit noch, für einen annehmbaren Geschmack. Transportiert wird der Tee in Lederschläuchen.

Das Wetter hat umgeschlagen, Nebelschwaden hängen im Tal, es regnet leicht. Die Arbeit wurde deshalb komplett nach drinnen verlegt. Nur ab und zu gehen die Männer hinaus, an die frische Luft.

Endlich kommt Abos, er kennt Klamour nicht, deshalb zeigt er sich zunächst Cerjoc, als dieser sich alleine draußen aufhält.

Als Abos gelandet ist, begrüßt ihn Cerjoc überschwänglich: „Hallo mein Freund, komm rein ins Warme, wir haben schon auf dich gewartet."

„Seid gegrüßt, beste Grüsse vom König, seine Majestät hofft, dass es euch allen gut geht. Gisbert und Farib sind im Lager angekommen.

Gisbert geht es schlecht und leider geht es auch dem Ritter immer schlechter." Abos steigt von seinem Greif ab. „Geht es euch gut?"

„Ja, nur Flox hat sich erkältet, es hatte ihn schlimm erwischt, aber er ist bereits wieder auf dem Weg der Besserung. Es hat sich einiges ereignet, ich erzähle dir kurz was sich zugetragen hat..."

Schnell bringt er Abos auf den neuesten Stand, ehe er mit dem Zwerg und dem Vogel die Hütte betritt.

„Seht mal wen ich euch mitbringe, wir können weiterplanen", ruft er ins Hintere der Hütte. Klamour und Ronan kommen sofort angelaufen. „Darf ich vorstellen, das ist Klamour, du kennst ihn wahrscheinlich noch als Ehan, Klamour Abos, Abos Klamour und das ist Nuk ein Soms, ihr werdet euch bestens verstehen", stellt Cerjoc alle vor.

„Seid gegrüßt und herzlich willkommen, auch wenn der Anlass durchaus erfreulicher sein könnte", begrüßt Klamour den Ankömmling.

„Seid gegrüßt, Ihr seid tatsächlich Ehan? Ich habe viel von Euch gehört, wenn das kein gutes Omen ist." Abos freut sich sichtlich Ehan hier anzutreffen: „Wenn der Ritter Euch vertraut hat, können wir das eindeutig auch."

„Das empfinde ich als Kompliment, allerdings ist seither viel Zeit vergangen. Ich versichere Euch aber, dass sich an meiner Gesinnung nichts geändert hat, hoffentlich bin ich etwas weiser geworden."

Klamour schmunzelt: „Andererseits, ich glaube es nicht, der Reitunfall spricht eindeutig dagegen."

Dann wendet er sich an Nuk: „Zuerst sollten wir etwas trinken, Nuk veranlass das bitte."

Nepomuk, der am Kamin gelegen hat, steht auf, schwanzwedelnd begrüßt er Abos.

„Hallo, Nepomuk, sind auch alle artig?" Scherzhaft begrüßt er den Hund. „Nein iih, bitte nicht lecken, behalte deinen Waschlappen bei dir." Abos dreht sich weg, um der Wäsche durch die Hundezunge zu entgehen, alle lachen.

Da es nur zwei Stühle gibt, ziehen sie das Bett als Sitzgelegenheit an den Tisch. Nuk und Abos sind so klein, dass die Soms zwei ihrer kleinen Hocker bringen und beide auf dem Tisch sitzen.

114

„Übrigens sind wir alle per DU. Ich gehöre ja auch irgendwie dazu. Ich würde es begrüßen, wenn Ihr Euch dem auch anschließt", schlägt Klamour dem Zwerg vor.

„Das ist gut, zum Gelingen dieser Aufgabe müssen wir alle zusammenhalten."

Heute kann Abos nicht mehr starten, der Vogel braucht Ruhe, das Wetter ist schlecht geworden und außerdem wird es bald dunkel.

Es ist ein kalter Wind aufgekommen, die Wolken hängen jetzt tief, die Hütte liegt im Nebel. Klamour lässt die Decke vor dem Fenster herunter und befestigt sie. Es ist ohnehin so trüb, dass die dicke, gelbe Kerze auf dem Tisch für Licht sorgen muss. Im Kamin knistert ein Feuer, Klamour schaut zufrieden in die Runde.

„Wir haben es gemütlich und warm, wäre nur der Anlass erfreulicher."
Er seufzt: „Was soll's, wir haben viel zu besprechen?"

Auch Cerjoc genießt sichtlich den schönen Abend: „Es ist so nett, man könnte glatt den Ernst der Lage vergessen, schön wär's. Aber du hast Recht, Klamour, wir müssen die Welt retten, auch wenn sie es nicht weiß."

So haben sie Zeit beim Abendessen die weitere Vorgehensweise ausführlich zu besprechen. Es gibt gebratenes Wildfleisch, Brot, Gemüse, Eier und süße Kuchen, dazu Wein und Most.

Die drei erläutern Abos zunächst das Problem, dann ihren Plan. Abos macht ein besorgtes Gesicht, wie eigentlich immer. Heute aber hat er Recht, vor ihnen liegt ein Wagnis.

Abos wird mehrere Tage für den Flug bis zum Lager der Zwerge brauchen. Dort stehen dann ausreichend zahme Vögel zur Verfügung. Um die Nachricht an Dana zu überbringen noch einen Tag zusätzlich, er kennt sich ja nicht aus. Für den Rückweg vergeht die gleiche Zeit, also insgesamt viel zu lange.

Was unternehmen? Cerjoc überschlägt den Zeitaufwand: „Es lässt sich ein Tag sparen wenn der Besuch bei Dana verschoben wird oder ein anderer Zwerg bringt, geführt von Flox, die Vögel zur Hütte. Instruiert von Klamour könnte er die Versorgung aufnehmen. Abos könnte dann die Nachricht an Dana überbringen und anschließend nachkommen."

Abos macht ein ernstes Gesicht: „Es gibt da vielleicht noch eine Möglichkeit", murmelt er, „Irrlichter!"

„Irrlichter?", die anderen sind erstaunt. Ronan hat schon länger aufgehört sich zu wundern.

„Was sind Irrlichter und wie können sie uns helfen?", fragt er Abos deshalb ganz sachlich.

„Irrlichter sind kleine Wesen, wie sie genau aussehen, weiß ich nicht. Ich glaube sie haben tropfenförmige Körper, keine Beine. Im Gegensatz zu Glühwürmchen, die ihr Licht an und ausschalten können, leuchten Irrlichter immer. Sie können unheimlich schnell fliegen, allerdings gibt es zwei Schwierigkeiten. Zum einen können nur Feen mit ihnen sprechen, wir müssen also die Feenkönigin für unsere Sache gewinnen. Zum anderen können sie keine materielle Nachricht überbringen, sie müssen die Nachricht in den Himmel schreiben. Es muss also eine kurze Botschaft sein. Dafür würden sie aber nur einen Tag für die Reise zum Zwergenlager benötigen. Die Irrlichter würden die Nachricht an den Zwergenkönig überbringen, die Greifvögel sollen sich am Eingang zur Felsenschlucht mit mir treffen, dieser Ort ist bekannt und daher geeignet. Ich habe Zeit die Nachricht an Dana zu überbringen und dann an der Felsenschlucht die Vögel zu übernehmen. Die Wartezeit für euch würde sich erheblich verkürzen", Abos stöhnt, „vorausgesetzt es klappt alles."

„Ronan und Cerjoc könnten Proviant und Wasser mitnehmen und schon aufbrechen, bevor die Vögel wirklich da sind. Dies ist zwar ein Risiko und es könnte viel passieren, aber umso länger der Kristall in falschen Händen ist, umso größer das mögliche Unheil.

Es bleibt dann aber immer noch Wartezeit."

Klamour bemerkt nachdenklich, zu den Männern gewandt: „In diesem Plan sind so viele Unsicherheiten, da kommt es auf eine mehr oder weniger nicht mehr an. Also, wie wäre es, wenn Nuk euch mit seinem Esel begleitet. Sobald ihr die Wüste erreicht, kehrt er wieder um, aber er könnte bis dorthin einiges an Proviant für euch transportieren. Meiner Rechnung nach könntet ihr dann morgen schon aufbrechen. Nach zwei Tagen in der Wüste würdet ihr von Abos aus der Luft versorgt, vorausgesetzt alles klappt. Die Vögel sind ja schneller als ihr, sie nehmen den direkten Weg. Allerdings, wenn etwas nicht klappt zerbricht das ganze Gebilde und ihr könntet sterben. Wir wissen ja auch nicht, ob die Feen für diese Aufgabe Irrlichter zur Verfügung stellen. Sicherer ist es auf die Vögel zu warten, was meint ihr?"

Cerjoc sieht Ronan an, dieser entgegnet: „Wer nicht wagt, kann nicht gewinnen. Ich denke wir müssen es versuchen, versprecht mir nur, dass die Nachricht an Dana zugestellt wird."

Sie versprechen es.

Nun bleibt nur noch die Frage, ob es möglich ist, rechtzeitig genügend Nahrungskuchen herzustellen? Klamour sichert den Männern dies zu, zusammen mit den Somss wird er die ganze Nacht arbeiten.

Während Klamour und die Soms ihr Werk beginnen, begeben sich die anderen zur Ruhe, aber außer Nepomuk kann niemand wirklich gut schlafen.

VERBÜNDETE?

Am nächsten Morgen spricht niemand mehr über Risiken und Ängste. Abos startet mit Ronans Nachricht an Dana. Zunächst jedoch, muss er zu den Feen, um zu versuchen, diese zur Mithilfe zu bewegen und Irrlichter für das Überbringen der Botschaft zu erhalten.

Ronan, Cerjoc und Nuk beladen die Tiere, sogar Nepomuk bekommt einen kleinen Beutel. Sie brechen mit allen guten Wünschen von Klamour auf.

„Ich wünsche euch alles erdenklich Gute, kommt heil zurück, unsere Gedanken sind bei euch."

Cerjoc erwidert: „Danke, das können wir wirklich gebrauchen, wir werden unser Bestes geben, halte dich bereit unsere Versorgung sicherzustellen."

„Ihr könnt euch darauf verlassen, viel Glück."

Dann reitet die kleine Gruppe los, schon nach kurzer Zeit verschwinden sie aus Klamours Blick.

Klamour bleibt zurück, voller Sorge. Ja, natürlich, er muss die Nahrung und den Tee für die Versorgung aus der Luft sicherstellen, aber bis dahin? Bis die Vögel ankommen gibt es nichts außer Hoffen und Bangen, es möge alles so klappen, wie geplant. Die Soms werden ausreichend Nahrungskuchen backen und Tee kochen. Hoffentlich wird alles gut gehen. Plötzlich ist er unsicher, um sich abzulenken beschließt er beim Backen der Nahrungskuchen zu helfen. Die Soms sind darüber nicht unbedingt erfreut.

Während dessen beeilt sich Abos, zu den Feen zu gelangen. Er muss der Feenkönigin alles erklären, es gibt keine Möglichkeit sich vorher Anweisungen vom König zu holen. Diese Angelegenheit muss er auf eigene Faust meistern. Das ist ihm gar nicht recht, Abos ist ein treuer Untertan, aber selber die Verantwortung tragen, das ist eigentlich nichts für ihn. Auf dem Flug redet er, um sich selber Mut zu machen, mit seinem Greif.

„Hoffentlich kann ich die Feenkönigin überzeugen, ich kenne sie ja gar nicht, wie sie wohl ist? Wenn ich das falsch anfasse, wird später in der Geschichtsschreibung zu lesen sein, dass ein Zwerg das Schicksal der Welt besiegelt hat. Wie auch immer diese später dann aussieht. Vielleicht gibt es auch niemanden mehr, der etwas aufschreiben kann. Abos hat einen Klos im Hals. „Ausgerechnet ich als Diplomat, es gibt wohl kaum eine unpassendere Besetzung. Urks, womit habe ich das verdient."

Die Feen leben abgeschieden in einem großen Moor, dass sie zuverlässig vor ungebetenen Gästen schützt. Ihre Hauptstadt ist in einen großen, uralten Baum gebaut, der schon seit ewigen Zeiten auf einer trockenen Insel inmitten des Moores steht. Jetzt im Sommer trägt er sein üppiges grünes Laub. Auf der Insel im Moor gibt es bunte Blumen, es ist eine richtige Idylle.

Feen sind nur so groß, wie ein großer Schmetterling. Sie sind von zarter, filigraner Gestalt und können außerordentlich gut fliegen, auch ruhig in der Luft schweben. Ihr Wesen ist freundlich, aber sie bleiben normalerweise unter sich und sind sehr zurückhaltend. Nur mit den Irrlichtern leben sie in einer Gemeinschaft zusammen. Weil

118

die Feen so isoliert leben, ist es keine leichte Aufgabe ihre Mitarbeit zu gewinnen. Selbst wenn es sich nur darum handelt, durch die Irrlichter eine Nachricht zu überbringen. Sie sprechen, aufgrund ihrer geringen Größe, mit leiser, hoher Stimme. Man muss schon sehr genau hinhören, es hört sich an wie ein lieblicher Gesang.

Ihre gesamte Stadt ist in der Krone der großen, alten Eiche errichtet. Selbstverständlich wohnen nicht alle Feen in dieser Hauptstadt, aber hier ist der Sitz der Königin und deshalb muss Abos hier hin. Es gibt, was viele nicht wissen, männliche und weibliche Feen, ein ganzes Volk im Miniaturformat.

Als Abos sich dem Baum im langsamen Flug nähert, bemerkt er zunächst ein melodisches Summen. Hervorgerufen von unzähligen leisen, hohen Stimmen, der ganze Baum scheint zu summen. Als er näher kommt erschallt eine deutlich lautere Fanfare, ein Warnsignal.

Es ist Mittag, alle Feen sind geschäftig mit dem Mittagessen befasst, kleine Kelche mit süßem Nektar und kleine Brote aus Pollen, dazu Pflanzenteile, Samen und Früchte.

Abos wird bei seiner Ankunft von den Soldaten der Königin abwehrbereit erwartet. Der Greifvogel stellt für die zarten Feen durchaus eine Gefahr dar.

„Seid gegrüßt", Abos steigt von seinem Vogel ab. „Ich bin Abos, der Zwerg. Ich versichere euch, mein Vogel wird hier warten und niemandem etwas zu leide tun. Ich muss dringend bei eurer Königin vorsprechen, es ist wirklich sehr wichtig."

„Was ist dein Begehr, warum sollte sie Euch empfangen?", der Kommandant der Wache ist misstrauisch.

„Alle Wesen sehen sich einer grossen Gefahr gegenüber, meine Freunde und ich bekämpfen sie, benötigen aber eure Hilfe."

„Nun gut, ich kann das nicht entscheiden, aber ich werde es vortragen, obwohl ich nicht glaube, dass Ihre Majestät Euch empfängt. Die Probleme anderer gehen uns nichts an."

„In diesem Fall schon, ob ihr wollt oder nicht. Bitte, Ihr müsst unbedingt die Dringlichkeit übermitteln, ich bitte Euch."

„Na gut, Ihr wartet hier, rührt Euch nicht vom Fleck. Ich ersuche darum, dass die Königin Euch empfängt." Der Anführer der königlichen Garde, tritt bestimmt auf und strahlt Würde aus, für eine Fee ist er sehr beleibt. Die Soldaten sind mit gelb-braunen Uniformen bekleidet, sie tragen Helme aus sorgsam zurecht geschnitzten halben

Nussschalen. Abos bindet seinen Vogel fest und muss sich dann auf einen kleinen Ast setzen, er und sein Vogel werden streng bewacht, die Soldaten sind mit langen Dornen bewaffnet. Nach einer Ewigkeit kommt der Bote zurück und macht seinem Anführer Meldung.

Dieser kommt zu Abos: „Ihre Majestät wird Euch nach dem Mittagessen empfangen. Wir gehen besser schon los, Ihr könnt ja nicht fliegen."

Begleitet von mehreren Soldaten macht sich Abos auf den Weg, er muss über Äste klettern, weit hoch, fast in den Gipfel. Dabei muss er sehr aufpassen die kleinen Treppen und Plattformen der Feen nicht versehentlich zu zerstören.

Nachdem sie vor dem Palast angekommen sind, heißt es für Abos wieder warten. Er nutzt die Zeit sich umzuschauen.

Der Palast befindet sich in einer geräumigen Höhle im Stamm der alten Eiche. Der Eingang ist mit Schnitzereien und feinen Stoffen, gewebt aus edler Seide, verziert. Die Feen halten Seidenraupen, die die benötigten Rohstoffe liefern. Gefärbt werden die Stoffe mit Pflanzensäften. Selbst für Abos ist der Eingang zu niedrig. Er hat keine Ahnung wie es drinnen aussieht und ob er sich dort aufrichten könnte. Hoffentlich bemüht sich die Königin nach draußen. Der Vorplatz ist geräumig, auf dem starken Ast ist eine Holzkonstruktion aufgebracht, darauf ist aus polierten, verschiedenen Hölzern das Wappen der sehr beliebten Herrscherdynastie als Intarsie gelegt. Dargestellt ist eine Lilienblüte mit einem Bogen aus funkelnden Sternen, eine sehr schöne, filigrane Arbeit. Rund um die große Plattform, auf der auch Abos genügend Platz findet, sind Masten aufgestellt. Diese Masten tragen kleine Podeste mit weichen Kissen. Abends nimmt auf jedem Mast ein Irrlicht Platz, sie tauchen den gesamten Platz in helles, aber romantisches Licht. Auch auf anderen Ästen sind solche Podeste angebracht, abends leuchten viele Lichter, so dass der ganze Baum funkelt.

Weiter kommt der Zwerg mit seinen Betrachtungen nicht, denn in diesem Augenblick wird die Königin aus der Höhle getragen. Augenblicklich versinken alle in einer tiefen Verbeugung, auch Abos kniet nieder und nimmt seinen Hut ab.

Mit einer Fanfare wird die Ankunft der Königin angekündigt. „Ihre Majestät, Königin Mirabell die Vierte."

120

Die Königin entsteigt würdevoll ihrer Sänfte, es handelt sich um ist eine zierliche Person, noch ziemlich jung. Gekleidet ist sie eher sparsam, aber geschmackvoll in Seide. Sie trägt ein schulterfreies Oberteil, einen bodenlangen Rock aus gelber Seide und einen weiten, weißen Umhang, ein Hauch von durchsichtigem Tüll mit einem hoch aufgestellten, breiten Kragen. Ihr blondes Haar ist zu einer kunstvollen Frisur aufgesteckt und mit kleinsten Blüten verziert. Eine kleine Krone aus Silber unterstreicht ihre Stellung. Sie spricht Abos an: „Was führt Euch zu uns? Ich hörte, es sei wichtig."

„Ja", Abos ist so fasziniert von ihrer Erscheinung, dass er Schwierigkeiten hat, die richtigen Worte zu finden.

Endlich sagt er: „Thyros hat den magischen Kristall gestohlen und beabsichtigt die ganze Welt zu unterjochen. Nichts wird so bleiben wie es ist. Deshalb wollen Ronan und Cerjoc den Stein zurückholen. Verzeihung Ronan ist ein Ritter, Cerjoc sein Knappe."

Nach dieser kurzen Vorstellung, fährt er fort: „Vor ihnen liegt eine große, lebensfeindliche Wüste, sie müssen diese durchqueren. Dies ist nur mit einer Versorgung aus der Luft möglich, dazu benötigen wir mehrere Greifvögel. Der Zwergenkönig muss uns diese schicken. Ich habe nicht genug Zeit hinzufliegen und bitte Euch daher inständig, die Nachricht durch Irrlichter in das Lager der Zwerge im Wald von Ork überbringen zu lassen."

Die Königin lässt ihn aussprechen, aber dann antwortet sie: „Ihr wisst, dass wir Feen uns nie in fremde Angelegenheiten einmischen, ich bedauere, ich kann Euch nicht helfen."

Sie dreht sich um und ist im Begriff wieder in die Sänfte einzusteigen. Noch einmal wird Abos keine Audienz erhalten, dessen ist er sich bewusst. Das kann er so nicht akzeptieren, seine Freunde sind bereits unterwegs, er kann es ohne Hilfe nicht rechtzeitig schaffen. Ronan und Cerjoc sind in höchster Gefahr, wenn er, Abos versagt. Verzweifelt sucht er nach einem Ausweg, es will ihm aber nichts Brauchbares einfallen. In seiner Verzweiflung, nimmt er die Königin hoch und setzt sie auf sein Knie, ein ungeheuerliches, unangemessenes Betragen. Augenblicklich bohren sind die Lanzen der Leibgarde wie Nadeln in seinen Körper.

„Was fällt Euch ein, ich bin empört." Die Königin regt sich auf und stemmt energisch die kleinen Hände in die Hüften.

„Es tut mir leid, aber dafür habe ich keine Zeit, empören könnt Ihr Euch später. Aber wenn wir die Welt jetzt nicht retten, müsst Ihr Euch damit sehr beeilen. Ihr müsst uns einfach helfen, außerdem geht die Sache alle an, auch das Volk der Feen, bitte." Abos spricht aufgeregt und mit hochrotem Kopf. Dann setzt er die Königin vorsichtig wieder ab, damit ihr ja nichts geschieht. Die Königin, sichtlich beeindruckt von dieser Leidenschaft bedeutet den Wachen ihre Lanzen zurückzunehmen.

Sie hat einen hochroten Kopf, indem sie ihre Kleider und ihr Haar ordnet, gewinnt sie etwas Zeit.

„Wie ist Euer Name noch?", fragt sie Abos schließlich.

„Ich bin Abos, der Zwerg, Majestät."

„Ihr arbeitet mit den Menschen zusammen, höchst ungewöhnlich."

„Das stimmt, aber wir haben gute Erfahrungen gemacht", sofort schränkt er ein, „zumindest mit einigen Menschen, aber das ist eine längere Geschichte, dafür haben wir jetzt keine Zeit. Die Dinge haben sich verändert, jetzt erfordert es die Situation, dass alle zusammen helfen, die die Freiheit lieben. Thyros ist machthungrig, profitgierig und gewissenlos, helft uns ihn aufzuhalten, damit er uns nicht alle vernichtet."

„Ich kenne diesen Thyros nicht und bezweifle, dass er von uns weiß und irgendein Interesse an uns hat."

„Das spielt keine Rolle, es wird euch betreffen, glaubt mir. Die verheerenden Auswirkungen lassen sich bereits allerorts feststellen."

„Du meinst also, die Angelegenheit geht auch uns an, in wiefern?"

Abos ist erleichtert, er hat sie erreicht, sie denkt über die Situation nach.

„Thyros hat bereits damit begonnen durch Manipulation des Wetters Katastrophen hervorzurufen, Dürren, Hochwasser und Stürme vernichten die Ernten."

„Ja", unterbricht ihn die Feenkönigin aufgeregt, „wir haben das seltsame Wetter auch bemerkt und auch die Feen sind betroffen, die Ernte ist eine Katastrophe. Wir kennen den Grund nicht und waren bisher der Meinung, es ist ein besonders schlechtes Jahr. Meint Ihr etwa, dieser Thyros verursacht das?"

„Ganz sicher sogar. Ich glaube zwar nicht, das Thyros ein Interesse an dem Volk der Feen im Besonderen hat. Bedrohen und im schlimmsten Fall töten wird euch sein Größenwahn trotzdem. Wenn auch nur als

Nebeneffekt, das Ergebnis ist das gleiche. Sollte er aber von eurer Existenz erfahren, wird er euch vermutlich versklaven und als niedliche kleine Trophäen halten."

Mirabell denkt kurz nach, es schüttelt sie: „Das wäre ja schrecklich, unvorstellbar, aber sagt mal, wäre es nicht einfacher die Menschen senden eine schlagkräftige Armee aus, um dieses Problem zu lösen. Zwei Menschen und ein Zwerg, entschuldige, dass ich es so direkt sage, sind wohl kaum in der Lage viel auszurichten."

„Auf den ersten Blick scheint es so, aber eine Armee ist viel zu anfällig und durch heftige Wettereinflüsse leicht zu zerstören. Außerdem hat kaum jemand Kenntnis über den magischen Kristall und so muss es auch bleiben, die Versuchung wäre einfach zu groß."

„Was macht dich so sicher, dass wir Ronan und Cerjoc vertrauen können?"

„Die beiden helfen dem Volk der Zwerge schon seit Jahren, den Kristall zu bewachen, selbstlos, sie sind absolut vertrauenswürdig." Den Tausch der Männer lässt er wissentlich weg, es soll nicht zu kompliziert werden.

„Wenn das so ist, haben sie versagt, der Kristall wurde doch gestohlen."

Abos hat nicht erwartet, dass diese kleine Person so scharfsinnig ist. Er wollte sich eigentlich die Zeit für lange Erklärungen sparen. Jetzt aber fühlt er sich genötigt ausführlich zu erläutern. „Darf ich Majestät kurz erklären ..."

Er versucht ihr die Situation zu erläutern und sie zu überzeugen. Als er geendet hat, scheint sie beeindruckt zu sein. Sie Schweigt zunächst und versucht in seinem Gesicht zu erforschen, ob er es ehrlich meint. Schließlich sagt sie leise: „Hmmm, wenn Ihr das sagt..."

Mirabell wird erneut sehr nachdenklich.

„Wer ist eigentlich dieser Thyros? Ich kenne ihn wie gesagt nicht, aber er scheint wirklich grausam und herzlos zu sein."

Abos wird etwas ungeduldig: „Es ist auch besser, dass Ihr ihn nicht kennt, glaubt mir, Majestät. Nur so viel, Thyros ist ein skrupelloser, machtgieriger Emporkömmling, er geht über Leichen, um sein Ziel zu erreichen."

„Aber er ist auch ein Mensch?"

Diese ständigen Wiederholungen und Nachfragen nerven Abos allmählich, kann sie ihm nicht einfach glauben. Er möchte doch nur ein paar Irrlichter ausleihen, da vergibt sie sich doch nichts.

Trotzdem antwortet er natürlich höflich: „Ja, das stimmt leider, das macht es deutlich schwieriger, meinen Freunden zu vertrauen."

„Hmm", sie wiegt nachdenklich den Kopf hin und her, „HNun gut, ich werde das mit meinen Beratern besprechen, würdet Ihr bei dieser Beratung anwesend sein und Eure Worte wiederholen?"

„Gerne, was immer notwendig ist, um Euer Vertrauen zu gewinnen, meine Freunde befinden sich andernfalls in höchster Gefahr."

„Bitte ruft meine Berater zusammen!", die Diener fliegen, aufgrund dieses Befehls, sofort in alle Himmelsrichtungen davon. In kürzester Zeit finden sich alle Berater und Würdenträger auf dem Platz ein. Abos darf seine Bitte nochmals vortragen, er erläutert auch die Situation und wiederholt seinen dringenden Appell.

Als er geendet hat, sagt die Sprecherin der Königin: „Ihre Majestät wird sich jetzt mit den hochehrwürdigen Beratern zurückziehen, wartet hier."

Die Königin steigt in ihre Sänfte und verlässt mit Ihren Beratern den Vorplatz, sie gehen in den Palast.

Abos wartet schon wieder, die Zeit brennt ihm unter den Nägeln, warum dauert bei Politikern immer alles so lange?

Endlich kommt die Sprecherin zurück. Feierlich stellt sie sich auf, Fanfarenbläser kündigen die königliche Verlautbarung an.

„Hiermit verfüge ich, Königin Mirabell die IV., dass ich beschlossen habe, Euren Worten zu glauben. Ich stelle eine Bedingung, Ihr müsst einen Gesandten und zwei Irrlichter mitnehmen, ich wünsche den Kontakt zu halten und stets über den Fortgang des Unterfangens auf dem Laufenden gehalten zu werden.

Im Gegenzug erhaltet Ihr die Erlaubnis eine kurze Textbotschaft von maximal sechs Worten zu verfassen. Die Irrlichter werden diese Botschaft an den Zwergenkönig im Wald von Ork überbringen. Wenn Ihr den Bedingungen zustimmt sagt uns, was die Irrlichter ausrichten sollen."

Abos überlegt kurz, dann diktiert er,

„ACHT VÖGEL SCHICKEN EINGANG FELSENSCHLUCHT SCHNELL."

Die Sprecherin fliegt wieder in den Palast.

124

Nach einiger Zeit kommt ein Feenjunge auf Abos zu, zwei Irrlichter sitzen auf seinem Arm.

„Seid gegrüßt, Herr Zwerg, ich bin Nill und werde Euch zusammen mit diesen beiden Irrlichtern begleiten."

„Seid gegrüßt", Abos ist sehr nervös, „wir müssen uns beeilen, warum dauert alles so lange?"

Nill zuckt mit den Achseln: „Politiker halt, da kann man nichts machen."

Nach einiger Zeit kehrt die Sprecherin der Königin zurück.

„Ich soll Euch ausrichten, das Volk der Feen bedankt sich für euren Einsatz, die Nachricht wird bereits morgen im Lager eintreffen. Viel Glück."

„Richtet meinen ergebensten Dank aus, wir werden unser Bestes geben." Dann machen sich Abos und Nill eilig auf den Weg.

Als Abos, Nill und die Irrlichter fort sind, befällt die Feenkönigin eine starke Unruhe. Sie lässt den Rat nochmals einberufen.

„Liebe Ratsmitglieder, die Worte des Zwergs lassen mir keine Ruhe, ich brauche Gewissheit. Wir sollten Irrlichter in alle Himmelsrichtungen aussenden, sie sollen nach allem Ausschau halten, was Abos' Aussagen untermauern könnte. Ich bin mir nicht sicher, was ich mir wünschen soll, stimmen Sie diesem Plan zu?"

Darauf folgt eine kurze hitzige Diskussion. Mirabell sitzt auf ihrem Thron, sie wirkt blass und noch zerbrechlicher als sonst.

Nach einiger Zeit ergreift der Älteste und Sprecher des Rates das Wort.

„Majestät, in der Tat wünscht auch die Mehrheit des Rates eine genauere Kenntnis über die allgemeine Lage, deshalb stimmen wir der Entsendung der Irrlichter zu, ausdrücklich aber nur als Beobachter."

So geschieht es. In Gruppen von jeweils drei werden die Irrlichter in alle Richtungen ausgesandt, um Eindrücke aus allen Gegenden zu sammeln.

Schon nach kurzer Zeit kommen die ersten zurück, sie bestätigen die Erzählung des Zwerges. Verheerende Zustände herrschen in der Welt, es ist sicher nur eine Frage der Zeit, wann das Volk der Feen noch mehr als bisher, die Auswirkungen spüren wird.

Die Königin ruft abermals den Rat zusammen. „Liebe Ratsmitglieder",
sie räuspert sich und sucht nach Worten, „es sind zwar längst noch
nicht alle ausgesandten Irrlichter zurückgekehrt, aber alle, die bisher
zurückkamen, berichten übereinstimmend von verheerenden
Zuständen. Wir sollten daher überlegen, ob wir vorsorglich die
Nahrungsspeicher erweitern sollten und mehr Gewicht auf das
Einlagern größerer Nahrungsmengen legen. Sollten Ronan und
Cerjoc erfolgreich sein, um so besser, wir verlieren nicht viel, aber das
Volk verlässt sich auf uns, wir sollten vorbereitet sein."
Als die Königin geendet hat, entbrennt abermals eine hitzige
Debatte.
Jemand ruft laut in die Runde:„Überreagieren wir nicht, solch eine
Bevorratung lässt sich nicht heimlich bewerkstelligen, es werden
Fragen aufkommen, im schlimmsten Fall Angst und eine Panik
entstehen."
Die Diskussion wogt hin und her, alle Argumente haben ihre
Berechtigung. Es ist erstaunlich wie leidenschaftlich die zarten Feen
diskutieren, das Für und Wider wird abgewogen. Schließlich ergreift
Mirabell wieder das Wort, augenblicklich verstummen alle
Gespräche.
„Ich habe mir alle Argumente angehört, eigentlich haben beide Lager
recht, die Befürworter meines Plans ebenso wie die Gegner, die
ebenfalls gute und richtige Argumente haben. Trotzdem entscheide
ich wie folgt. Der Besuch von Abos, sowie das Aussenden der
Irrlichter haben bereits zu Unruhe unter dem Volk geführt. Ich werde
die Bevölkerung durch eine offizielle Bekanntmachung informieren,
um den Gerüchten Einhalt zu gebieten. Darüber hinaus ordne ich an,
alle nur denkbaren Vorkehrungen zu treffen, für den Fall, dass Ronan,
Cerjoc und Abos versagen. Ihr, verehrter Ältester des Feenrates
plant, organisiert und überwacht alles notwendige und erstattet mir
täglich Bericht, der Rat kann sich auflösen."
Die Königin zieht sich in ihre Gemächer zurück, es kehrt wieder Ruhe
ein in der großen Eiche.

Währenddessen kommt die kleine Gruppe um Ronan zunächst sehr
gut voran. Sie reiten sehr vorsichtig, das letzte was sie brauchen
können, ist ein lahmendes Pferd.

126

Auch in freier Wildbahn ist das für ein Pferd eine Katastrophe. Deshalb hat die Natur Pferde mit einer unglaublichen Trittsicherheit ausgestattet, der Reiter sollte sich heraushalten, sich dem Tier voll und ganz anvertrauen.

Der Weg führt sie zunächst den Hang hinunter, dann folgen sie dem Gebirgstal. Schließlich verlassen sie dieses über einen Bergsattel.

Durch eine beeindruckende Bergkulisse geht es auf beschwerlichen Wegen, bergauf und bergab Richtung Wüste.

Am Abend bevor sie die Wüste erreichen, tobt ein schweres Unwetter. Sie finden keine schützende Höhle, alle kauern eng zusammen unter einer großen Tanne. Nuk und Flox sind deutlich im Vorteil, durch ihre Kleinheit bleiben sie vollkommen trocken, können sich sogar ausstrecken und Karten spielen. Ronan und Cerjoc versuchen vor allem die Nahrungskuchen trocken zu halten.

Der Sturm fegt durch das Tal, ein Unwetter entlädt sich, der Regen prasselt auf die Freunde nieder.

„In der Wüste werden wir gerne an den Regen zurückdenken", sagt Ronan sarkastisch, aber das kann niemand wirklich aufmuntern.

Flox wendet sich höhnisch an die Männer: „Also ich finde es ganz gemütlich, ich weiß gar nicht was Ihr habt." Das ändert sich schlagartig, als das Wasser sich einen Weg auf dem Boden sucht. Flox klettert schnell an Ronan hoch.

Dieser lacht: „Ich dachte du findest es hier gemütlich."

Flox antwortet nicht, stattdessen verzieht er sich in seinen Beutel.

Erst als das Gewitter vorbei ist, schlafen alle ein.

DER PLAN

Nach seinem Erfolg bei den Feen macht Abos sich auf, um Ronans Nachricht an Dana zu überbringen.

Dana träumt derweil von Ronan, dem jungen Mann, den sie nur zu kurz kennen gelernt hat. Seid sie diese Begegnung hatte, lehnt sie alle, auch sehr lukrative, Heiratsanträge ab. Sinnvoll ist das nicht, kennt sie Ronan doch nicht und seit ihrer kurzen Begegnung hat sie auch nichts mehr von ihm gehört. Sie sagt sich oft, dass es töricht sei, aber irgendwie kann sie nicht anders. Wie es Ronan gewünscht hat, weiß niemand davon, sie ahnt nicht, welche Gefahr ihr deshalb droht. Farah, die erste Magd auf dem Hof, ist heute besonders übellaunig. Ihre, auch ansonsten griesgrämige Art hat bereits tiefe Furchen in das Gesicht der doch jungen Frau gegraben. Sie hat eine pummelige Figur und dicke rote Arme und Beine. Ihre dünnen, blonden Haare, sind straff nach hinten gekämmt und zu einem festen Knoten gebunden ist, dadurch wird ihre strenge, herrische Art noch verstärkt. Ihre größte Sorge ist, wann wird Dana endlich heiraten und aus dem Haus verschwinden. Dann ist für Farah der Weg frei, um den Bauern endgültig zu umgarnen und in der Stellung aufzusteigen.

Es dauert ihr einfach zu lange, deshalb schmiedet sie einen perfiden Plan. Sie benötigt ein Gift das langsam wirkt, Dana soll zunächst schwach und krank werden, irgendwann wird sie dann sterben. Sie, Farah könnte sich als Helferin in der Not bei dem Bauern unverzichtbar machen, niemand würde Verdacht schöpfen. Diese dumme Dana hätte einen der Anträge annehmen sollen, sie ist selber schuld, ja genau.

Morgen wird sie zu der Kräuterhexe im Wald gehen, diese kennt das richtige Mittel. Farah hat ein bisschen gespart, den Rest wird sie in einem günstigen Moment aus dem Schreibtisch des Bauern "borgen". Sie redet sich ein, es wäre ja auch in seinem, in Bauer Eirics, Sinne. Sie weiss genau, dass es eigentlich unrecht ist, aber wie viele Täter zimmert sie sich Argumente zurecht, die ihre Handlungsweise rechtfertigen sollen.

Am nächsten Tag bestiehlt sie Eiric und geht dann in den Wald, zu der Kräuterhexe. Diese ist zunächst nicht da und Farah muss warten. Die Kräuterhexe wohnt in einer kleinen Hütte, hinein zu gehen und in der Hütte zu warten, traut Farah sich nicht.

Unheimlich ist es hier, in den Bäumen sitzen Raben und Eulen und beobachten das Mädchen. Sie bildet sich alles Mögliche ein.

Die Hütte steht auf einer kleinen Lichtung im Wald, umgeben von hohen Tannen. Es dringt kaum Sonnenlicht bis zum Boden durch, es ist daher fast egal, ob es trüb oder sonnig ist. Farah wartet, sie zieht ihre Strickjacke eng um den Körper, als würde sie das in irgendeiner Form schützen. Die Raben krächzen heiser, Farah würde am liebsten davonlaufen, aber sie ist fest entschlossen, sie braucht das Gift.

Endlich kommt die Hexe. Lucinda ist eine junge, schlanke, rothaarige Frau, sehr attraktiv. Einige Männer aus dem nahegelegenen Dorf wissen das durchaus zu schätzen, natürlich nur heimlich. Zugeben würde das niemand, sie geben alle nach außen hin die ehrlichen Ehemänner.

Lucinda hat grüne Augen, ein geheimnisvolles Lächeln und lange, wallende Haare. Sie trägt weite Kleider aus leichten Stoffen in erdigen Farben. Diese Kleider betonen immer ihre tadellose Figur.

Ihre zierlichen Füße stecken in Sandalen, im Haar trägt sie eine vergoldete Spange, das Geschenk eines wohlhabenden 'Besuchers'.

Da sich Lucinda auch auf Kräuter und Tinkturen versteht, nehmen die Dorfbewohner ihre Dienste auch in dieser Hinsicht, von Zeit zu Zeit, gerne in Anspruch.

Durch Ereignisse der Vergangenheit ist Lucinda sehr misstrauisch geworden. Nur ihre oben erwähnten Qualitäten bewahrten sie davor, auf dem Scheiterhaufen zu sterben. Sie kann es sich einfach nicht erlauben jemanden abzuweisen, egal welches Begehr er hat. Ihr Leben hängt ständig vom Wohlwollen der Dorfbewohner ab, jemanden zu erzürnen ist sehr gefährlich. Deshalb leistet sie sich keinerlei moralische Bedenken, sie macht alles, wenn nur genug gezahlt wird.

„Ich grüße dich, was kann ich für dich tun. Bist du nicht eine Magd von Eirics Hof?"

„Das ist richtig, ich heiße Farah und benötige ein Gift, dass langsam und unauffällig tötet, Dana, die Tochter des Hauses, muss verschwinden, damit ich den Bauern endgültig erobern kann. Sie ist mir dabei im Weg, aber der Verdacht darf nicht auf mich fallen, hörst du?"

Sie hört sich alles an, ohne eine Gefühlsregung zu zeigen.

„Was genau willst du erreichen?"

„Dana soll langsam kraftlos und krank werden und schließlich sterben. Niemand soll herausfinden können, woran und es darf auf keinen Fall mit mir in Verbindung gebracht werden. Ich möchte mich während

Dana krank ist, bei dem Bauern unentbehrlich machen, damit er mich am Ende heiratet und ich Bäuerin werde."

Lucinda ist insgeheim entsetzt über Farahs Durchtriebenheit, zeigt ihr dies aber natürlich nicht, „Da habe ich genau das Richtige, aber es wird dich einiges kosten."

Farah beeilt sich zu sagen, dass dies kein Problem sei.

„Gut, dann lass uns nachdenken, wie du dies bewerkstelligen kannst. Bereitest du für Dana das Essen zu?"

„Ja meistens, zumindest richte ich das Frühstück", antwortete Farah. Lucinda dreht sie sich um und tritt an einen wackeligen Tisch. Sie mischt einige Flüssigkeiten aus verschiedensten kleinen Krügen zusammen. Farah will gar nicht wissen, was es genau ist. Als Lucinda fertig ist, füllt sie die Flüssigkeit ab und reicht Farah das Fläschchen.

„Sehr gut", sagt sie zufrieden zu sich selbst, „gib einfach täglich höchstens zwei Tropfen von diesem Elixier in den Hirsebrei. Mehr darfst du nicht nehmen, denn es schmeckt bitter und sie würde es merken. Es würde dann auch zu schnell gehen und Verdacht erregen."

„Wird es auch sicher wirken?"

„Todsicher", Lucinda lacht über dieses Wortspiel.

„Pass gut auf und mach' keinen Fehler!"

Wo sie schon einmal da ist, nimmt Farah gleich noch ein Elixier mit, zur Stärkung für sich selbst.

Lucinda warnt sie nochmal eindringlich beides ja nicht zu verwechseln, das könne schlimme Folgen haben. Farah verspricht achtsam zu sein, verabschiedet sich und geht eilig wieder nach Hause, froh den Wald hinter sich lassen zu können.

Zu Hause angekommen stellt sie die Flaschen auf das Bord der Anrichte in der Küche und versteckt sie sorgsam hinter Geschirrstapeln. Die Flaschen sind ordentlich beschriftet, Lucinda kann, durchaus unüblich, lesen und schreiben. Farah kann aber nicht lesen, um den Inhalt, der vollkommen gleich aussehenden Flaschen nicht zu verwechseln, hängt sie um die Flaschenhälse jeweils ein farbiges Schild, gelb für ihr Stärkungsmittel, rot für das Gift.

Am nächsten Morgen beginnt sie sogleich, ihren Plan umzusetzen.

Sie rührt zwei Tropfen des Giftes in Danas Hirsebrei, genau wie ihr Lucinda geraten hat.

Jetzt muss sie nur Geduld haben, niemand ahnt etwas.Abos und Nill fliegen erst in großer Höhe eine Runde über den Hof, um sich einen Überblick zu verschaffen. Dann landen sie unbeobachtet auf dem Hofbaum, einer stattlichen Linde, inmitten des Platzes. Als sie ankommen ist es später Nachmittag, sie haben also noch etwas Zeit sich umzusehen, während sie auf die Dämmerung warten. Es handelt sich um einen L-förmig gebauten Hof. Er besteht aus dem Wohnhaus, einem zweistöckigen Fachwerkhaus und den daran angebauten Wirtschaftsgebäuden. Auf einer offenen Seite wird der Hof durch einen kleinen Rosengarten und einen großen Gemüsegarten begrenzt. Auf der anderen Seite stehen getrennt von den anderen Gebäuden der Schaf- und der Hühnerstall. Ansonsten öffnet sich der Hof hin zu üppig blühenden Obstwiesen. Der Weg, aus dem Dorf kommend, geht auf dieser Seite in den Hof über. Es ist ein grosser Hof, der auf den Wohlstand seines Besitzers schließen lässt. Um diese Zeit herrscht geschäftiges Treiben, keiner der Mägde und Knechte beachtet einen im Baum sitzenden Vogel und keiner bemerkt, wie sich Abos eine Karotte aus dem Gemüsegarten stibitzt, um die Wartezeit zu verkürzen.

Kauend erklärt Abos Nill seinen Plan: „Sobald es dunkel wird, fliege ich auf das Hausdach hinüber und versuche den Brief zu überbringen, du wartest inzwischen hier."

Nill beschäftigt sich mit seinem Stückchen der Karotte, er nickt ohne Abos anzuschauen.

Abos und Nill essen erst in Ruhe und beobachten dann die Menschen bei ihrer Arbeit. Als es dunkel zu werden beginnt, fliegt Abos hinüber auf das Hausdach, steigt von seinem Vogel ab und klettert an den Ranken des Efeu hinunter.

Das erste Zimmer, in das er hineinschaut, gehört einem Mann. Er zieht sich gerade um, als es klopft und ein junges Mädchen das Zimmer betritt, ohne ein 'herein' abzuwarten.

Sie ist überhaupt nicht scheu und angesichts des halb bekleideten Mannes, kein bisschen verlegen.

Ist das Dana? Da sagt der Mann: „Hallo Farah, ist das Essen schon fertig?"

Das ist also nicht Dana. „Was ein Glück", murmelt Abos erleichtert. Dieses Trampel, das hätte ihn schon gewundert.

Aber wie geht es jetzt weiter, ratlos sitzt Abos außen auf dem Fenstersims. Gleich ein Treffer, das wäre zu schön gewesen. Eiric und Farah beachten das Fenster nicht, ein Hund oder eine Katze sind glücklicherweise nicht anwesend. Farah umarmt und küsst Eiric, dieser befreit sich aus ihrer Umarmung. „Geh jetzt lieber, wir sehen uns nachher wieder hier!" Abos horcht auf, so ist das also, interessant, der Bauer vergnügt sich mit der Magd.

Farah geht und einige Minuten später klopft es erneut. „Hier hat man nie seine Ruhe", Eiric ist inzwischen vollständig bekleidet. „Herein!" Dieses Mal wird höflich das „herein" abgewartet. Eine junge Dame betritt das Zimmer, liebreizend und schön. Sie ist einfach, aber sehr adrett gekleidet, eine Augenweide. Sie trägt ein kariertes Kleid, eine dunkelgrüne Schürze, passend zum Karo des Kleides und dazu eine wollweiße Bluse, Eiric scheint zu gefallen, was er sieht.

„Hallo Dana, was gibt es?", spricht Eric das Mädchen an.

Abos macht große Augen. DAS ist sie also, Abos kann Ronan jetzt sehr gut verstehen. Ihm gefällt Dana auch, er findet sie auf Anhieb sympathisch. Dieser Umstand wird ihm helfen seine Aufgabe zukünftig zu erfüllen.

„Wir müssen das Dach vom Schafstall ausbessern, es regnet hinein. Ich habe mir das schon mit einem der Knechte angeschaut, es dürfte mit einigen Brettern und Nägeln getan sein. Wir brauchen das neue Dach in jedem Fall vor dem Winter. Gibst du deine Zustimmung?"

„Du meinst, das ist notwendig, du weißt, die Zeiten sind schlecht und eine Ausgabe, sei sie noch so gering würde ich gerne vermeiden."

Dana erkennt, dass sie ihren Vater überzeugen muss.

„Wir könnten die Ziegen mit im Schafstall unterbringen, sie vertragen sich und alle hätten es wärmer. Wir brauchen dann nur ein Gebäude in Stand zu halten, anders herum geht es nicht, der Ziegenstall ist zu klein."

„Du hast Recht, so machen wir es. Aber dann so schnell wie möglich, damit der nächste Sturm den Schaden nicht noch größer werden lässt!"

Einer der Knechte soll möglichst bald damit anfangen. Kleines, was täte ich nur ohne dich, komm lass uns zum Essen gehen."

Beide verlassen zusammen das Zimmer.

Auf der einen Seite ist Abos froh, dass er jetzt weiß, wie Dana aussieht. Anderseits macht ihn dieses Gespräch besorgt, wenn selbst ein Großbauer schon solch große Zukunftsängste hat.

Da ist sie also wieder, diese allgemeine Angst, die Menschen befallen zu haben scheint und lähmt, sie müssen sich beeilen.

Abos beschließt in andere Fenster zu schauen, jetzt wo alle beim Essen sind, dürfte dies relativ gefahrlos möglich sein.

Er findet ein kleines Zimmer, es liegt am Ende des Hauses und hat deshalb zwei kleine Fenster und eine Balkontür. Die Fenster haben Glasscheiben, ein großer Luxus. Am Balkon vermischt sich der Efeu mit einer Kletterrose und schmückt sich mit deren Blüten.

Drinnen ist alles sehr ordentlich und sauber.

Neben der Tür steht einladend das Bett, auf der anderen Seite ein Bauernschrank, daneben sind die Balkontüre und eine Kommode. An den Fenstern saubere, mit Weißstickerei, verzierte Vorhänge. Auf der Kommode steht die Zeichnung einer Frau, die Ähnlichkeit mit Dana ist auffällig. Wenn dieses Bild Danas Mutter darstellt, hat er das richtige Zimmer gefunden, aber er muss ganz sicher sein.

Also sucht er eine Ecke auf dem Balkon und wartet. Dabei schläft er ein und wird abrupt aus dem Schlaf gerissen, als die Balkontür geöffnet wird und ein Hund heraus stürmt. Abos zwängt sich durch das Geländer, sein verflixter Bauch, warum isst er immer so viel Kuchen. Er sticht sich an einem Rosendorn, als er sich im Efeu versteckt. Das war knapp, er ist geschockt und atmet schwer. Erst jetzt nimmt er sich die Zeit, sich genau umzuschauen. Dana tritt soeben auf den Balkon und sagt zu dem Hund: „Komm lass' die Vögel schlafen, Lea. Lea ist also der Hund, fast noch ein Welpe. Sie hat noch viel zu große Pfoten und ein schwarzes, kurzes Fell. Lea hat ein niedliches Gesicht und einen frechen Blick. Dies täuscht Abos aber nicht, Lea wird ihn jagen und damit verraten. Ob sie Abos töten würde, wenn sie ihn erwischt, ist angesichts ihrer Jugend fraglich, ein Unglück wäre es in jedem Fall.

Dana glaubt wie alle anderen Menschen fest daran, dass Zwerge ins Fabelreich gehören. Zum Glück zieht sie überhaupt nicht in Betracht, dass es etwas anderes gewesen sein könnte als Vögel, die Lea verbellt hat. Sie nimmt die junge Hündin liebevoll auf den Arm und trägt sie ins Bett. Lea vergisst über diese Wonne, den seltsamen Geruch, den sie draußen in die Nase bekam.

Dana liebt den Welpen über alles. Ihre treue Hündin ist bei der Geburt der Welpen gestorben. Lea hat als einzige überlebt. Dana hat Lea gezwungenermaßen mit der Flasche aufgezogen, daher rührt diese, besonders enge Bindung. Seit dem frühen Tod der Mutter und der Beziehung Ihres Vaters zu Farah, braucht Dana einen Freund. Seit dem Tod der Hündin übernimmt Lea diese Rolle.

Nach dem Essen hatten sie zusammen noch etwas musiziert, dann hat ihr Vater darauf gedrungen, ins Bett zu gehen. Dana kennt den Grund, Farah wird ihm die Nacht versüßen. Das fing schon bald nach dem Tod der Mutter an, Dana findet das Verhalten ihres Vaters nicht gut.

Sie mag Farah nicht, deren herrisches Wesen und ihre Falschheit. Aber ihr Vater hält beide Hände über Farah, verständlicherweise und Dana hat sich damit abgefunden. Allerdings ist Dana zu gutgläubig, um misstrauisch zu sein. Zu gutherzig, als dass sie Farah eine Boshaftigkeit der Art, wie Farah sie plant, zugetraut hätte.

Wenn sie heiraten würde, wäre das Problem mit einem Schlag gelöst, aber da ist Ronan.

Sie hat zwar seit Wochen nichts von ihm gehört, aber diese kurze Begegnung auf dem Feld hält sie noch immer gefangen. Sie bekommt Herzklopfen, wenn sie daran denkt. Seine dunklen Haare, seine gütigen, blaugrünen Augen, sein zärtliches Lächeln. Sein kräftiger, schlanker Körper, er ist eine beeindruckende Erscheinung und er hat in dem kurzen Moment ihr Herz gestohlen.

Sie weiß ja nicht, das Ronan eigentlich der Sohn eines Schreiners ist, der in einer kurzen, aber intensiven Ausbildung, zum Ritter gemacht wurde. Auch seine äußere Erscheinung hatte sich dabei geformt. Einige Ungereimtheiten in seinem Verhalten sind ihr schon aufgefallen, Zweifel lässt sie aber nicht zu.

Währenddessen hat sie sich ausgezogen, das züchtige Nachthemd übergeworfen, an der Waschschüssel das Gesicht gewaschen und gedankenverloren ihr Haar gebürstet.

Sie löscht die Kerze aus und kuschelt sich ins Bett, Lea kriecht unter die Decke und schmiegt sich fest an. Dana denkt an Ronan und schläft mit einem seligen Lächeln ein.

Abos lugt durch die offene Tür, alles ist ruhig, Dana schläft und Lea hat sich ganz unter die Decke verkrochen. Zum Glück, sie wäre sonst mit ihren guten Sinnen zu einem Problem geworden. Abos kann es wagen, den Brief auf der Kommode zu platzieren.

Dazu klettert er behende auf das Möbelstück und legt den Brief neben die Haarbürste, dort wird sie ihn morgen sehen. Er klettert wieder herunter, alles ist fast gut gegangen, als er abrutscht und mit einem dumpfen Knall auf den Dielen landet. Nicht nur, dass er sich die Schulter gestaucht hat, er befürchtet auch, dass Dana den Aufprall gehört hat. Abos sieht ängstlich zu Dana hinüber. Sie schläft noch immer tief und fest und Lea hat unter der Decke offensichtlich auch nichts gehört. Abos atmet tief, läuft schnell hinaus und verschwindet in dem Efeu. Morgen wird Lea seine Fährte wittern, Dana wird ihm hoffentlich wieder nicht glauben. Sobald sie den Brief findet, wird sie sich wahrscheinlich wundern. Wenn sie eine Verbindung herstellen wird, zwischen beiden Ereignissen, ist sie hoffentlich schlau genug, dies für sich zu behalten.

Abos kehrt zu dem Vogel zurück und fliegt hinüber zur Linde. Bevor sie im ersten Morgengrauen aufbrechen, um zur Felsenschlucht zu fliegen will er noch etwas schlafen. Er kommt zu Nill, dieser schläft bereits, verschlafen fragt der Fee: „Hast du sie gefunden?"

„Ja, habe ich, sie ist hinreißend." Abos verdreht verzückt die Augen und sinkt seufzend auf seinen Schlafplatz.

Nill schaut ihn an: „Oh je, das ist nicht gut."

Dann legt er sich wieder hin, beide schlafen, bevor sie bei den ersten Strahlen der Morgensonne ihre Rückreise antreten.

Am nächsten Morgen wecken die Vögel Dana mit ihrem Lied. Das Wetter ist schön, es ist der perfekte Tag, um das Dach des Schafstalls zu reparieren. Schnell schlupft sie aus dem Bett, reckt sich, tritt auf den Balkon hinaus und nimmt einen tiefen Atemzug. Dann geht sie wieder hinein und setzt sich vor die Kommode, um ihr Haar zu bürsten. Da erblickt sie den Zettel, ihr Herz beginnt augenblicklich wild zu schlagen, also hat Lea am Abend doch nicht die Vögel verbellt.

Sie faltet den Zettel auseinander und liest.

VEREHRTES FRÄULEIN DANA,

ICH HOFFE IHR HABT MICH NICHT VERGESSEN. ICH DENKE OFT
AN EUCH UND TRÄUME VON EUCH.
LEIDER IST DIE AUFGABE, DIE ICH ZU ERLEDIGEN HABE SEHR
WICHTIG. ICH   WÜRDE SO GERNE SOFORT ZU EUCH KOMMEN.
VERLIERT NIE EUREN GLAUBEN AN UNSERE GEMEINSAME
ZUKUNFT. DENKT DARAN, NIEMANDEM ETWAS ZU ERZÄHLEN.
IN DER HOFFNUNG DASS IHR AUF MICH WARTET

IN VEREHRUNG EUER RONAN

Sie presst den Zettel fest an ihre Brust, liest ihn noch einmal, als
könnte sie es kaum glauben was da steht und steckt ihn dann in ihren
Ausschnitt. Sie ist ganz aufgeregt und ihre Wangen glühen, sie muss
sich erst beruhigen, ehe sie hinuntergehen kann. Sie macht sich
zurecht, bürstet ihr Haar und zieht ihre Arbeitskleidung an. Wie der
Brief auf die Kommode gekommen ist, weiß sie nicht, Lea weiß es
vermutlich, aber sie kann es ihr nicht sagen. Es interessiert sie auch
nicht wirklich, wenn sie ehrlich ist, es ist ihr in diesem Moment egal.
Ronan denkt an sie, dies allein zählt für sie.
Es ist deutlich zu sehen, das Ronan keine Übung im Schreiben besitzt.
Die Schrift ist ungelenk und ihr fällt auch daran auf, dass dies kein
Edelmann geschrieben hat. Aber auch das ist ihr in diesem Moment
einerlei, sie hat sich nicht getäuscht, er sehnt sich nach ihr, genauso
wie sie sich nach ihm sehnt.
Sie hat nicht umsonst, wider aller Vernunft, alle Anträge
ausgeschlagen.
Sie weiß nichts über ihn, ist er wohlhabend? Sesshaft? Aber heute
stellt sie keine Fragen, sie ist im siebten Himmel.
Danas Vater bemerkt doch die erröteten Wangen seiner Tochter,
aber sie sagt nur: „Das Waschwasser ist heute besonders kalt."
Er glaubt es zwar nicht, aber er gibt sich mit dieser Erklärung
zufrieden und fragt nicht weiter.

136

Auf den Hinweis, niemand darf von ihrer Begegnung erfahren, hatte Cerjoc bestanden. Er und Ronan ahnen nichts, von der tödlichen Gefahr, in die Dana dadurch kommt und von dem perfidem Plan der Magd.

Andernorts kehren nach und nach auch die anderen ausgesandten Irrlichter ins Schloss der Feenkönigin zurück. Aus allen Gegenden bringen sie beunruhigende Nachrichten. Hungersnot durch Missernten, Überschwemmungen und Krankheiten machen den Menschen zu schaffen. Es scheint eine bedrückende Finsternis über dem Land zu liegen. Dunkel gekleidete, maskierte Schergen treiben grausam ihr Unwesen, vergewaltigen die Frauen und Mädchen und ermorden die Männer bestialisch. Überall am Weg erblickt man Erhängte und riecht den Geruch von Tod und Verderben. Bevor Soldaten eintreffen, sind die Übeltäter bereits verschwunden. Aber damit nicht genug, damit hätten die Feen leben können, ihr Verhältnis zu den Menschen ist nicht das Beste.
Auch die Natur und ihre tierischen und pflanzlichen Bewohner kämpfen um das nackte Überleben, wie beispielsweise die Bienen, um nur eine Art zu nennen. Eine Krankheit hat sie so stark dezimiert, dass sie ihre Völker kaum noch versorgen, geschweige denn einen Wintervorrat anlegen können. Durch die geringe Anzahl an Bienen, fehlen die Bestäuber, der gesamte Kreislauf der Natur droht zusammenzubrechen. Das wird früher oder später also auch die Feen betreffen, Abos hatte Recht.
Darüber alarmiert ist Königin Mirabell froh über ihren Entschluss, einen Abgesandten und Irrlichter als Boten, zum Treffpunkt an der Felsenschlucht mitgeschickt zu haben. Die Sorgen um das eigene Volk zwingt die Feen ihren Grundsatz der Nichteinmischung aufzugeben. In der Vergangenheit sind sie mit diesem Verhalten immer gut zurechtgekommen, aber die dramatische Entwicklung der Dinge zwingt sie, ihre Vorgehensweise zu ändern. Der Rat beschließt Cerjoc und Ronan jede nur erdenkliche Hilfe zukommen zu lassen und erteilt Mirabell weitreichende Vollmachten. Sie ist aber weiterhin verpflichtet, den Rat umfassend zu informieren.

Als Abos und Nill an der Felsenschlucht eintreffen, werden sie bereits erwartet. Ein Zwerg hat derweil die Vögel und eine Nachricht gebracht.

„Der König hat angeordnet, dass wir eine Nachrichtenstafette aufbauen sollen. Jeweils im Abstand von einem Tag werden zwei Zwerge mit ihren Vögeln, auch Eulen, eine verlassene Spechthöhle beziehen. So können wir Nachrichten schneller weiterleiten, die Ruhepausen entfallen. Außerdem hast du die Feenkönigin offensichtlich sehr beunruhigt. Sie hat noch eine Botschaft zum Zwergenkönig gesandt und um ständige Information gebeten."

„Woher dieser Sinneswandel, ich hatte große Mühe, die Königin zu überzeugen, mir überhaupt zuzuhören?"

„Ja, aber dann hat sie dir offensichtlich doch ihre Aufmerksamkeit geschenkt. Sie hat Irrlichter in alle Himmelsrichtungen ausgesandt und dramatische Berichte erhalten, das hat ihre Meinung anscheinend geändert."

„Das glaube ich auf's Wort", Abos ist aber mit seinen Gedanken bei Ronan und Cerjoc. Es wird schon wieder ein Unwetter geben, der Wind frischt schon auf und der Himmel bewölkt sich. Abos erwartet einen schwierigen Flug, dazu kommt noch etwas anderes, er wendet sich an Nill:

„Ich habe ein Problem, Nill, ich habe es sehr eilig, meine Freunde zählen auf mich. Leider habe ich aber gehört, dass Irrlichter und Feen nicht sehr unwettertauglich sind."

Nill meint zerknirscht: „Da hast du wohl Recht, das stimmt leider. Ich hoffe allerdings, wir finden in diesem Fall eine Lösung. Ich kann nicht zum Palast zurückkehren, sollte ich meinen Auftrag nicht ausführen."

„Sieh an", brummt Abos angesichts eines vor Angst wie versteinerten Nill: „Die sanften Feen, sind anscheinend doch nicht so sanft. Wer muss es wieder ausbaden, natürlich Abos. Also komm, wir dürfen keine Zeit verlieren. Die Irrlichter sollen sich in eine meiner Jackentaschen verkriechen, du in die andere. Haltet Euch sehr gut fest, es wird mit Sicherheit ein unruhiger Flug."

138

DIE WÜSTE

Die Gruppe um Ronan erreicht die Wüste, Nuk überlässt ihnen Lebensmittel und Tee und trennt sich dann von der Gruppe, um zurückzukehren.

Ronan und Cerjoc befolgten Klamours Rat und reiten nur nachts, wenn es kühl ist. Tagsüber bauen sie ein leichtes Zelt aus einem dünnen Leinentuch, langen Holzstangen und Schnüren, die sie an ihren Sätteln festbinden.

Tiere und Menschen verdösen die Hitze des Tages im Schatten, nachts wird es bitterkalt, sie reiten dick angezogen. Orientieren können sie sich nur an den Sternen, Klamour hat ihnen alles erklärt und ihnen auch seinen Kompass überlassen.

Sie durchqueren eine beeindruckend schöne Landschaft, ein endloses Meer aus gelb-beigen Sanddünen, die nachts im Mondlicht bizarre Schatten werfen und über die sich der Sternenhimmel spannt.

Das Spiel aus Licht und Schatten ist einzigartig, hohe Dünenkämme wechseln sich mit ausgetrockneten Tälern ab. Der Wind trägt die Dünen beständig an ihrem Kamm ab, es entsteht eine gut sichtbare Wolke aus Sand. Auf diese Weise treibt der Wind die Dünen vor sich her und verändert ständig das Gesicht der Wüste. Wenige ausgedorrte Bäume säumen gespenstisch ihren Weg. Offensuxhtlich gab es hier früher einmal Wasser,

Zur Zeit ist annähernd Vollmond, er steht nachts groß am Himmel und verschluckt mit seiner Helligkeit das Licht der meisten Sterne. Die Orientierung ist dadurch schwierig, nur mit Hilfe des hellen Polarsterns und mit Hilfe des Kompasses finden sie ihren Weg.

Eines Morgens, als die Männer gerade ihr Lager aufschlagen wollen, zieht ein Sandsturm auf, der in der Ferne bereits als dunkle Wolke zu sehen ist und der schnell näherkommt.

Er ist als normaler Sturm schon durch die Bergkette gezogen und hat dort die Vögel zu einer Pause gezwungen. Sie haben, kurz vor dem Ziel, unter dem Felsvorsprung Schutz gefunden, unter dem auch schon Ronan und Cerjoc übernachtet haben. Es sind acht große Vögel, die Abos am Eingang der Felsenschlucht übernommen hat.

In einer Sturmpause wagt es Abos die restliche Strecke zu Klamours Hütte in Angiff zu nehmen, sie ist nur kurz, aber in Anbetracht der Wetterlage sehr gefährlich. Unter dem Felsvorsprung finden sie im Moment zwar Schutz und Wasser, aber kein Futter, für die Vögel und nichts zu essen für Abos und Nill. Auch Trockenheit und Wärme, wird es erst bei Klamour geben. Sie dürfen nicht warten bis die Greife und sie selber geschwächt sind, deshalb müssen sie weiterfliegen.

„Nill, bitte hör mir zu, wir brechen wieder auf, der Wind hat etwas nachgelassen."

„Wenn du meinst", er und die Irrlichter verstecken sich wieder, wie verlangt.

Der Wind wird bald wieder stärker, bevor sie ankommen erreicht er Sturmstärke. Es ist fast unmöglich zu fliegen, sie kämpfen gegen den Sturm. Zerzaust und entkräftet kommen sie bei der Hütte an. Klamour empfängt sie, er hat durch sein Fenster schon einige Zeit ihren Kampf gegen die Naturgewalten beobachtet und ist froh, als sie in der Hütte Schutz finden. Ein Vogel hat sich am Flügel verletzt und kann zunächst nicht eingesetzt werden. Er muss von den Soms erst gesund gepflegt werden.

Abos ist vollkommen durchnässt und vom Kampf gegen den Sturm total entkräftet, er bricht vor dem Kamin zusammen. Klamour stürzt hin und zieht Abos die nassen Sachen aus, legt ihn auf ein Kissen und deckt ihn zu. Als er Abos' Sachen aufhängen will, entdeckt er in der Innentasche der Jacke ein kleines zartes Wesen, auch bewusstlos. Es hat Flügel, Abos war bei den Feen, Klamour folgert daraus, es muss sich um eine Fee handeln. Dieses Wesen ist zwar eindeutig männlich und Klamour, der sich mit Feen nicht auskennt, ist etwas verwirrt, aber er zieht auch diesem Winzling vorsichtig die nassen Sachen aus, legt ihn auf ein Kissen und deckt ihn ebenfalls zu. Misstrauisch geworden untersucht er Abos Sachen genau, in den Taschen findet er jeweils ein nur noch sehr schwach leuchtendes, zitterndes Irrlicht. Im Gegensatz zu den anderen sind sie nicht ohnmächtig, Klamour kann sich aber mit Ihnen nicht verständigen. Vorsichtig nimmt er die beiden aus den kleinen Taschen und setzt sie auf das Kissen, auf dem die oder der

Fee schläft. Die Irrlichter zittern vor Kälte oder aus Angst, da ist sich Klamour nicht ganz sicher, dadurch flackert ihr schwaches Licht.

Die nassen Sachen hängt er vor dem Feuer zum trocknen auf. Dann betrachtet er kopfschüttelnd, die vor seinem Kamin auf Kissen friedlich Schlafenden und sagt leise zu sich selbst: „Jetzt bin ich so alt geworden, aber das ..." mit einem tiefen Seufzer wendet er sich um und hilft den Soms die Vögel zu versorgen.

Es ist kein gutes Omen, sie haben bereits einen Vogel verloren, noch bevor der Einsatz richtig begonnen hat, aber es hätte deutlich schlimmer kommen können.

Klamour macht sich große Sorgen um seine Freunde, in der Wüste wird sich der Sturm zu einem gefährlichen Sandsturm auswachsen. Er versucht sich zu beruhigen, um einen klaren Kopf zu behalten, aber es will ihm nicht recht gelingen.

Abos erwacht als erster wieder: „Wie geht es .. huch ich bin ja nackt." Schnell hält er sich die Decke vor. „Klamour!", Abos schreit, was seine Lungen hergeben. Klamour kommt aus der Höhle angestürmt: „Hallo Abos, es tut mir sehr leid, aber eure Sachen sind noch nicht trocken und die von Nuk passen nicht. Kannst du mich bitte über deine Begleiter aufklären."

Abos zieht die Decke fest um sich und brummt zunächst: „Ja, ich weiß, ich bin zu dick. Warum auch müssen die Kekse so gut schmecken." Klamour grinst, aber er sagt nichts. Abos besinnt sich und erklärt: „Der Feenjunge heißt Nill, die Feenkönigin ist sehr besorgt und möchte über den weiteren Fortgang auf dem laufenden gehalten werden. Deshalb die Irrlichter als Boten und Nill, weil sich ansonsten niemand mit den Irrlichtern unterhalten kann. Ich habe ihnen deine Gastfreundschaft angeboten. Ich hoffe du hast nichts dagegen, sie essen auch nicht viel."

„Das ist in Ordnung, ich freue mich über diese unerwartete Bekanntschaft, ich mache mir aber Sorgen, ob es allen gut geht. Ihr seid ganz schön durchgeschüttelt worden, dass muss ein Höllenritt gewesen sein und Nill wirkt so zart."

Abos hüpft von seinem Kissen herunter, immer sehr darauf bedacht, dass ihn die Decke bedeckt und schüttelt Nill an der Schulter, dieser schlägt die Augen auf.

„Hallo Abos, wo bin ich?"

„Du bist in Klamours Hütte, wir haben es geschafft, deine Sachen sind aber noch nicht trocken, pass auf, du bist nackt."

„Danke, für den Hinweis. Wer mich ausgezogen hat, will ich lieber gar nicht wissen."

Er steht auf, wobei er sich das Tuch vorhält, mit dem er zugedeckt war.

„Oh, ist das aber schwer!", ruft er erstaunt aus.

Nill macht eine tiefe Verbeugung in Klamours Richtung: „Darf ich mich vorstellen, ich bin Nill. Ihre verehrte Majestät Königin Mirabell ist sehr in Sorge, ich bin ihr Gesandter und soll mit Hilfe der Irrlichter den Kontakt halten."

„Willkommen in meiner bescheidenen Hütte, brauchst du etwas?", antwortet Klamour.

„Ja, hättest du vielleicht ein kleines leichtes Tuch, damit ich mir fürs erste eine Tunika binden kann?"

Klamour überlegt kurz: „Ich werde die Soms fragen, sie haben Stoffe aus denen sie Kleider schneidern." Er verschwindet und kommt nach kurzer Zeit mit einigen Stoffquadraten zurück.

„Hier, such dir etwas aus." Nill wählt einen hellen, lindgrünen Stoff und bindet sich geschickt eine Tunika.

Dabei fällt sein Blick auf die schwach leuchtenden, flackernden Irrlichter.

„Oh je, die Armen. Sie brauchen dringend etwas Honig."

„Tut mir leid, ich wusste nicht, was ihnen fehlt. Schnell Nuk, hole etwas Honig für die beiden." Klamour macht ein bedauerndes Gesicht. Nuk eilt und bringt ein kleines Töpfchen mit Honig. Nill nimmt es entgegen und beruhigt Klamour. „Mach dir keine Sorgen, sie erholen sich schell wieder. Außerdem kennt kaum jemand die Irrlichter, deshalb weiß auch niemand, wie sie leben." Dann taucht er seinen winzigen Finger mehrmals ein und gibt den Irrlichtern zu essen. Wie er gesagt hat, erholen sie sich zusehends, hören auf zu zittern. Ihr Licht flackert nicht mehr und wird wieder hell. „So, das hätten wir." Nill schaut die beiden Irrlichter zufrieden an. „Ich würde großen Ärger bekommen, sollte ihnen etwas zustoßen", dann fällt sein Blick auf Abos.

„Willst du auch eine Tunika, das wäre bequemer?"

„Meinst du, das würde mir passen?"

„Natürlich, wähle ein etwas grösseres Stoffstück."

142

Abos wählt einen hellbraunen Stoff und Nill bindet mit geschickten Griffen eine Art Rock, für eine Tunika ist Abos' Körperfülle zu üppig. Dann sagt Nill zu Klamour: „Danke, die Stoffe sind sehr schön und praktisch. Ich habe noch eine Bitte, darf ich auf deiner Schulter sitzen? Von dort aus habe ich den perfekten Überblick." Klamour nickt und Nill fliegt hoch und setzt sich stolz auf Klamours Schulter.

Klamour betrachtet die Irrlichter skeptisch: „Eines ist mir noch nicht klar, wie sollen die Informationen weitergegeben werden? Wir haben gelernt, Irrlichter können uns nicht verstehen und umgekehrt. Wir haben zwar zwei Irrlichter, aber nur einen Elf. Wenn du immer mitfliegst, wozu brauchen wir sie dann?"

Nill lässt ein glockenhelles, leises Lachen erklingen: „Bei der Gruppe befindet sich meines Wissens eine Fledermaus."

„Ja, Flox, was ist mit ihm?"

„Er ist wie ich in der Lage den Frequenzbereich der Irrlichter zu hören. Einfach gesprochen, er versteht sie und kann die Nachricht weitergeben, er kann doch auch mit euch sprechen. Ich für meinen Teil bin nicht so scharf auf Abenteuer, ich bleibe lieber hier."

„Flox kann dies schon, nur fügt er gerne seine Meinung hinzu. "

„Wenn schon, ihr müsst ihm halt genau sagen, was er ausrichten soll."

„Ja, so müssen wir es dann wohl machen", Klamour ist nicht wirklich überzeugt, aber eine andere Möglichkeit fällt ihm im Moment auch nicht ein. Sie beschließen noch etwas zu essen und Abos soll sich wenigstens noch ein bisschen ausruhen. Aus Sorge um die Freunde hat er darauf bestanden möglichst bald aufzubrechen. Die Anderen bereiten derweil den Transport vor.

In der Wüste sehen Ronan und Cerjoc den Sandsturm auf sich zu kommen. Wie eine Walze aus Sand kommt er schnell näher und scheint alles verschlucken zu wollen.

„Das sieht ja furchtbar aus", Cerjoc erschauert bei dem Anblick.

Ronan ist bereits abgestiegen, als sie im Spätnachmittag aufgebrochen sind, war noch nichts ungewöhnliches zu erkennen: „Wir müssen uns beeilen, damit wir einigermaßen vorbereitet sind, wenn der Sturm hier eintrifft."

Sie binden den Tieren Kleidungsstücke um die Köpfe, um die Augen und Ohren zu schützen. Das Leinentuch, dass tagsüber als Zeltdach dient, haben sie über die Rücken der, recht dicht nebeneinander stehenden, gesattelten Pferde gespannt. An den Sätteln können sie das Tuch gut befestigen. Auf der, dem Wind zugewandten Seite, steht Sturmwind auf dem Tuch. „Hoffentlich hält Sturmwind dem Druck stand", Ronan muss schon brüllen, um das aufbrausende Heulen des Sturmes zu übertönen, damit Cerjoc ihn überhaupt versteht.

Dicht unter den Bäuchen der Pferde zusammengekauert, warten sie auf das Ende des Sturmes, die Zügel der Pferde und Nepomuks Leine halten sie abwechselnd fest in der Hand. Ein steigendes Pferd könnte sie unabsichtlich verletzen und wenn eines der Tiere sich losreißen und voll Panik davon stürmen würde, wäre das ein Unglück. Es wieder einzufangen wäre unter diesen Bedingungen kaum möglich.

Der Sturm heult und faucht, die Sonne ist verdunkelt, es scheint als wäre es Nacht. Der Wind drückt den Sand durch jede noch so kleine Ritze. Mensch und Tier bekommen Sand in den Mund, sobald sie diesen öffnen.

Der Sturm wütet den ganzen Tag und die folgende Nacht, an essen ist nicht zu denken, bei all dem Staub. Die Luft ist erfüllt von einem furchtbaren Heulen und Tosen, sobald einer seine Hand ungeschützt in den Sturm hält, prasseln die Sandkörner wie tausend Nadelstiche auf die Haut.

Flox sitzt in seinem Beutel, plötzlich hört man ihn laut schimpfen: „Hört denn dieser verdammte Sturm nie auf, das Geheule macht mich ganz verrückt."

Obwohl er laut schreit, verstehen ihn Cerjoc und Ronan kaum, so sehr heult der Sturm.

Cerjoc brüllt zurück: „Du hast es doch verhältnismäßig gut in deinem Beutel, also beklag dich nicht."

Etwas Flüssigkeit ist alles, was sie zu sich nehmen können, auch die Pferde und Nepomuk bekommen unter ihrem Gesichtsschutz Tee eingeflösst. Essen ist ja wegen des Staubes in der Luft nicht möglich, aber Flüssigkeit brauchen Mensch und Tier. Es fühlt sich an, als würde der Sturm überhaupt kein Ende nehmen wollen, alle sind zermürbt und erschöpft.

Als der Sturm endlich aufhört, kriechen sie unter den Pferden hervor und stehen auf, sie dehnen ihre steifen Glieder.

Zunächst orientieren sie sich, die Umgebung ist nicht mehr wiederzuerkennen, na ja vorher war schon alles Sand, aber die Dünen haben sich deutlich verändert.

Cerjoc ist erstaunt: „Das ist kaum zu glauben, sieh nur, alles sieht anders aus."

„Du hast Recht, aber vorher habe ich mich auch schon nicht ausgekannt. Ich bin allerdings heilfroh, dass ich mich wieder richtig bewegen kann. Aber schau mal, Sturmwind, wir müssen den Armen schnell befreien."

Sturmwind hatte ja auf der, dem Wind zugewandten Seite gestanden. Das Laken, dass über ihn gespannt war, hat ihn davor bewahrt vom Sand eingegraben zu werden. Jetzt steht er jedenfalls vor einer Wand aus Sand. Cerjoc meint anerkennend. „Was dieses Pferd ausgehalten hat, um uns zu schützen, unglaublich, auf den können wir uns immer verlassen." „Rede nicht so viel, hilf mir lieber den Sand wegzuschaffen", erwidert Ronan.

Als Sturmwind und alles andere, so weit als möglich, vom Sand befreit ist, sagt Ronan verdrossen: „Wir sollten uns zwar beeilen, aber wir sind alle total erschöpft, ich glaube wir müssen zunächst rasten, was meinst du?"

„Ich stimme dir zu", erwidert Cerjoc, aber alle sind vom langen Sitzen steif und möchten sich etwas bewegen. Wir sollten langsam noch ein Stück gehen und erst dann rasten."

Flox mischt sich ein: „Cerjoc hat Recht. Alle brauchen etwas Bewegung, sogar ich möchte aus meinem Beutel hinaus. Darf ich an deinem Waffenrock hochklettern Ronan?"

„Ja natürlich, komm nur ich helfe dir."

Gesagt getan, sie gehen noch ein ganzes Stück zu Fuß, alle müssen ihre steifen Gelenke zunächst wieder schmieren. Es ist heller Tag und es wird sehr schnell sengend heiss, sie schützen sich mit Turbanen aus Kleidern vor der Sonne. Das sieht zwar komisch aus, erfüllt aber seinen Zweck. Dann machen sie die benötigte Pause, um etwas zu essen und versuchen, ein wenig zu schlafen, aber niemand kann noch länger ruhig auf die Nacht warten, sie haben schon soviel Zeit durch den Sandsturm verloren. Cerjoc, zwar immer noch müde, schlägt vor: „Komm, lass uns aufbrechen, so viel Hoffnung auf das Gelingen unserer Reise liegt auf uns."

Ronan nickt Cerjoc verständnisvoll zu. Auch er ist erschöpft und eine Ruhepause würde ihnen guttun, aber auch ihm ist bewusst, dass sie schon viel zu lange in der Wüste sind. Außerdem ergeben sich durch die Verzögerung eventuell noch weitere Probleme. Ist Abos mit seinen Vögeln auch in den Sturm geraten? Wenn ja, wie ist es ihnen ergangen? Ist die Versorgung durch die Luft überhaupt noch durchführbar? Die Vorräte gehen langsam zur Neige, es müsste Nachschub kommen.

Cerjoc beobachtet, dass Ronan seine Teeration fast vollständig an Sturmwind abtritt. Er beschließt, beim Einteilen der Rationen zu Gunsten von Ronan zu schummeln. Wenn sie die Drachenhöhle erreichen, müssen vor allem Ronan und Sturmwind zum Kampf bereit sein. Ronans Sorge ist nicht unbegründet. Zum Glück hatte sich aber nur einer der Vögel im Sturm verletzt und kann nicht mitfliegen, aber der Sturm hat dazu geführt, dass sie zu spät dran sind und die Planung nicht mehr einzuhalten ist.

Die Soms haben Tragetücher angefertigt, damit die Greifvögel ihre Last leichter und sicher tragen können. Mit ihren kräftigen Klauen halten sie jeweils einen Beutel. Ein Band über den Rücken des Vogels dient als zusätzliche Sicherung.

Klamour und Abos beschließen, den Tee komplett mitzunehmen und lieber auf Energiekuchen und Getreide für die Pferde zu verzichten. Mit wenig Nahrung kommt man besser aus, als mit zu wenig Flüssigkeit. Wegen des Wetters machen sie sich ernste Gedanken um die Freunde in der Wüste. Wie hatte die Gruppe wohl den Sturm überstanden? Da sie in der Wüste waren, muss das ein ausgewachsener Sandsturm gewesen sein. Seit sich der Sturm gelegt hat, kann Klamour in seiner Glaskugel wieder etwas sehen. Die Freunde sind wieder unterwegs. Fürs erste ist Klamour etwas beruhigt.

Trotzdem verabschiedet er Abos mit sorgenvollem Blick: „Ich hoffe du findest sie schnell. Ich wünsche dir jedenfalls viel Glück."

Abos stehen die Sorgenfalten im Gesicht: „Das kann ich in jedem Fall gut gebrauchen", dann besinnt er sich, dass nur gute Gedanken helfen: „Wir sollten uns erst Sorgen machen, wenn wir ein Problem haben." Er verabschiedet sich auch von Nill und Nuk und startet.

„Schön gesagt", murmelt Klamour, „Sorgen mache ich mir trotzdem."

Abos fliegt niedriger als sonst, um die Freunde zu finden. In der Wüste sind keine Menschen, es wird ihn also niemand sehen.

Ronan, Cerjoc und Flox sind nach ihrem zeitigen Aufbruch am Nachmittag, auch die Nacht ohne Pause durchgeritten, um etwas von der Zeit aufzuholen. Im Morgengrauen schlagen sie ihr Lager auf, sie haben nichts mehr zu essen und kaum noch Tee, wenn Abos nicht kommt werden sie den Weg durch die Wüste kaum schaffen. Sie hatten die Tage zuvor ihre Vorräte schon rationiert, in der Befürchtung, dass Abos und die Vögel es nicht planmäßig schaffen, ihnen Nachschub zu bringen.

„Vielleicht war das Risiko doch zu hoch, wir hätten auf die Vögel warten müssen." Cerjoc hat seine gute Laune und jede Hoffnung verloren, er ist erschöpft, durstig und hungrig.

Abos wird schon kommen, schlafen wir erst einmal." Ronan versucht sich auch selber Mut zu „machen, die Lage ist bedrohlich, ihm knurrt der Magen, er kann kaum schlafen. Trübe Gedanken, aber auch die Hoffnung die Silhouetten der Greife am Himmel zu erblicken, halten die Freunde wach.

Bereits bevor es Abend wird, schleppen sie sich weiter. Nachdem die Sonne den ganzen Tag unerbittlich auf das Lager gebrannt hat, sind die Freunde am Ende ihrer Kräfte angekommen. Reiten können sie nicht mehr, sie halten sich an den Pferden fest und stolpern voran, mehr taumelnd als laufend, Flox liegt benommen in seinem Beutel. Sie müssen weiter, zurück können sie nicht mehr, sie sind schon zu weit. Deshalb folgen sie unbeirrt der Richtung, die ihnen der Kompass weist, auch wenn er sie vielleicht in ihren Tod in der Glut der Wüste schickt.

Am nächsten Morgen sind sie nicht weit gekommen, es fehlt ihnen die Kraft ein Lager aufzuschlagen. Sie brechen zusammen, Sturmwind und Amsel sind auch nur noch benommen voran getaumelt, sie bleiben auf der Stelle stehen. Nepomuk zerrt das Laken aus Sturmwinds Satteltasche, bringt es Ronan und stupst diesen solange an, bis Ronan wenigstens behelfsmäßig den bewusstlosen Cerjoc zudeckt. Dann zieht er das Tuch noch über seinen Kopf und bricht zusammen. Nepomuk kriecht mit dem Kopf unter das Tuch und schläft augenblicklich ein. Es ist heiß, aber die Köpfe sind vor der sengenden Sonne geschützt.

In diesem Zustand sieht sie Klamour, als seine Kugel befragt: „Um Himmels willen, beeil dich Abos." Nuk, der ihm über die Schulter geschaut hat, ist negativ wie immer. „Das wird wohl nichts mehr. Daraufhin rastet Klamouzr aus, er brüllt den Soms an: „Halt den Mund, wenn wir die Hoffnung verlieren haben sie überhaupt keine Chance. also reiss´ dich zusammen.

„Tu´nicht so, als wäre ich an ihrer Lage schuld." Schmollend verzieht sie der Kleine. Klamour tut sein Ausbruch sofort leid.

In dieser fast schon ausweglosen Lage erspäht Abos die Gruppe. Mit einem kleinen Schwarm Greifvögel, jeder beladen mit Vorräten, setzt er zum Landen an. Es bietet sich ihm ein erschreckendes Bild. Die Männer und der Hund bewegen sich nicht mehr. Die Pferde haben sich hingelegt, Sturmwind hat den Kopf nach vorne abgelegt, Amsel liegt ganz auf der Seite.

Abos ist entsetzt: „Urks, hoffentlich komme ich nicht zu spät." Nacheinander flößt er den Männern und den Tieren Tee ein. Jetzt kann er nur warten und hoffen, dass, wenn die Sonne untergeht, die Kühle der Nacht die Lebensgeister zurückbringt.

Als erster kommt Nepomuk zu sich. Er bemerkt Abos, bei der überschwänglichen Begrüßung fehlt das übermütige Herumspringen, dazu fehlt Nepomuk die Kraft. Abos wird aber gründlich abgeschleckt und dabei in den Sand geworfen.

Durch den Tumult erwacht Ronan: „Hallo Abos, wie schön dich zu sehen, wir sind gerettet."

„Ich hoffe, ich komme für alle noch rechtzeitig. Entschuldige bitte, aber der Sturm hat uns schwer getroffen. Cerjoc konnte ich noch nicht aufwecken und die Pferde sollten wir so schnell wie möglich wieder auf die Beine bringen." Gemeinsam bemühen sie sich um die Pferde und merken daher nicht, als Cerjoc in diesem Moment wieder zu Bewusstsein kommt: „Zum Glück hat Abos uns gefunden."

Ronan dreht sich zu Cerjoc um und sagt erleichtert: „Du bist wach, den guten Geistern sei Dank, alle haben diese Mühsal überlebt."

Abos ist ebenfalls erleichtert: „Zum Glück, als ich kam, habe ich das Schlimmste befürchtet."

148

Sie setzen sich zusammen und trinken und essen erst einmal ausgiebig.

Abos schaut sich die Freunde an: „Ich denke, ich werde sehr bald wiederkommen müssen. Ach so, noch etwas, ich habe Irrlichter mitgebracht, die Feenkönigin gab mir Irrlichter mit, zusammen mit der Bitte immer informiert zu werden. Mit Flox kann sich das Irrlicht verständigen. Die Reichweite, über die sie sich orten können, sollten wir ausprobieren, damit wir uns darauf einstellen können. Übrigens ernähren sich Irrlichter von Honig, hier ist welcher." Ronan und Cerjoc sehen sich fasziniert die Irrlichter an. Auch Nepomuk schnuffelt an den, für ihn ungewöhnlichen, Gefährten. Flox, der als einziger die Irrlichter verstehen kann, stellt die Freunde den Irrlichtern vor. Er hat sich inzwischen wieder erholt und schaut vergnügt aus seinem Beutel heraus.

Dann erzählt Abos von dem Sturm und dem verletzten Vogel. „Uns hat der Sturm auch ganz schön durchgeschüttelt. Zum Glück wurde nur ein Vogel verletzt, Ihr müsst deshalb leider mit weniger Proviant auskommen", sagt er bedrückt.

Ronan beruhigt ihn. „Wir sind sehr froh, dass du überhaupt kommen konntest, du hast uns im letzten Augenblick gerettet, lange hätten wir nicht mehr durchgehalten."

Erfreut über den glücklichen Ausgang dieses schweren Tages sitzt die Gruppe noch eine kurze Weile zusammen.

Ronan ist begierig von Abos eine Antwort auf eine, ihm wichtige Frage zu bekommen: „Konntest du den Brief an Dana zustellen?"

„Ja, das konnte ich, ich habe sie auch gesehen, es geht ihr gut, eine adrette junge Dame."

Ronan freut sich sichtlich über dieses Urteil.

„Ich danke dir, das bedeutet mir sehr viel, es gibt Kraft."

Sie sichten die Bestände, erschreckend bemerkt Abos die sie umgebende Dunkelheit, „Jetzt kann ich nicht mehr aufbrechen, was mache ich nur, ihr müsst weiter?"

Abos kann erst starten, wenn es wieder hell wird, schließlich sind seine Vögel keine Eulen. Es wird entschieden, Abos eine kleine Menge Proviant und Tee zu überlassen, er braucht ja nicht viel, schließlich ist er ein Zwerg. Die Vögel sind von der Natur darauf eingerichtet längere Zeit ohne Nahrung und Wasser auszukommen.

Abos richtet sich also ein, die Nacht abzuwarten, für einen ängstlichen Kerl wie ihn, nicht einfach.

Alle verabschieden sich: „Ich wünsche euch einen guten Ritt, wenn es geht ohne Sandsturm. Hoffen wir, das Thyros mit dem vergangenen Sturm nichts zu tun hatte oder dass kein Sturm mehr kommt, den er mit Hilfe des Kristalls verstärken kann. Noch eines, morgen sollte ein Irrlicht zu euch fliegen, bin gespannt wie schnell es euch findet. Flox soll das bitte mit den Irrlichtern vereinbaren." Flox unterhält sich kurz mit den Irrlichtern: „Erledigt, eines kommt morgen und sucht uns."

Ronan nickt, dann wendet er sich an den Zwerg: „Danke nochmal, Abos," Ronan ist schon aufgesessen, „bitte richte Klamour beste Grüße von uns aus und dir einen guten Flug." Ronan und Cerjoc machen sich sodann, frisch gestärkt, auf den Weg. Allerdings mit dem Wissen, dass die Rationen sehr sparsam ausfallen werden.

Schon am Mittag des nächsten Tages stößt das Irrlicht zu ihnen. Aufgeregt umschwirrt es zunächst die Köpfe der Freunde, ehe es sich bei Flox niederlässt und mit diesem kommuniziert.

Flox übersetzt: „Die Verständigung hat gut geklappt, wir können uns über große Entfernungen orten, so dürfte es kein Problem sein den Kontakt zu halten. Wir haben vereinbart, dass wir uns alle paar Tage treffen. Bevor es wieder startet, möchte es aber noch etwas essen."

Cerjoc holt den Honig aus seinem Vorratsbeutel und das Irrlicht stärkt sich ausgiebig. Danach macht es sich wieder auf den Rückweg.

Der weitere Ritt durch die Wüste verläuft für die Gefährten ohne Zwischenfälle.

Als Klamour das nächste Mal seine Kugel befragt ist er erleichtert: „So ein Glück", zufrieden schaut er zu Nuk „siehst du es geht allen gut. Man darf die Hoffnung nie aufgeben."

Endlich, eines frühen Morgens, erreichen dir Freunde das südliche Gebirge, die Schattenberge. Sofort ist ihnen klar, was Klamour meinte als er sagte, das Gebirge wirke sehr düster und sie würden schon sehen, woher der Name Schattengebirge kommt.

„Brrr, das wirkt aber nicht einladend", Ronan schauert bei dem Anblick.

150

„Du hast recht, das verdient seinen Namen." Beide haben ihre Pferde angehalten und betrachten die unwirkliche Felsenlandschaft, die sie erwartet.

„Komm", sagt Cerjoc, „lass' uns eine kurze Rast machen, damit die Pferde frisch gestärkt sind für den beschwerlichen Weg durch das Gebirge."

Sie machen Rast, versorgen die Tiere, essen eine Kleinigkeit und schlafen kurz. Männer und Tiere genießen den Schatten der Felsen.

DUNKLE MÄCHTE

Die Rast hat allen gut getan, sie nehmen die Berge gestärkt, aber mit einem mulmigen Gefühl in Angriff. Das Gebirge wirkt düster und karg, die Täler sind eng, es sind schwierige, steile Wege zu bezwingen. Der Eindruck ist beklemmend, es gibt keine Blumen und kaum Vegetation, es herrscht gespenstische Stille. Die Felsen sind scharfkantig, das Geröll auf den Wegen bietet keinen sicheren Halt für die Pferdehufe, Ronan und Cerjoc müssen absteigen.

Eine beschwerliche Wegstrecke später kämpfen sie sich ein enges Tal hinauf. Anfänglich ist der Weg zwar steil, aber breit, später handelt es sich nur noch um einen ausgetretenen Pfad. Sie können deshalb nicht mehr neben ihren Pferden laufen, jeder Schritt muss mit Bedacht gesetzt werden. Auf der einen Seite des schmalen Gebirgspfades bricht der Felsen steil ab, weit unterhalb rauscht ein Gebirgsbach. Auf der anderen Seite erhebt sich eine steile Felswand mit scharfkantigen Vorsprüngen. Über weite Strecken ist der Pfad in den Fels gehauen, manche Stellen wurden mit Stegen aus wackeligen Brettern überbrückt.

Ronan, der voraus geht, warnt: „Hier sollte niemand straucheln, wenn man hier abstürzt, dann war es das."

Vor der ersten Holzpassage bleibt er stehen: „Das sieht aber nicht gerade vertrauenserweckend aus, ich bin der Meinung, die Pferde sollten da nicht darüber laufen, sie sind zu schwer."

Cerjoc beugt sich etwas vor, um etwas sehen zu können: „Ich stimme dir zu, die Pferde müssen springen, auch wenn das Landen nicht einfach wird."

Den Anfang machen Ronan und Sturmwind, alles geht gut, auch bei den nächsten heiklen Stellen. Fast geschafft, aber bei dem letzten Sprung passiert es. Amsel springt etwas zu kurz, mit einem Hinterhuf kommt sie auf der Holzbrücke auf, diese bricht und stürzt polternd in die Tiefe. Mit der Hinterhand rutscht sie ab, Cerjoc reagiert sofort, mit dem Zügel hält er das Pferd fest und verhindert so, dass sie in die Tiefe stürzt. Amsel hat eine sehr ungute Haltung, sie liegt mit dem Bauch auf dem Weg. Wild mit den Hinterbeinen strampelnd, droht sie endgültig abzurutschen, ein tiefer Sturz, den sie nicht überleben könnte. Der Kopf ist lang nach vorne gereckt, die Augen treten angsterfüllt aus ihren Höhlen hervor.

„Bitte Ronan hilf mir, ich kann sie nicht mehr lange halten," fleht Cerjoc, Er liegt fast auf dem Rücken, die Füße hat er in den Boden gestemmt. Er hält den Zügel fest in der Hand, der sich bereits in das Fleisch seiner Hände einschneidet. Wird der Zügel diese Belastung aushalten? Ronan kann auf dem schmalen Pfad an Sturmwind nicht vorbei, er kriecht unter den Pferdebeinen durch, als er bemerkt, das Nepomuk ihm folgen will, ruft er über die Schulter und schickt ihn zurück:

„Platz, Nepomuk, bleib wo du bist." Als der Hund sich artig gesetzt hat, robbt er weiter zu Cerjoc.

„Ich habe ein Seil mit einer Schlinge dabei, ich werde es um Amsels Hinterbein werfen, dann kann ich dir helfen sie hochzuziehen."

„Gut, aber beeil dich." Cerjoc hat von der Anstrengung bereits einen hochroten Kopf.

Ronan rutscht auf dem Bauch bis zur Kante, hier ist der Weg zum Glück ein kleines bisschen breiter. Eng neben Amsel gepresst, liegt er trotzdem dicht am Abgrund. Er wirft das Seil, verfehlt aber sein Ziel. Nach einigen vergeblichen Versuchen trifft er den Hinterlauf des Pferdes und kann das Seil fixieren.

„Auf mein Kommando müssen wir gemeinsam ziehen." Ronan schaut über seine Schulter, Cerjoc nickt nur zustimmend. „Eins, zwei, drei... ZIEHEN!"

Amsel strampelt mit den Beinen, sie versucht wieder Boden unter die Hinterhufe zu bekommen. Nachdem noch einige Kiesel in die Schlucht gerollt sind, schafft sie es wieder aufzustehen, dabei tritt sie Ronan unabsichtlich, der dadurch beinahe über die Kante gestoßen wird.

Cerjoc schreit vor Schreck auf: „NEIN!"

Ronan kann sich an Amsels Beinen gerade noch festhalten und zieht sich wieder auf den Weg. Er atmet tief durch: „Das ging gerade noch einmal gut."

Die beiden Männer bleiben zunächst im Staub liegen: „Das hätten wir zum Glück geschafft, lange hätte ich sie nicht mehr halten können und wenn du abgestürzt wärst, nicht auszudenken." Cerjoc wischt sich den Schweiß von der Stirn und betrachtet seine blutigen Hände. „Der Zügel hat zum Glück gehalten, was man von meinen Händen nicht unbedingt behaupten kann." An dieser Bemerkung erkennt Ronan, dass sich sein Freund langsam wieder erholt. Zwar steckt allen der Schreck in den Gliedern, aber sie rappeln sich wieder auf, sie müssen weiter.

Wenig später weist Cerjoc mit dem Arm voraus: „Wir haben es bald geschafft", er klingt erleichtert.

„Da vorne scheint der Weg etwas breiter zu werden."

Plötzlich ist ein tiefes Grollen zu hören, erschrocken schauen die Männer nach oben.

Ronan ruft: „Schnell unter den Felsvorsprung", und stößt den Freund gegen die Felswand. Donnernd löst sich eine Gerölllawine, große, scharfkantige Gesteinsbrocken stürzen ins Tal. Unter dem schmalen Felsvorsprung drücken sich die Männer an die Wand, Ronan versucht sie mit seinem Schild zu schützen. Trotzdem streifen sie einige kleinere Brocken am Arm und die Pferde am Sattel. Sie halten den Pferden die Augen zu und ziehen instinktiv die Köpfe ein. Nach endlos erscheinender Zeit ist der Steinschlag vorbei, der Staub legt sich wieder.

Alle sind mit einer hellgrauen Schicht überzogen, Sturmwind mit seinem schönen, glänzend, schwarzen Fell, ist nicht mehr wieder zu erkennen. Es prasseln noch einige letzte Steine ins Tal.

153

Als alles wieder ruhig ist, traut sich Ronan vorsichtig aus der Deckung: „Ist jemand verletzt?"

Cerjoc sieht an sich runter und dann die verstörten Tiere an: „Ich glaube nicht, alle scheinen gesund zu sein, aber so langsam reicht es." Sie schauen sich um, der Weg, den sie gerade passiert haben, ist nicht mehr vorhanden. Ein großer Felsbrocken hat ihn komplett in die Schlucht gerissen. Bei dem Anblick schlottern ihnen die Knie: „Ein Zurück ist in jedem Fall unmöglich", Cerjoc erschauert.

„Darauf hätte ich sowieso keinen Wert gelegt, Flox wird einen anderen Weg suchen müssen", antwortet Ronan.

„Wie geht es dir eigentlich, Flox?"

Hustend und prustend schaut die Fledermaus aus ihrem Beutel: „Was war DAS denn? sogar in meinen Beutel ist der Staub eingedrungen."

„Wenn wir Glück haben, war es nur ein Felssturz, vielleicht hatte aber auch Thyros seine Finger im Spiel", bemerkt Ronan.

Cerjoc meint nachdenklich: „Ein Steinschlag ist im Gebirge eigentlich etwas Alltägliches, aber gerade in dem Moment, als wir diese Stelle passieren? Der Zeitpunkt ist schon sehr ungewöhnlich. Weiß Thyros vielleicht doch, wie nahe wir schon sind? Das wäre gar nicht gut. Dass er im Bilde ist, dass wir kommen, hat uns Farib ja berichtet."

Flox schaut in die Schlucht hinab, die fast mit Geröll und Dreck aufgefüllt ist, das Wasser wird bereits aufgestaut. „Ich glaube kaum, dass das ein Zufall war, die Lawine wäre so und so abgegangen, aber so heftig, da liegt ja der halbe Berg. Zum Glück habt ihr so schnell reagiert, ich will mir gar nicht ausmalen, was sonst geschehen wäre."

„Du hast Recht", Cerjoc sieht ernst aus," ich glaube auch nicht an einen Zufall, das hätte böse enden können, um ein Haar wären wir zermalmt worden."

Sie wissen nicht genau, ob Thyros seine Finger im Spiel hatte und wenn es so ist, können sie es nicht ändern. Sie nehmen die Pferde am Zügel und setzen ihren Weg fort. Um die Gedanken auf etwas anderes zu lenken, erkundigt sich Ronan bei Cerjoc.

„Erzähl mir noch einmal von diesem Thyros, das vertreibt uns die Zeit. Dass ich von ihm gehört habe, ist schon etwas her und seither ist viel geschehen." Ronan interessiert sich für seinen Gegner, was nicht verkehrt ist.

„Thyros ist ein Mann von durchschnittlichem Aussehen, nicht sehr groß, schlank. Er hat, wenn er will und das seinen Zielen nützlich ist,

154

gute Umgangsformen, aber seine Augen sind kalt und unbarmherzig. Sein Blick lässt sein Gegenüber erschauern, er durchbohrt dich förmlich. Seine Kleidung ist in der Öffentlichkeit meist schwarz, er trägt einen langen Mantel, immer offen. Sein Haar ist ebenfalls schwarz, fettig, kurz geschnitten und enganliegend. Seine Stiefel sind natürlich auch schwarz, um jeden Schuh ist eine Kette geschlungen. An diesen sind allerlei metallene Amulette befestigt, mystische Zeichen. Seine ganze Erscheinung ist von einer düsteren Aura umgeben, aber gerade das scheint die Menschen zu fesseln. Man sagt, er residiert in einem eigentlich verlassenen Schloss, weit von hier, in den Utabergen. aber genau weiß ich das nicht. Wenn ich an ihn denke fröstelt es mich, wenn Thyros weiß, wo wir uns gerade befinden, wird der Weg viel schwieriger und gefährlicher. Er könnte den Kristall einsetzen und zusätzlich noch den Drachen warnen. Wie du ja schon weißt, kann der Kristall nur natürliche Vorgänge beeinflussen. Also eine Krankheit nicht hervorrufen, sondern nur ihren Verlauf beeinflussen und Wetterereignisse verstärken, aber das ist schon schlimm genug. Wir müssen noch mehr auf der Hut sein, der Felssturz war ja Warnung genug. Zum Glück bieten die kargen Berge kaum eine Möglichkeit den Kristall einzusetzen, aber wenn der Drache gewarnt ist, wird es sehr schwer sein, an den Kristall heranzukommen."

„Du hast Recht, es kann aber immer noch sein, das Thyros gar nichts mit dem Felssturz zu schaffen hatte." Ronan versucht sich selber zu beruhigen.

„Ich hoffe für uns, dass das stimmt", Cerjoc geht schweigend weiter. Ronan lässt die Sache keine Ruhe, er nimmt das Gespräch wieder auf: „Sag' mal, ist der Drache eigentlich alleine bei dem Kristall oder ist Thyros auch dort?"

„Nach dem was wir in der Ansiedlung gehört haben, können wir hoffen, dass er nicht da ist. Sehr wahrscheinlich sind die Zwerge dort, die den Kristall gestohlen haben."

„Das wir in der Ansiedlung waren, ist aber schon einige Zeit her."

„Ja richtig, es kann viel passiert sein, wir werden sehen."

Nach einem, vergleichsweise ereignislosen weiteren Aufstieg gelangen sie an einen klaren Bergsee. Der See liegt in einer wenig ansprechenden Umgebung. Der Uferbereich ist, bis auf wenige

Büsche, eher karg, das spärliche Gras ist gelb. Hohe Felswände rahmen das Tal ein, ihre Gipfel sind beschneit. Ronan interessiert sich für die Umgebung jedoch überhaupt nicht, in dem See wimmelt es nämlich nur so von Forellen.

Er jubelt: „Endlich etwas anderes als Nahrungskuchen, den Frass bekomme ich fast nicht mehr herunter. Versorge bitte die Pferde und mache ein Feuer, ich baue eine Angel, heute gibt es etwas Anständiges zu essen."

Cerjoc, der noch einen Moment im Sattel gesessen hat, steigt ebenfalls ab. „Das ist ein erfreulicher Anblick, richtig friedlich und endlich etwas Richtiges zum Essen und Ruhe nach all der Aufregung und Anstrengung."

Nepomuk wälzt sich auf dem Boden und lässt zufriedene Grunzlaute hören. Die Pferde werden abgesattelt und knabbern an den gelben Grasbüscheln herum.

Cerjoc denkt, er kann vielleicht etwas Essbares finden, mit dem sich das Abendessen geschmacklich aufwerten lässt.

„Ich schaue mich um, vielleicht finde ich so etwas Ähnliches wie Salat."

Dann dreht er sich um und geht los. Er streift suchend durch die Gegend, da entdeckt er etwas, das ihn panisch zu Ronan zurücklaufen lässt.

Er ruft und fuchtelt schon von weitem wild mit den Armen. „Halt, sofort aufhören!" Ronan hat gerade den ersten Fisch gefangen und wirft diesen Nepomuk in hohem Bogen zu.

Cerjoc stürmt heran, fängt den Fisch in der Luft und wirft ihn ins Wasser zurück. Dann wirft er sich mit einem Hechtsprung auf den Hund, der ins Wasser springen und sich den Fisch wiederholen will. Durch den heftigen Aufprall verliert Nepomuk das Gleichgewicht, er überschlägt sich, jault erschrocken auf und beide landen im Staub.

Ronan springt überrascht auf und sieht Cerjoc und Nepomuk irritiert an. „Entschuldige", keucht Cerjoc außer Atem, „der Fisch ist vergiftet! Du musst Nepomuk aufhalten, er darf auf keinen Fall in den Fisch beißen."

Ronan ruft den Hund zu sich und hilft Cerjoc wieder auf die Beine. Enttäuscht setzen sie sich und Cerjoc berichtet.

„Ich fand auf der anderen Seite des Sees einen toten Vielfraß, er hatte die halbe Forelle noch in den Pfoten. Ich weiß nicht womit er vergiftet

156

wurde, aber es ging sehr schnell. Keiner von uns darf von dem Fisch essen. Du hast ihn angefasst, du musst dir gründlich die Hände waschen, aber nicht im See und fass dir ja nicht an den Mund."

Ronan sieht ihn an: „Du hast den Fisch ja auch angefasst, für dich gilt also das gleiche."

„Stimmt!"

Ronan will die Aussicht auf ein gutes Mahl so leicht nicht aufgeben.: „Könnte es nicht sein, dass der Vielfraß an einer Gräte erstickt ist. "

Cerjoc schüttelte den Kopf: „Nein, dann hätte er keinen blutigen Schaum vor dem Maul. Ich bin auch nicht begeistert, ich hatte mich so auf das Essen gefreut. Du kannst gerne nachsehen, wenn du mir nichtglaubst. Wir dürfen diesen Fisch nicht essen, keiner von uns, auch dürfen wir das Wasser nicht trinken oder in dem See baden. Wir wissen ja nicht, ob sie die Fische vergiftet haben oder das Wasser."

„Hoffentlich die Fische, die Pferde haben bereits getrunken," antwortet Ronan erschrocken.

Cerjoc schaut zu den Pferden hinüber, beide fressen zufrieden aus ihren Futtersäcken. Erleichtert meint er: „Wie es aussieht hatten wir Glück, wäre das Wasser vergiftet, wären die Folgen bereits zu sehen."

„Aber wie ist das möglich?"

„Thyros weiß also doch, wo wir sind, das hier ist der endgültige Beweis. Wenn wir nicht ankommen, hat er auch kein Problem. Er hat ein Elixier brauen lassen, dass die Fische nicht tötet aber vergiftet, so etwas ist möglich. Dann hat er den Zwergen befohlen die Forellen zu vergiften. Er hat zweifelsohne nicht damit gerechnet, dass du den ersten Fisch dem Hund gibst, so etwas würde er selber niemals machen. Noch weniger hat er erwartet, dass in dieser einsamen Gegend in der Zwischenzeit ein Tier von dem Fisch frisst, wir die Leiche finden und so gewarnt sind. Das Schicksal ist offensichtlich auf unserer Seite, zum Glück", fügt er erleichtert hinzu.

Ronan ist ebenfalls erleichtert, aber enttäuscht zugleich: „Auch wenn es schwerfällt, bis auf weiteres essen und trinken wir und die Tiere nur, was uns Abos bringt, um ein Haar, hätten wir Nepomuk verloren."

Flox ist auch geknickt, wegen der entgangenen Mahlzeit: „Zu dumm, ein schönes Essen wäre fein gewesen."

Cerjoc versucht die Freunde aufzuheitern: „Es gibt aber auch etwas Gutes", Ronan schaut ihn skeptisch an.

„Ja, Thyros hat eindeutig Angst vor dir, daß ist gut, sehr gut sogar, aber wir müssen besonders auf der Hut sein. Er wird den Kristall gegen uns einsetzen, zumindest wird er es versuchen."

Sie gehen zu einem Wasserfall, der ein Stück weiter talaufwärts vom Berghang herunterstürzt. „Hier müsste es sicher sein, waschen wir uns die Hände." Anschließend schlägt Cerjoc vor: „Wir sollten uns und Nepomuk nicht weiter der Versuchung aussetzen, wir schlagen unser Lager in einiger Entfernung von dem See auf."

Ronan schaut sich wehmütig um. Es wäre so schön gewesen, ein klarer Bergsee, rundherum türmen sich die schneebedeckten Gipfel auf, ein Abend am Lagerfeuer, gutes Essen ...

Er seufzt: „Na gut, knabbern wir auch weiterhin unsere Nahrungskuchen, es hätte auch viel schlimmer ausgehen können. Lass uns gehen und einen anderen Platz für das Nachtlager suchen."

Gesagt, getan, sie machen sich auf den Weg.

Sie ahnen nicht, dass Thyros gar nicht in der Höhle ist. Thyros reist durch das Land, um Menschen um sich zu scharen.

Er hat die Bewachung des Kristalls dem Drachen und den abtrünnigen Zwergen überlassen. Er geht davon aus, das Horga erfolgreich war. Thyros hat von ihr jedoch keine Rückmeldung erhalten, dass muss zwar nicht unbedingt etwas heißen, sehr zuverlässig ist sie in diesen Dingen nicht. Aber er hat die Zwerge angewiesen, sicherheitshalber mit ihren Greifvögeln die Umgebung um die Höhle weiträumig zu überwachen.

Dabei haben diese Ronan entdeckt und versuchen ihn auf eigene Faust zu töten. Sie fürchten sich nicht so sehr vor den Folgen der Ereignisse, sondern vielmehr vor Thyros' Jähzorn. Das Überbringen schlechter Nachrichten aller Art, sollte nach Möglichkeit unterlassen werden.

Der Kommandant der Zwerge ist Pino, der ein Versagen unbedingt vermeiden will, denn er erhofft sich eine bedeutende Stellung am zukünftigen Hof des Tyrannen. Dieser Umstand ist sehr positiv für die Freunde, auch wenn sie davon natürlich nichts wissen. Thyros wäre mit Sicherheit der gefährlichere Gegner.

Die Zwerge haben heimlich beobachtet, was sich am See abgespielt hat und dass die Freunde den Anschlag überlebt haben. Das macht Pino sehr ärgerlich, die Zwerge hatten sich solche Mühe gegeben. Er sah sich schon, wie er Thyros die Nachricht überbringt, dass die Männer tot sind und als Held gefeiert wird. Was musste auch der dumme Vielfrass von dem Fisch fressen und auch noch gefunden werden, ein neuer Plan muss her. Pino hat nicht vor, seinen Herren über die Lage zu informieren und um Hilfe zu bitten, er möchte unbedingt zum Helden werden.

Nachdem Ronan und Cerjoc ein Nachtlager aufgeschlagen und wenig begeistert ihre Nahrungskuchen gekaut haben, sondert sich Ronan etwas ab. Erschöpft und frustriert schreibt er ein paar kurze Zeilen an Dana. Wann Abos dieses Briefchen zustellen kann, weiß er nicht, aber es hilft ihm mit den Ereignissen umzugehen.

VEREHRTE DANA,

IHR WISST ZWAR NICHTS VON MEINER AUFGABE UND SO MUSS ES LEIDER AUCH BLEIBEN, ABER ES IST SCHWER UND ICH HALTE MICH DARAN FEST, DASS IHR AN MICH GLAUBT. AM LIEBSTEN WÜRDE ICH MIT EUCH WEGLAUFEN UND NIE WIEDER ETWAS VON ALL DEM HÖREN. GIBT ES EINEN ORT WO FRIEDEN HERRSCHT?   JA WO IHR SEID IST DER HIMMEL AUF ERDEN FÜR MICH.

IN VEREHRUNG EUER RONAN

Dann legt er sich schlafen, eine Wache aufstellen können sie nicht, von des Ereignissen des Tages sind sie zu erschöpft. Sie verlassen sich darauf, dass Nepomuk merken wird, wenn Gefahr droht.

Der darauf folgende Tag ist anstrengend, nach einem weiteren muhseligen, aber wenigstens ungefährlichen Aufstieg, überqueren sie einen Pass im ewigen Eis. Kalter Wind pfeift durch die Berge, er treibt die Schneeflocken fast waagrecht vor sich her. Ronan und Cerjoc haben sich Decken umgehängt, so ist die Kälte leichter zu ertragen. An den Mähnen der Pferde und an den unrasierten Bärten der Männer, bilden sich Eisklumpen, die Wangen sind hochrot und schmerzen. Mehrmals halten sie an, um die Hufe der Pferde zu säubern und ein Wundlaufen zu vermeiden. Letzten Endes steigen ab: „Das hat so keinen Zweck", Cerjoc hält Amsels Huf in den Händen. An der verharschten Schneedecke hat sie sich blutig gescheuert. „Ich opfere meine Lederunterlage und wir schneiden Lappen, die wir den Tieren um die Füße binden."

„Aber du kannst doch nicht auf dem nassen Boden schlafen", wendet Ronan ein.

„Wir werden uns halt nach Möglichkeit eine Höhle für die Nacht suchen. So jedenfalls können wir nicht weiter, die Hufe der Pferde und Nepomuks Pfoten sind schon blutig. Abos soll mir bei Gelegenheit eine neue Schlafunterlage mitbringen, so lange muss es halt so gehen."

Ronan hebt Sturmwinds Huf an. Dieser ist durch den starken Behang etwas geschützt, aber auch er wird bereits wund. Er setzt den Huf wieder ab und reibt die Hände aneinander, um diese aufzuwärmen: „Also gut, wir müssen die Hufe schützen, aber lass uns schnell machen, es ist eisig."

Sie zerschneiden das Leder, dass bisher als Schlafunterlage gedient hat und wickeln den Tieren die Lappen um die Füße.

Flox meldet sich aus seinem Beutel zu Wort: „Hat der Wind nachgelassen?"

„Nein, bleib in deinem Beutel, sonst erkältest du dich wieder."

Flox mummelt sich wieder tief in seinen Beutel ein. Die Männer beenden ihre Arbeit, dann kämpfen sie sich weiter durch den eisigen Wind.

Sie überqueren ein großes Geröllfeld, langsam erreichen sie wieder tiefer gelegene Regionen, es wird etwas wärmer, aber es ist noch immer unangenehm windig. Hier weiter unten regnet es stark, auch nicht angenehm, aber immer noch besser, als der Schnee.

„Ein gutes hat das Sauwetter", Cerjoc versucht zu lächeln, aber es bleibt bei einer komischen Grimasse. „Nur ein Zwerg, der so verrückt ist, wie Abos fliegt bei diesem Wetter, vor anderen haben wir Ruhe."

Und tatsächlich, gegen Abend stößt Abos erschöpft und durchnässt zu ihnen.

„Urks, ist das ein Sauwetter, aber ich bin erfreut zu sehen, dass es euch allen gut geht."

160

Ronan krault gedankenverloren Sturmwind zwischen den Ohren: „Es wäre beinahe anders ausgegangen, wir erzählen dir später die ganze Geschichte, du wirst staunen."

Flox zupft ihn am Ärmel: „Ja, dieses Mal bin ich trocken geblieben und habe mich auch nicht wieder erkältet. Schau mal Abos", Flox steigt ganz aus seinem Beutel, „Cerjoc hat mir einen einfachen aber schicken Lederumhang angefertigt." Stolz zeigt er seinen neuen Umhang her.

Cerjoc lacht: „Ja richtig, wir mussten, auf dem Pass oben, die Pferdehufe vor dem harten Schnee schützen und dafür meine Schlafunterlage opfern. Dabei ist ein Stück übriggeblieben, das Flox perfekt passt. Du musst mir bei Gelegenheit eine neue Schlafunterlage mitbringen, solange behelfen wir uns." Abos schaut erfreut auf Flox und seine neue Kleidung.

„Das sieht schick aus und ist praktisch, eine neue Schlafunterlage bringe ich das nächste Mal mit. Ich habe übrigens die Irrlichter mitgebracht, sie spenden uns etwas Licht."

Die Gruppe um Ronan übernachtet in einer Höhle um Wind und Regen zu entgehen.

Die Höhle ist düster und feucht, der Boden ist bedeckt mit Geröll. Die Wände sind aus dunkelgrauem Stein, die Feuchtigkeit tropft von der Decke. Flechten überziehen die Steine, diesen gefällt das Klima hier, im Gegensatz zu den Menschen, dem Zwerg und ihren Tieren.

Den Platz zum Sitzen, Liegen und für ihr Feuer müssen die Freunde erst von den Steinen befreien. Sie frösteln und ziehen ihre Decken fest um die Schultern, missmutig nagen alle ihre Nahrungskuchen und trinken kalten Tee, nur die Pferde kauen begeistert Getreide und zerkrümelte Energiekuchen in ihren Futtersäcken.

Cerjoc erzählt Abos von den besorgniserregenden Ereignissen der letzten Tage.

„Das hört sich gar nicht gut an, aber ich habe keine anderen Vögel bemerkt", beschwichtigt er.

Ronan erwidert: „Das wundert mich nicht, Abos. Wer sonst als du ist so verrückt, bei diesem Wetter zu fliegen, ich glaube wir sind hier erstmal sicher. Wir wussten ja von Anfang an, dass es kein Spaziergang wird. Es war nicht zu erwarten, dass sich Thyros den Kristall so einfach abnehmen lässt, aber Bange machen gilt nicht, wir müssen alles auf uns zukommen lassen. Ich für meinen Teil bin müde und möchte jetzt nicht mehr darüber reden."

Die Gefährten sind von den Vorkommnissen des Tages ebenfalls erschöpft. Sie legen sich schlafen. Im Laufe des morgigen Tages werden sie, wenn alles klappt, die Höhle des Drachen erreichen.

Nach dem Misserfolg am Bergsee, müssen sich die abtrünnigen Zwerge um Pino etwas anderes einfallen lassen. Thyros darf, wie gesagt, nichts davon erfahren, dieses Problem möchten sie vorher alleine lösen.

Wenn Ronan die Höhle des Drachen erreicht, würde Thyros sie verantwortlich machen, insbesondere, wenn er erfährt, dass ihnen die Gefahr bekannt war. Sie haben zum Glück völlig freie Hand, der Kristall soll um jeden Preis geschützt werden.

Pino hat deshalb seine Männer zusammengerufen: „Wie ihr wisst, bin ich verantwortlich für den Kristall, Thyros wird mich für jeden Misserfolg zur Rechenschaft ziehen. Ich habe deshalb beschlossen, Ronan mit einer Giftspritze zu ermorden, wir verwenden unser Pfeilgift."

Einer der Zwerge wendet ein: „Der Drache bewacht doch den Stein, soll er doch die Drecksarbeit erledigen."

„Nein, ich möchte sicher gehen, Jok, du wirst diese Aufgabe übernehmen. Die Gelegenheit ist günstig, wir haben ausgekundschaftet, dass die Gruppe in einer Höhle voller Geröll übernachtet, es ist ein leichtes sich unbemerkt anzuschleichen."

Jok weiß, dass ein Protest zwecklos ist, murrend ergibt er sich in sein Schicksal und sie brechen mit ihren Vögeln auf.

Sie rechnen aber nicht mit Nepomuks Aufmerksamkeit und seinen scharfen Sinnen, sie denken die Dunkelheit in der Höhle würde sie schützen. Gegen Morgen wird Ronan von seinem Hund geweckt, Nepomuk knurrt in die Dunkelheit, Ronan kann nichts erkennen, denn als Alarm geschlagen wird, verstecken sich die Angreifer. Pino legt den Finger auf den Mund und bedeutet so allen ruhig zu sein. Sie glauben nur abwarten zu müssen, bis sich alle wieder hingelegt haben. Ronan weckt Cerjoc und Abos. Gemeinsam starren sie in die Finsternis, Nepomuk knurrt noch immer.

Im schwachen Licht der Irrlichter versuchen sie den Grund für das Verhalten des Hundes zu ergründen, vergeblich.

162

Cerjoc nimmt einen brennenden Ast aus dem Feuer und leuchtet in die Dunkelheit, es ist weiterhin nichts zu sehen. Aber in der Höhle liegt so viel Geröll, daher hat das nicht unbedingt etwas zu sagen. „Der Hund hat wahrscheinlich eine Ratte gehört, lasst uns weiterschlafen", Ronan gähnt.

Die Angreifer warten noch etwas, um dann ihre Aktion fortzusetzen. Jok, schleicht sich an, seiner Meinung nach lautlos. Nepomuk hört ihn aber doch, er spitzt die Ohren, jeder Muskel seines Körpers spannt sich an. Jok bemerkt nicht, dass der Hund wach ist und ihn gewittert hat, er schleicht weiter auf Ronan zu. Mit einem gezielten Sprung schnappt Nepomuk den Zwerg, dieser schreit erschrocken auf, kann sich aber nicht wieder aus den Fängen des Hundes befreien. Jok zetert und flucht, sein heimlicher Angriff ist vereitelt, Nepomuk knurrt furchteinflößend.

Von diesem Tumult geweckt, schrecken Ronan, Cerjoc und Abos auf, den Freunden bietet sich, im schwachen Licht der Irrlichter, eine groteske Szene. Nepomuk hat einen Zwerg mit den Zähnen gepackt, seine Zähne bohren sich durch dessen Kleidung, der Zwerg schreit erschrocken, da der Hund ihn jetzt heftig schüttelt. Typisch Hund, diese schütteln ihre Beute eben. „Du hattest Recht Ronan, tatsächlich eine Ratte", bemerkt Cerjoc höhnisch.

Die anderen Zwerge verschwinden angesichts dieser Entwicklung, so schnell wie möglich zwischen dem Geröll.

Dass Nepomuk seine Beute durchschüttelt, bewirkt unbeabsichtigt, dass die Giftspritze zu Boden fällt und zerbricht, der Inhalt ist verloren. Ronan springt auf, er lobt den Hund erleichtert für dessen Wachsamkeit. Es wäre ein leichtes für Nepomuk, Jok mit einem kräftigen Biss zu töten. Das weiß auch Ronan, dann könnten sie den Zwerg aber nicht mehr befragen, deshalb sagt er: „Das hast du sehr gut gemacht, brav Nepomuk, jetzt gib mir diesen fiesen Zwerg, AUS."

Der Hund gehorcht augenblicklich, das rettet dem Zwerg zwar das Leben, allerdings wünscht sich Jok, als er den, gar nicht gut gelaunten, Abos erblickt, der Hund hätte sein Werk vollendet.

Abos kennt ihn von früher, Jok hat so nicht mehr die Möglichkeit, der Gruppe etwas vorzumachen und auf deren Mitgefühl zu hoffen, jetzt ist er angeschmiert.

Ronan schaut Abos fragend an, der den Eindringling wütend mustert: „Kennst du ihn?"

163

„Ja leider, das ist Jok, er war schon immer ein Speichellecker, so etwas war zu erwarten."

Noch halb benommen, findet sich Jok den Fragen der Freunde ausgesetzt.

„Was wolltest du hier, ganz sicher sind deine Absichten nicht freundlich." Ronan spricht in einem scharfen Ton und schüttelt den Zwerg noch einmal heftig durch, doch dieser schweigt beharrlich.

Die Irrlichter haben mit ihrem feinen Gehör, das leise Geräusch bemerkt, das beim Zerbrechen der Spritze entstanden ist. Die Spritze ist, nachdem sie zu Boden gefallen war, unter einen Stein gerollt und deshalb nicht mehr zu sehen, die Irrlichter umschwirren die Stelle aufgeregt.

Flox übersetzt, was sie rufen: „Cerjoc, dieser abscheuliche Zwerg hatte eine Spritze bei sich, sie ist dort unter den Stein gerollt."

Daraufhin entdeckt Cerjoc die Spritze, er hat sofort einen Verdacht.

„Der wollte uns bestimmt etwas antun, im besten Fall wollte er uns nur betäuben. Wahrscheinlicher ist aber, dass Thyros das Problem endgültig lösen und uns im Schlaf ermorden wollte." Cerjoc regt sich furchtbar auf und funkelt den Zwerg böse an.

Die Irrlichter umschwirren die Gruppe noch immer aufgeregt, Flox teilt ihnen mit, was gesprochen wird.

Flox mischt sich nun ein: „So viel Niedertracht, ich werde zukünftig ebenfalls Wache halten, ich kann ja tagsüber in meinem Beutel schlafen, wenn ihr meine Meinung über den Weg braucht, müsst ihr mich nur wecken."

Cerjoc ist immer noch wütend: „Das ist richtig, wir müssen es wahrscheinlich so machen, das ist eine gute Idee. Aber viel wichtiger ist, was machen wir nun mit ihm?" Angewidert zeigt er auf Jok," er schweigt über seine Absichten und mitnehmen können wir ihn nicht."

Jok sagt indes noch immer nichts, genervt und übermüdet brummt Abos: „Du hast Recht, wenn er doch nicht redet, nützt er uns auch nichts. Wir brauchen ihn eigentlich nicht mehr, lassen wir den Hund sein Werk vollenden. Ich bin müde, was meint ihr?"

Cerjoc macht ein Gesicht, als würde er den Vorschlag tatsächlich in Erwägung ziehen. Das macht Jok Angst, er will auf keinen Fall als Hundefutter enden. So weit geht seine Loyalität für Pino oder Thyros nun auch wieder nicht.

Er erzählt widerwillig von Pinos Plan: „Wir wussten, Thyros wird toben", jammert er als Entschuldigung.

Abos schäumt vor Wut: „Dieser falsche Zwerg," schimpft er, „so was hat man doch noch nie gehört, hört Ihr das, er hatte keine Wahl, der arme Kerl. Er will die Verantwortung für sein niederträchtiges Handeln auf Thyros abschieben, hört, hört der Arme ist ganz unschuldig, nur ein Opfer", höhnt Abos wütend. "Was machen wir nur mit ihm?"

Bei der folgenden Diskussion setzt sich Ronan schließlich durch, ein Mord kommt nicht in Frage. Auf diese Stufe ihrer Gegner wollen sie sich nicht herablassen, aber sie müssen dafür sorgen, dass Jok ihnen nicht mehr schaden kann. Sie entkleiden Jok und verbrennen seine Sachen, seinen Greif behalten sie, er kann ihren verletzten Vogel ersetzen. Abos soll Jok gefesselt über den Pass bringen.

Am Fuß des Bergmassives soll er ihm die Fesseln abnehmen und ihn nackt, wie er erschaffen wurde laufen lassen. Jok wird sehr lange brauchen für den Rückweg, von der Schande einmal abgesehen. Schon deshalb wird er sich den Greifvogelreitern nicht zu erkennen geben, sollte Pino nach ihm suchen lassen, das ist die Hoffnung.

„Eines wissen wir aber jetzt, Thyros ist nicht bei dem Kristall und in dieser kurzen Zeit dürfte es unmöglich sein, ihn zu holen", Cerjoc führt den Gedanken weiter.

„Ronan ich sage dir, diesen Umstand müssen wir ausnutzen. Lass uns gleich aufbrechen, an Schlaf ist jetzt sowieso nicht mehr zu denken."

„Der Morgen dämmert schon, du hast Recht, brechen wir auf." Sie bereiten ihren Aufbruch vor, Abos soll, nachdem er Jok ausgesetzt hat, zunächst zurückkehren und bei ihnen bleiben. Vielleicht kann seine geringe Körpergröße und die Tatsache, dass er ein Zwerg ist, nützlich sein.

Ronan gibt Abos auch den Brief an Dana, man kann ja nie wissen .... dann brechen sie auf.

Sie reiten den ganzen Tag ohne Zwischenfälle.

DER HÖLLENSCHLUND

Die Zwerge um Pino, glauben noch immer, das Problem mit Ronan selbst lösen zu können, hinterher würden sie herzhaft darüber lachen, Thyros muss nichts davon erfahren. Pino hat sich nämlich, auch nach dem Fehlschlag mit der Giftspritze, nicht getraut, Thyros von dem Misserfolg zu berichten, aus Angst vor dessen Zorn. Ein Fehler, so kann Thyros nicht reagieren, er glaubt noch immer die Zwerge hätten alles im Griff. Die Zwerge und der Drache sind daher alleine bei dem Kristall. Dadurch sind Thyros' Zauberkünste nicht verfügbar und auch nicht sein direkter, furchterregender Einfluss.
Ronans Chancen siegreich zu sein stehen immer noch schlecht, aber sie steigen durch diese Umstände eindeutig.
Die Freunde nähern sich immer mehr der Drachenhöhle.
Flox meldet sich: „Jetzt ist es nicht mehr weit, wir müssen sehr aufpassen."
Die Männer steigen ab, um besser in Deckung bleiben zu können, sie schlagen sich durch die Büsche und hoffen, so weniger aufzufallen.
Flox wird immer aufgeregter, unruhig hangelt er sich an Ronans Waffenrock hin und her und flattert wild mit den Flügeln: „Passt auf, es ist nicht mehr weit, ich spüre es."
Daraufhin halten sie im Schatten eines grossen Baumes, wobei Ronan beim Absteigen stöhnt:
„Wir sollten die Pferde hierlassen, auch würde ich gern etwas ausruhen, ehe wir uns in das nächste Abenteuer stürzen, was meinst du Cerjoc? Können wir uns das erlauben?"
„Ja, eine kurze Rast haben wir uns verdient, nach dem anstrengenden Ritt durch die Berge."
Als sie gerade etwas trinken wollen, stößt Abos wieder zu ihnen.
„Hallo Freunde."
„Abos, du kommst wie gerufen", Cerjoc ist sichtlich erfreut. „Wir rasten kurz und wollen uns dann anschleichen, um die Sache auszukundschaften".
„In Ordnung, lasst mich nur kurz verschnaufen."
Abos nutzt die kurze Pause um zu berichten: „Das wäre erledigt, zum Glück bin ich diesen falschen Zwerg wieder los. Er hat die ganze Zeit

166

über gejammert, was er doch für ein armer, bedauernswerter Kerl ist."

Er atmet tief durch und schaut sich um: „Hier ist wenigstens ein angenehmeres Wetter, als in den Bergen."

Nach der kurzen Rast schleichen die vier vorsichtig zu der Höhle, die Pferde lassen sie im Schatten zurück. Über den Drachen erzählen sich die Menschen schauerliche Geschichten, deshalb bleiben die Freunde immer in Deckung, während sie sich dem Eingang nähern. Der Drache ist nicht zu sehen, auch keine Wache, die Zwerge scheinen sich Ihrer Sache sehr sicher zu sein. Nach dem Misserfolg mit der Giftspritze eigentlich unverständlich, deshalb werden die Freunde misstrauisch. Was erwartet sie in der Höhle? Der Eingang ist sehr groß, ein finsteres, schwarzes Loch, er erscheint Ronan, wie der Höllenschlund. Aus der Höhle kommt ein Bach, vor dem Eingang liegen im Bachbett, die Reste der letzten Drachenmahlzeit. Stofffetzen und die verbeulten Reste einer Rüstung lassen darauf schließen, dass es kein Hirsch war.

„Urks, das sieht ja schauerlich aus", flüstert Abos, es würgt ihn.

„Offensichtlich stimmen die Geschichten, die man sich erzählt." Cerjoc ist heimlich froh, dass nicht er es sein wird, der mit dem Drachen kämpfen muss.

Er flüstert: „Da wir nicht wissen, was in der Höhle auf uns wartet, ist es schwierig einen Angriff zu starten, wir wollen ja nicht in eine Falle laufen. Was macht die Zwerge eigentlich so sicher?"

Abos schlägt vor: „Ich kundschafte die Sache aus, mich wird der Drache nicht bemerken, mein Geruch unterscheidet sich für ihn nicht von dem, der anderen Zwerge. Deshalb wird ihn das nicht alarmieren und wir wissen dann, was uns erwartet."

Ronan und Cerjoc nicken zustimmend.

Cerjoc flüstert: „Das ist eine hervorragende Idee, ich bleibe hier, um den Eingang im Auge zu behalten. Du, Ronan, gehst zu den Pferden zurück und versuchst dich etwas auszuruhen, nimm' bitte Flox mit."

Ronan nickt, er übernimmt von Cerjoc den Beutel mit Flox und schleicht davon. Abos bewegt sich vorsichtig in Richtung des Höhleneingangs, Cerjoc beobachtet ihn, bis er verschwunden ist.

Ronan ist, bei dem Baum angekommen, zur Untätigkeit verdammt, er ist nervös, von ausruhen keine Spur.

Er läuft unruhig auf und ab und spricht leise mit Nepomuk: „Wir hätten Abos nicht alleine gehen lassen dürfen, was ist, wenn ihm etwas zustößt? Er hat nicht einmal seinen Greifvogel dabei, so kann er sich nicht retten, falls er in Not kommt. Dich hätten wir in jedem Fall mitschicken sollen."

„Ja", meldet sich Flox, „das ist kaum zum Aushalten und dabei soll Abos sich nur verstecken und die Lage auskundschaften. Wenn Ihr aber gegen den Drachen kämpfen müsst, ich mag gar nicht daran denken."

Abos bleibt eine Ewigkeit weg, jedenfalls kommt es Ronan so vor. Er geht immer noch nervös auf und ab und sieht sich dabei etwas um. Vielleicht wird die Kenntnis über die nähere Umgebung nützlich sein. Hier, auf dieser Seite des Gebirges, ist die Vegetation wieder üppig. Die Landschaft besteht aus Wäldern, Wiesen und einen Bach, der sich durch die Ebene schlängelt, hier gibt es sicherlich auch jagbares Wild. Die Berge gehen hier in eine flache Landschaft über, die Höhle liegt in dem letzten steilen Felsen des Gebirges. Den seichten, aber mehrere Meter breiten Bach, der aus der Höhle kommt, hat Ronan eben schon gesehen. Im Wasser liegen die Überreste der Drachenmahlzeit, der Bach fließt ruhig und langsam, sein Grund ist mit Sand bedeckt. Es liegen nur wenige runde Kiesel im Wasser, Sturmwind wird hier, bei einem Kampf, keine Probleme haben sicher zu stehen.

Die Ufer sind teilweise mit Gras bewachsen, an den übrigen Stellen finden sich lehmige Sandbänke, aber überall ist es sehr flach. Sonne wechselt mit größeren Wolkenfeldern ab, es weht ein leichter Wind, günstig aus Richtung der Höhle. Insgesamt ist die Landschaft, nach der schroffen und kargen Gebirgswelt, wohltuend für das Auge. Was aber wichtiger ist, hier bieten sich reichlich Versteckmöglichkeiten und Bäume, diese wären ein Vorteil, bei einem Kampf mit einem fliegenden Drachen.

Ronan beobachtet einen Kranich, der im seichten Wasser nach Nahrung sucht. Der große, schlanke Vogel reicht Ronan ungefähr bis an die Schulter. Er trägt ein weißes Federkleid, an den Schwingen schwarz gebändert. Auf dem Kopf prangt eine prächtige gelb-rote Haube, wie ein Rad, seine Beine sind leuchtend gelb. Solange der wachsame, scheue Vogel in Ruhe nach Futter sucht, droht keine Gefahr. Der junge Mann setzt sich im Schatten nieder, gedankenverloren nimmt er den Schild zur Hand. Er erinnert sich, als ihm der Ritter seinerzeit das alte Erbstück, mit den besten

168

Wünschen, überreicht hat. Es handelt sich um ein Eisenschild, oben an der geraden Seite trägt es zwei Blüten aus Metall, an der Spitze unten eine bewegliche Quaste, die den Angreifer verwirren soll. Auf dem Schild ist das Wappen derer von Orland dargestellt, ein steigender Schimmel, umrahmt von Eichenlaub. Bei dem Felssturz in den Schattenbergen hat es bereits mehrere Kratzer bekommen und Beulen davongetragen. Ob das Schild ihn bei dem bevorstehenden Kampf auch dieses Mal schützen wird? Auch wenn er es vor Cerjoc und Abos niemals zugeben würde, er hat Angst und das ist ein sehr schlechter Ratgeber. Er versucht sich abzulenken und denkt an Dana, sofort kommt er ins träumen. Ihr Lächeln, wenn er daran denkt ..., das Leben könnte so schön sein. Er nimmt das Amulett in die Hand, dass sie ihm geschenkt hat, presst es fest an sich und beginnt zu Träumen, er kommt etwas zur Ruhe.

Als Abos und Cerjoc endlich auftauchen, ist Ronan erleichtert und bestürmt Abos mit Fragen.

„Ich habe mir große Sorgen gemacht, was hast du herausgefunden? Wie sieht es in der Höhle aus? Was macht der Drache?"

„Urks, so viele Fragen? Nur die Ruhe, ich erzähle euch alles."

Sie setzen sich und Abos berichtet: „In der Höhle stinkt es fürchterlich, es ist feucht und modrig, durch die Feuchtigkeit sind die haufenweise in allen Größen herumliegenden Steine mit Flechten überzogen und glitschig. Bei jedem Schritt muss man sehr achtgeben, dass man nicht ausrutscht. Die Höhle ist geräumig und hoch, aber dunkel. Aus diesem Grund haben die Zwerge Fackeln aufgestellt, die die Orientierung erleichtern und die Höhle in ein schummriges Licht tauchen. Der Weg ist mit mehreren Fallen gesichert, die ein Mensch wohl kaum passieren kann, ohne sie auszulösen. Wie es aussieht, werden vergiftete Pfeile auf den Eindringling abgeschossen. Der Drache fliegt anscheinend aus der Höhle und kann die Fallen so gefahrlos passieren. Zwerge sind so klein, dass sie die Pfeile nicht auslösen. Der Drache schläft ziemlich weit hinten, es ist eine gute Wegstrecke vom Eingang aus zurückzulegen. Dort ist auch der Kristall, ich habe ihn gesehen, der magische Stein liegt auf einem roten Samtkissen, auf einer Steinsäule, direkt am Kopf des Drachen. Er sieht aus, wie ein sehr großer Bergkristall, er ist so groß wie zwei Männerfäuste.

Der Kristall ist so schwer, dass ich ihn nur mit Mühe heben kann. Ihn über eine weitere Strecke zu tragen, ist für mich undenkbar. Insbesondere wenn ich entdeckt werde und was sehr wahrscheinlich ist, kämpfen muss."

Abos zeichnet mit einem Stöckchen ein Bild in den Sand, damit Ronan und Cerjoc einen Eindruck von den Gegebenheiten bekommen.

Dann bemerkt er mit einem leisen Seufzer: „Die Zwerge halten direkt bei dem Stein einen Rat ab, ich habe sie eine Weile belauscht. Sie sind ziemlich ratlos, nachdem es ihnen nicht gelungen ist dich zu töten, Ronan. Jok suchen sie nicht, sie gehen davon aus, dass er tot ist. Sie rechnen fest damit, dass Ronan kommt. Sie verlassen sich aber darauf, dass der Drache dich besiegen wird. Wegen der Fallen halten sie es nicht für notwendig, eine Wache aufzustellen. Soweit ich es verstanden habe, wollen sie selber nichts unternehmen. Na ja, jedenfalls können wir uns momentan nicht nähern, ohne gleich die ganze Aufmerksamkeit auf uns zu lenken.

Wir sollten deshalb jetzt beraten, wie wir vorgehen wollen. Es wird schwierig, das Gewicht des Kristalls und die schlechten Wege sind ein Problem."

„Du hast Recht, aber wir dürfen nicht versagen, also wie holen wir uns den Stein?", Cerjoc wirft die Frage in die Runde.

Es entbrennt eine heftige Diskussion, bei der Ronan aufgebracht bemerkt: „Wie soll ich den Stein holen und mit dem Drachen kämpfen, ohne die Pfeile auszulösen? Von den Zwergen ganz zu schweigen."

Cerjoc beschwichtigt ihn: „Na, na du musst ja nicht alles alleine machen, wir sind ja auch noch da."

Die Diskussion wogt hin und her, mehrere Möglichkeiten werden erörtert und wieder verworfen. Schließlich einigt man sich auf folgenden Plan.

Ronan soll, mit Sturmwind, den Drachen vor der Höhle zum Kampf herausfordern. Das ist nicht so schwer, denn Drachen sind leicht in ihrer Ehre zu verletzten und sehr leicht reizbar. Währenddessen wird Abos mit Nepomuk in die Höhle schleichen und den Kristall stehlen. Wenn der Hund vorsichtig ist und sich duckt, könnte es gelingen, dass sie die Fallen nicht auslösen. Nepomuk bekommt wieder seinen kleinen Beutel umgeschnallt und soll den Kristall aus der Höhle tragen. Cerjoc wird mit Flox zurückbleiben und abwarten, bis

Nepomuk aus der Höhle kommt, den Hund empfangen und den Stein übernehmen.

In dieser Zeit kann Abos mit den Zwergen kämpfen und sie beschäftigen, durch den Diebstahl werden sie zweifellos auf den Plan gerufen. Nepomuk soll wieder in die Höhle zurückkehren und Abos helfen.

Wenn alle in Sicherheit sind, wird Ronan seinen Kampf mit dem Drachen abbrechen, entfliehen und dann die anderen wieder treffen.

„Das könnte klappen", Cerjoc ist von diesem Plan überzeugt.

„Das ist wieder sehr riskant, aber bisher ist alles gut gegangen, also machen wir es so." Ronan bemüht sich, Abos' sorgenvolle Miene nicht zu beachten.

„Gut", Abos räuspert sich, „jetzt müssen wir warten, bis sich die Zwerge nicht mehr direkt bei dem Kristall aufhalten. So bleibt uns etwas Zeit, ich erzähle euch, was ich über den magischen Kristall weiß. Ich weiß nicht, in wie weit du Einzelheiten kennst, Cerjoc, aber ich glaube alle sollten den gleichen Kenntnisstand haben."

Er beginnt zu erzählen, Ronan denkt aber über die bevorstehende Aufgabe nach, er kann sich kaum konzentrieren und auch nicht richtig stillsitzen. Abos beobachtet ihn, er verstummt, kopfschüttelnd fordert er Ronan auf: „Du solltest mir zuhören und dich etwas beruhigen, der Kampf kommt früh genug."

„Entschuldige, Abos", Ronan setzt sich wieder hin und alle hören gebannt zu.

„Bei der Erschaffung der Erde ist der Stein entstanden und war über Jahrtausende tief im Inneren der Erde verborgen, kein Wesen hatte ihn je gesehen. Aber es rankten sich allerlei Geschichten um den Kristall, die immer weiter überliefert wurden, woher sie stammten, weiß niemand. Der Kristall sorgt von sich aus dafür, dass keine Naturgewalt zu stark wird. Er verhindert nicht alles und das Wetter ist sowieso niemals jedem recht.

Der eine heiratet und wünscht sich dafür natürlich schönsten Sonnenschein, der andere ist Bauer und wartet dringend auf Regen. Auch in der Natur ist das so, die unterschiedlichsten Bedürfnisse wollen befriedigt werden. Eine Pflanze benötigt das Feuer, um zu keimen. Für eine andere Art bedeutet es, meist vorübergehend, den Tod.

171

Jedenfalls wurde der Kristall irgendwann durch ein schweres Erdbeben mit Vulkanausbruch, weiter nach oben geschleudert. Die Zwerge, die ja normalerweise tief im Verborgenen, in unterirdischen Gängen und Höhlen leben, hatten diesen Stein und die Geschichten, die sich um ihn ranken, für Legende gehalten. Lange vor meiner Zeit fanden sie beim Anlegen eines neuen Ganges, einen besonders schönen Kristall. Sie wussten zunächst nicht, worum es sich handelt und versuchten den Stein zu bearbeiten, was nicht gelang. Obwohl mein Volk sehr geschickt darin ist, Edelsteine zu bearbeiten, der Kristall widerstand allen Bemühungen.

Nach und nach merkten sie, dies ist nicht einfach nur ein Stein, sie erkannten seine Besonderheit, die Geschichten, die sich die Menschen erzählten, sind wahr. Den Zwergen wurde bewusst, welche Bedeutung und Macht der Kristall hat und damit auch, welche Verantwortung plötzlich auf ihnen lastete.

Sie machten einige Versuche, das Wetter ihrer Meinung nach zum Guten zu beeinflussen, teilweise mit verheerenden Folgen. Sie erkannten schnell, dass niemand in der Lage ist, die vielfältigen Zusammenhänge auf dieser Welt wirklich zu verstehen. Deshalb beschloss mein Volk feierlich, den Kristall niemals einzusetzen, außer zu seinem eigenen Schutz. Unter diese Ausnahme fällt auch die Heilung dessen, der geschworen hat, den Stein mit seinem Leben zu beschützen.

Seit dieser Zeit verwahrt das Volk der Zwerge den Kristall, er wird von einem König an den nächsten übergeben.

So gelang es über viele Generationen Missbrauch zu verhindern, zuletzt aber ist die Gefahr immer größer geworden. Als Thyros nämlich, vermutlich durch Verrat, von den Kräften des Kristalls erfuhr, trachtete er augenblicklich danach, den Stein in seine Gewalt zu bekommen. Es wurde immer schwerer, die Sicherheit des Kristalls zu gewährleisten.

Der Kristall kann, entsprechend eingesetzt, natürliche Ereignisse verstärken, aber das wisst Ihr ja schon. Dies macht ihn für Schurken aller Art interessant, die Zwerge brauchten Hilfe."

„Warum habt ihr ausgerechnet den Ritter gewählt?" „Ja genau", pflichtet Ronan Cerjoc bei, „wäre es nicht besser gewesen, jemanden zu wählen, der über eine eigene Armee verfügt?"

172

„Na ja, es spielten auch noch andere Gesichtspunkte eine Rolle. Der Ritter Ronan von Orland eignete sich hervorragend für diese Aufgabe, sein Vater war vor kurzem verstorben. Dieser hatte die Geschäfte der Familie geleitet, wodurch Ronan die Möglichkeit hatte zu reisen. Nun erbte er den Titel und den Besitz und war gezwungen sesshaft zu werden. Er musste sich selber um die Burg und die zugehörigen Ländereien kümmern. Bei einer früheren Gelegenheit bekam er Kenntnis von der Existenz der Zwerge und war ihnen freundlich zugetan.

Auch war der Ritter schon immer ein Einzelgänger und das änderte sich auch jetzt nicht, was die Geheimhaltung sehr vereinfachte. Ronan ist ein umgänglicher Mensch, der andere Menschen und alle Wesen liebt und achtet, besonders aber Tiere. Größere Ansammlungen, wie große Feste und Turniere sind ihm zuwider, er hat nur sehr wenige enge Vertraute. Ronan ist auch ein Abenteurer, der auf seinen Reisen reichlich Möglichkeiten hatte, Erfahrungen im Kampf zu sammeln. Deshalb schien er den Zwergen geeignet, das Geheimnis um den Stein zu bewahren, sie beobachteten den Ritter über einen längeren Zeitraum. Dann kam Ihnen seine rätselhafte Erkrankung gerade gelegen. Die Zwerge heilten Ritter Ronan, unter der Bedingung, ihnen in Zukunft bei der Bewachung des Steins zu helfen und sicherten sich damit dessen Loyalität. Sie weihten den Ritter in das Geheimnis des Kristalls ein und verpflichteten ihn zur Verschwiegenheit.

In ihrem Kampf für den Stein stand Ronan den Zwergen fortan zur Seite, gebunden durch seinen Schwur. Der Ritter wurde durch diese Aufgabe, mit der Zeit, immer verantwortungs- bewusster. Dadurch entstanden eine tiefgehende Verbundenheit und einzigartiges Vertrauen.

Da es immer schwieriger wurde, den Kristall zu schützen, brachten ihn die Zwerge auf die Burg des Ritters und zogen auch selber dorthin um. Außer den Zwergen und dem Ritter, waren nur Cerjoc, Gisbert und der treue Kammerdiener Torjan eingeweiht.

Als Ritter Ronan bemerkte, dass seine Kräfte schwanden, wollte er Unterstützung holen und verließ deshalb die Burg.

Einige Zwerge waren unzufrieden mit ihrer Rolle in der Welt, von diesem Umstand wusste der Zwergenkönig jedoch nichts. Die Unzufriedenen waren schwach und erlagen den falschen

Versprechungen und den Parolen des Thyros. Sie stahlen im Auftrag des Schurken den Kristall, begünstigt durch die Tatsache, dass niemand sich diesen Verrat vorstellen konnte und der Ritter nicht anwesend war. Die schon vorhandene Erkrankung des Ritters wurde umgehend, durch Thyros, mit Hilfe des Kristalls verstärkt. Der Ritter war nicht mehr in der Lage seinen Plan umzusetzen. Nicht einmal mehr die Rückkehr in die Burg war ihm möglich, was uns zwang, wie Ihr ja wisst, ein Lager im Wald zu errichten. Jetzt war niemand mehr in der Lage sich Thyros entgegen zu stellen und den Stein zurückzuholen. Da ansonsten niemand über den Kristall Bescheid wusste, hatten die Zwerge ein großes Problem, den Rest der Geschichte kennt ihr ja. So jetzt wisst ihr alles", schließt Abos seine Erzählung.

Die Zuhörer hängen noch eine Weile schweigend ihren Gedanken nach. Ronan kommt ins Grübeln darüber, was der Ritter damals in dem Wald wollte? Er fragt nicht nach, das muss warten, zunächst steht der Kampf mit dem Drachen an.

Währenddessen wartet Dana ungeduldig und voller Sorge auf die nächste Nachricht von Ronan. Momentan hat Abos leider keine Zeit, deshalb erhält sie keinen neuen Brief.

Langsam macht sich bei ihr die schleichende Vergiftung bemerkbar. Dana ist müde, nicht mehr so vital und überhaupt nicht mehr belastbar.

Eiric, Danas Vater, bemerkt dies mit Sorge, weiß aber nicht, was man dagegen unternehmen kann. Ausgerechnet mit Farah spricht er darüber, nicht ahnend, dass die Magd die Ursache des Übels ist. Eiric hat so schon genug Probleme, die Ernte würde wieder schlecht ausfallen. Dazu kommt noch eine schlimme Tierseuche, sie rafft Kühe und Schafe in bisher unbekanntem Ausmaß dahin. Wie sollen sie nur über den Winter kommen?

Thyros hat das gut geplant, vor seiner Abreise aus der Drachenhöhle, setzte er den Kristall ein, mit seiner Hilfe verstärkte er natürlich auftretende Wetterereignisse und Krankheiten um ein Vielfaches. So wurde aus einer normalen Erkrankung eine Seuche, aus Trockenheit eine Dürre, aus Starkregen Überflutung und aus einem normalen Hagelschlag ein verheerendes Unwetter, das ganze Ernten vernichtet.

174

Sind die Ernten erst einmal vernichtet und Tierseuchen verstärkt, kommt die Hungersnot unausweichlich. Thyros braucht nichts weiter zu unternehmen und konnte den, für ihn so wertvollen Kristall, in der Drachenhöhle zurücklassen, jetzt erntet er die Früchte seines Tuns.

In schlechten Zeiten sind die Leute immer empfänglich für einfache Parolen. Thyros ist ein Demagoge und nutzt diese Situation aus, um Macht und damit Reichtum zu gewinnen. Ein Motiv, das bei genauerer Betrachtung, hinter fast allem menschlichen Handeln steht. Daran hat sich im Laufe der Zeiten nicht viel geändert.

Allerdings ist Thyros klug genug, seine Absichten nicht zu offenbaren, er tritt nur als Heilsbringer auf. Alles ist gut verpackt in Schlagworten, die mit den Ängsten der Menschen spielen und er verspricht Hilfe, so sie ihm nur folgen. Alles als Religion aufgebaut, auch daran hat die Zeit nichts geändert, das ist besonders gefährlich, denn es tarnt sich mit Gutherzigkeit.

Thyros hat damit begonnen, die Menschen um sich zu scharen.

Er hält es nicht für nötig, sich persönlich um die Bewachung des Kristalls zu kümmern. Diesen wähnt er ja sicher in der Obhut Pinos und seiner gefügigen Zwerge, bewacht von dem Drachen. Von den aufgetretenen Schwierigkeiten, das Horga versagt hat und die Zwerge selbst bereits mehrere Fehlversuche bei der Beseitigung Ronans hatten, weiß er nichts.

DER KAMPF

Ungeduldig stehen die Freunde zusammen, wann sind die Zwerge endlich fertig, die Spannung ist kaum auszuhalten, Ronan fragt nervös: „Meint Ihr nicht, die Luft ist jetzt rein?"

„Ich sehe lieber noch einmal nach", Abos verschwindet, als er wiederkommt, vermeldet er: „Pino und seine Mitstreiter sind nicht mehr zu sehen. Eine Wache gibt es noch immer nicht, wir können loslegen."

Da keine Einwände mehr bestehen, schicken sie sich an, den Plan umzusetzen. Ronan reitet zum Eingang der Höhle und beginnt den Drachen mit verbalen Verhöhnungen zu reizen. Sturmwind tänzelt im seichten Wasser des Baches, Drachen hören sehr gut, trotz der relativ großen Entfernung und dem leisen Murmeln des Baches, wird er reagieren.

„Zeig' dich, ich werde es leicht mit dir aufnehmen, oder traust du dich nicht, du Feigling. Man erzählt sich, du seist schrecklich, ich persönlich glaube, ihr Drachen seid Feiglinge, die sich hinter ihrem furchterregenden Aussehen verstecken."

Das reicht bereits, um den Drachen zu reizen, er erwacht und hebt den Kopf. Das wird Ronan sein, die Zwerge haben sich über diesen Angeber, der vorgibt ein Ritter zu sein, unterhalten. Mit diesem Thor will er kurzen Prozess machen, denn der Drache will schlafen, diese Störung empfindet er als sehr lästig. Seine Augen funkeln böse, er faucht und speit einen kurzen Feuerstoß. Wutentbrannt fliegt er aus der Höhle und baut sich drohend vor Ronan auf. Um den Gegner gleich einzuschüchtern speit er sofort Feuer. Sturmwind steigt, dreht sich dann um sich selber, während Ronan versucht, mit dem Schild den Feuerstoß abzuwehren. Mit weit ausgebreiteten Flügeln ist der Drache imposant groß, Ronan und Sturmwind wirken dagegen richtig zierlich. Der lange, kräftige Schwanz des Drachen schlägt nach dem Reiter. Ein Treffer würde Ronan zweifelsohne aus dem Sattel werfen. Ronan hat keine Zeit festzustellen, ob der Drache am Schwanz einen Stachel hat. Sollte er getroffen werden, kommt es darauf sowieso nicht mehr an. Er ist nur damit beschäftigt den Feuerstößen und Schwanzschlägen auszuweichen. Sein ganzes reiterliches Können ist gefragt. Das Schild nimmt schweren Schaden, aber darauf kann Ronan jetzt keine Rücksicht nehmen. Durch die Feuerstöße des Drachen, die das Schild abwehren muss, ist der Schimmel nicht mehr weiss, das ganze Schild sieht verkohlt und mitgenommen aus. Wo vor kurzem noch die Quasten hingen, baumeln nur noch verkohlte Etwas und zeugen von ihrer vergangenen Existenz. Mit Hilfe von Sina hält Ronan den Drachen auf Abstand und kann sogar einen Treffer setzen. Der Drache hat eine blutende Wunde, was ihn nicht weiter zu stören scheint.

Der Kampf tobt hin und her. Die kräftigen Flügelschläge des Drachen erzeugen einen lauten zischenden Ton und sein Fauchen ist furchterregend. Wasser und Sand spritzen unter den Pferdehufen auf, der Bach ist bereits schlammig aufgewühlt. Der Kampf ist anstrengend, Ronan weiß aber, dass er den Drachen beschäftigen muss. Eine Flucht unter die Bäume kommt daher nicht in Frage, da der Drache dann vielleicht wieder in die Höhle zurückkehrt und auf Abos und Nepomuk aufmerksam wird. Ronan hofft, dass das Ablenkungsmanöver erfolgreich ist, er den wütenden Angriffen des Gegners ausweichen und Abos den Stein stehlen kann. Der Drache seinerseits versteht nicht, warum Ronan nicht flieht, er wird immer wilder. Erwischen kann er Ronan nicht, dieser ist viel wendiger, als alle Kämpfer, die der Drache bisher kannte.

Währenddessen schleichen sich Abos und Nepomuk in die Höhle. Abos reitet auf Nepomuk, der Zwerg ist problemlos in der Lage, den viel größeren Hund zu lenken. Nepomuk hat bei der Jagd gelernt, sich geduckt anzuschleichen, möglichst unsichtbar, mit dem leichten Zwerg auf dem Rücken kann er sich problemlos bewegen. Abos hält sich am Riemen des Beutels oder am Fell des Hundes fest. „Brav, Nepomuk, ganz ruhig anschleichen." Abos spricht im Flüsterton mit dem Hund, der Bach übertönt die Worte, nur der Hund kann den Zwerg verstehen, Abos merkt das am lebhaften Spiel der Ohren. Mit diesen Beschwichtigungen will Abos vor allem sich selbst beruhigen. Der Hund kennt weder Ihr Vorhaben, noch die gesamte Tragweite der Situation, er tut gelassen, was von ihm erwartet wird. Anfänglich klappt alles wie geplant. Ronan kämpft mit dem Drachen, Pino und seine Kumpanen vertrauen darauf, dass der Drache Erfolg hat.
Pino meint gelangweilt: „Hoffentlich erledigt der Drache Ronan bald, die anderen sind dann keine Gefahr mehr, sie werden schnell das Weite suchen." Er rechnet damit, dass Ronan erst den Drachen besiegen und dann den Kristall stehlen will, da sollte er sich gewaltig irren.
Abos und Nepomuk erreichen den Kristall, es ist niemand zu sehen. Vor der Höhle kämpft Ronan noch immer mit dem Drachen und die Zwerge sind nicht da.
„Schnell Nepomuk". Abos flüstert: „Die Luft ist rein." Der Hund stellt sich mit den Vorderpfoten an der Säule hoch, Abos klettert über

seinen Rücken und seinen Kopf nach oben auf die Säule. Für ihn ist es, im Verhältnis, verdammt hoch: „Urks, ich bin Zwerg und kein Kletterkünstler, ist das hoch und glatt, nur nicht herunterfallen, Abos", murmelt er leise vor sich hin. Dann rollt er den Stein vom Kissen, lässt das Kissen über die Kante fallen und schiebt den Kristall hinterher. Dieser fällt von der Säule, landet leise auf dem Kissen und wird von Nepomuk, mit der Pfote, am Weiterrollen gehindert.

„Puh, das hätten wir schon mal". Abos wischt sich den Schweiß von der Stirn. Jetzt kommt der schwierigste Teil des Unterfangens, so denkt er zumindest. „Achtung, ich komme!" Abos springt von der Säule herunter und landet ebenfalls weich auf dem Kissen.

Er muss seine ganze Kraft aufbringen, um den Kristall in den Beutel zu heben. Damit Abos diesen leichter erreichen kann, fordert er den Hund auf: „Platz, Nepomuk, bitte lege dich hin." Der Hund gehorcht, Abos strengt sich mächtig an, um den Kristall in den Beutel zu stecken.

„Oh, das ist schwer." Noch bevor Abos den Beutel verschließen kann, werden sie entdeckt und von Pino und seinen Männern mit lautem Geschrei angegriffen.

„Schnell Nepomuk, bring' den Kristall in Sicherheit, schnell lauf zu Cerjoc!" ruft Abos, dann dreht er sich um und zieht sein Schwert: „Kommt her, ihr Verräter, kommt nur, ich habe keine Angst." Es beginnt ein wilder Schwertkampf, Abos ist alleine und gegen diese zahlenmäßige Übermacht hoffnungslos unterlegen, er bemüht sich redlich.

Die abtrünnigen Zwerge um Pino sind nicht nur deutlich in der Überzahl, sondern sie klettern auf Steine, springen Abos an und versuchen ihn so umzureißen. Abos kann sich nur noch mit Mühe die Angreifer vom Hals halten, er kämpft verzweifelt. Während des Unterrichts durch Gisbert für Ronan, hat er vieles gesehen und sich einige Tricks gemerkt. Angesichts der Übermacht der Angreifer, hat er aber keine Chance. Schließlich sucht auch er sein Heil in der Flucht. Während dessen rennt Nepomuk erschrocken in Richtung Höhleneingang, vom Hinweg weiß er noch, wo er sich ducken muss, um den Pfeilen zu entgehen. Er hat den Eingang fast erreicht, als er leise einen verzweifelten Ruf hört.

„Nepomuk, hilf mir, rette mich, hilf mir schnell!"

178

Der Hund stoppt seinen Lauf und dreht die Ohren nach hinten um besser zu hören, dann läuft er eilig zurück, um Abos zu retten. Sobald Abos gewahr wird, dass ihn Nepomuk gehört hat, klettert er schnell auf einen Stein, winkt und ruft: „Hier bin ich, Nepomuk." Der Hund überspringt mehrere Zwerge, als er mit einem großen Satz zu dem Stein eilt, auf dem Abos ungeduldig wartet. Einer der Gegner verletzt ihn dabei mit seinem Schwert schwer an der Pfote, Nepomuk jault kurz auf, kümmert sich aber nicht weiter darum. Er läuft langsam an dem Stein vorbei, während Abos auf seinen Rücken springt schnappt er nach den Angreifern. Abos klammert sich am Haltegurt des Beutels fest, noch bevor er richtig sitzt, ruft er verzweifelt: „Schnell, bring' uns zu Cerjoc." Abos hat nicht mitbekommen, dass der Hund verletzt wurde, obwohl Nepomuk an der Pfote stark blutet, läuft er weiter.

Es kümmert sie nicht, dass sie reihenweise die Alarmfallen auslösen. Diese Fallen schießen, wie vermutet kleine, vergiftete Pfeile ab, denen Nepomuk geschickt ausweicht. Oftmals ist es aber sehr knapp, die Geschosse zischen dicht an den Köpfen der beiden vorbei. „Urks", schreit Abos, er kann gar nicht mehr hinsehen. Er schließt die Augen, verbirgt sein Gesicht im Fell des Hundes und hofft, dass sie den Eingang der Höhle bald erreichen. Da rutscht Nepomuk auf dem glitschigen Boden aus, er schlittert, fast im Liegen, über den Höhlenboden. Abos hält sich krampfhaft an dem Lederriemen fest und schreit. Ein Stein beendet die unfreiwillige Fahrt abrupt und schmerzhaft, der Hund jault auf. Abos hat während der ganzen Rutschpartie gekreischt wie ein Mädchen. „Uuuurks, wir werden sterben, ohhhh nein....", Rrrumps. Dann kleinlaut die Frage. „Alles in Ordnung?" Nepomuk rappelt sich wieder auf, antworten kann er natürlich nicht, da er aber weiterläuft denkt Abos: „So schlimm war es zum Glück nicht, puhh nochmal gut gegangen, wenn auch gerade so." Durch die rasante Rutschpartie haben sie ausreichend Vorsprung gegenüber Pino und seinen Männern bekommen, so schnell konnten diese nicht folgen. Nepomuk muss nur noch wenige Haken schlagen, um den ausgelösten Geschossen zu entkommen, dann erreichen sie endlich den Ausgang der Höhle. Aber bei der rasanten Flucht und weil Abos, als er sich festhielt, den Ledergurt verschoben hat, fällt kurz vor dem Ausgang der Kristall aus dem Beutel. Er rollt in eine kleine Vertiefung, abseits des Weges, Abos bemerkt das: „So ein Mist, halt Nepomuk." Dann wird er gewahr wie nah die Verfolger schon wieder sind. Die wütenden Zwerge haben nämlich ihre Greifvögel geholt und sind ihnen dicht auf den Fersen.

Sie haben die Wahl, den Kristall zurückholen und von den Verfolgern eingeholt zu werden oder sich selbst zu retten. Abos hat keine Zeit zum Nachdenken, er entscheidet sich für letzteres: „Nein, lauf weiter, sie kommen schon. Bei dem Versuch, den Kristall zu holen, würde der Stein sehr wahrscheinlich auch in Feindeshand fallen und wir gleich mit."

Diese Ausführungen interessieren den Hund überhaupt nicht. Er hört nur, wie Abos abermals verzweifelt ruft, wobei sich seine Stimme vor Angst überschlägt: „Schnell Nepomuk lauf, sei ein guter Hund." Nepomuk rennt los, es geht um ihr Leben und das merkt man. Abos klammert sich fest und verbirgt sein Gesicht im Fell des Hundes.

So schießen sie aus der Höhle heraus, in den Wald hinein und an dem verdutzten Cerjoc vorbei.

Abos ruft ihm zu: „Ich brauche meinen Vogel." Cerjoc weiß nicht, was das alles zu bedeuten hat, aber er handelt. Als der Hund wieder vorbeikommt, hält er den Vogel auf dem Unterarm. Der Hund springt mit einem gewaltigen Satz über Amsel hinweg und Abos steigt, in einer waghalsigen Aktion, während des Sprungs um. Nepomuk landet, legt sich sofort hin, hechelt und leckt seine Pfote, während Abos mit seinem Vogel davon fliegt. Cerjoc bleibt, mit zerkratzen Arm und offenen Fragen zurück. Er steigt ab, eilt zu Nepomuk und schaut in dessen Beutel: „Verdammt, leer!", dann bemerkt er die Verletzung: „Zeig mal her." Er untersucht die Pfote und riecht an der Wunde: „Wie es aussieht, war das Messer nicht vergiftet, zum Glück."

Der Hund kann ihm nicht erzählen, was passiert ist und so steigt Cerjoc wieder auf und lenkt Amsel zum Waldrand, um besser sehen zu können.

Er kommt gerade rechtzeitig um zu erleben, wie ein Zwerg mit dem Kristall im Arm, gefolgt von seinen Mitstreitern aus der Höhle kommt. Alle sitzen auf Ihren Vögeln und werden augenblicklich von Abos in der Luft angegriffen. Die Greife haben einen schmalen Lederriemen vor den Flügeln, dieser dient dazu, dass sich die Reiter besser festhalten können. Gelenkt werden die Vögel mit Worten, dass erfordert eine gute Ausbildung und viel Geduld.

Einer der Gegner in diesem Kampf hat den Nachteil, dass er den, für ihn, sehr schweren und unhandlichen Stein festhalten muss. Der

180

Kristall ist schlecht zu greifen und der Zwerg hat alle Mühe, bei den wilden Flugmanövern nicht abzurutschen. Ausgeglichen wird dieser Nachteil durch die schiere Übermacht, der sich Abos gegenüber sieht.

Abos zwingt seine Gegner, durch seine wütenden Attacken zu allerlei Kapriolen, sie liefern sich einen packenden Luftkampf. So spektakulär, dass Ronan und der Drache das Kämpfen vergessen und fasziniert nach oben starren. Nach einiger Zeit gelingt es Abos, dem Gegner den Kristall aus der Hand zu schlagen. Abos kann den Kristall aber nicht auffangen und festhalten, er ist zu schwer. Der Aufprall wäre zu stark und hätte den Vogel unweigerlich abstürzen lassen. So muss er den Stein fallen lassen und kann nur hinterher schauen. Der Drache startet sofort und hat, gegenüber Ronan, den Vorteil, dass er fliegen kann und sehr schnell ist. Er fängt den Kristall aus der Luft und fliegt davon, Pino und seine Männer hinterher, die Freunde bleiben zurück.

Cerjoc treibt Amsel zu Ronan in den Bach: „Was ist geschehen?"

Ronan, noch ganz verschwitzt, zuckt mit den Schultern: „Das wüsste ich auch gerne."

„Hallo Abos", Flox winkt mit dem Flügel, „was ist geschehen?"

Abos landet am Ufer und steigt ab. Wütend stampft er mit dem Fuß auf, mit hochrotem Kopf schimpft er: „Urks, so ein Mist, verflucht ...."

Es folgen noch einige unanständige Schimpfworte.

Die Reiter beeilen sich, ans Ufer zu kommen, sie bestürmen Abos mit Fragen: „Es lief doch gut, was ist dann passiert?"

„Wir hatten den Kristall schon, Nepomuk war bereits auf dem Rückweg. Ich wurde von den Zwergen angegriffen, leider konnte ich nicht gewinnen und musste Nepomuk zurückrufen. Der Hund hat mich gerettet, auf dem Rückweg wieder zum Höhleneingang ist er ausgerutscht und wir haben den Stein bei der Rutschpartie verloren, es tut mir leid." Abos schaut ganz zerknirscht. Dann fällt sein Blick auf Nepomuk: „Du bist ja verletzt!"

Das habe ich noch nicht bemerkt: „Zeig her!", Ronan hebt sofort die Pfote an.

Cerjoc beruhigt: „Ich habe es mir schon kurz angeschaut, es sieht schlimmer aus, als es ist, das Messer war anscheinend nicht vergiftet. Trotzdem müssen wir es sauber machen und verbinden."

Zu Abos gewandt tröstet er: „Beruhige dich, niemand macht dir einen Vorwurf." Ronan fügt hinzu: „Positiv ist doch, dass wir alle überlebt haben, wir haben den Kristall zwar verloren, aber wir holen ihn uns wieder. Wenigstens hat auch der Stein diesen Kampf unbeschadet überstanden."

Abos winkt ab: „Darüber müsst ihr euch keine Sorgen machen, ich habe euch doch erzählt, dass der Stein schon seit Urzeiten unverändert ist. Er hat allen Versuchen, ihn zu bearbeiten widerstanden, der ist robust."

Ronan schaut bestürzt das Schild an: „Es hat schwer gelitten, hoffentlich ist der Ritter nicht allzu enttäuscht."

Cerjoc winkt ab: „Ach was, was glaubst du, was dieses Schild schon alles mitgemacht hat? Sobald wir in die Burg kommen, richtet man es wieder her. Es wird aussehen, wie neu, das hat es schon mehrfach durchgemacht. Der Ritter bekam es übrigens von seinem Vater, als er volljährig wurde, seither hat es ihn begleitet.

Dann wendet sich Cerjoc an Flox. „Jetzt musst du den Kristall wieder aufspüren."

Flox weist mit dem Flügel hinter sich: „Reiten müsst ihr in diese Richtung." Er schaut einen nach dem anderem an: „Seid mal ehrlich, mich hätte es gewundert, wenn diese Sache auf Anhieb geklappt hätte, euch etwa nicht? Gehofft habe ich es zwar, aber so wie es ist, so ist es. Jetzt einmal etwas ganz anderes, meint ihr, wir können es uns leisten etwas zu rasten, zu jagen und ein ordentliches Essen zu kochen?"

„Du hast Recht", Cerjoc ist sofort Feuer und Flamme. „Ein leckeres Grillfleisch, dazu kochen wir etwas Gutes und lassen die Pferde grasen. Diesen Verlauf konnte wirklich niemand vorhersehen, daher glaube ich, dass uns keine Gefahr droht. Es wird eh bald Abend, wir können heute nicht mehr viel ausrichten. Den Kristall zurückzuholen, damit beschäftigen wir uns Morgen. Es kann natürlich passieren, dass wir tagelang dem Stein nachjagen und am Ende wieder bei der Höhle landen. Andererseits wenn wir hierbleiben und der Drache nicht zurückkehrt, erreichen wir auch nichts."

„Wir folgen dem Stein, wir werden sehen, wohin uns das führt." Ronan legt die weitere Vorgehensweise fest. „Aber zunächst nehmen wir Floxs Vorschlag auf, die Aussicht auf Grillfleisch ist, nach all den trockenen Nahrungskuchen, zu verlockend. Ich gehe auf die Jagd, komm Nepomuk."

182

Die anderen suchen einen abgelegenen Lagerplatz, weit genug weg von der Höhle, für den Fall, dass der Drache zurückkommt.

EIN NEUES WAGNIS

Ronan beobachtet einen Hirsch, er trinkt zunächst aus dem Bach und labt sich dann an Gräsern und Kräutern. Ronan folgt ihm eine gute Weile, es geht dem Tier weiterhin gut, daraufhin erlegt ihn Ronan und bringt ihn zum Lager.

Abos läuft bei diesem Anblick das Wasser im Mund zusammen: „Fein, ich rieche das Essen schon."

„Richtig" bestätigt Cerjoc, „ich habe auch schon den Geschmack auf der Zunge, lasst uns anfangen."

Es gibt gegrilltes Fleisch, Salat aus Wildkräutern, Stockbrot, Früchte und frisches Quellwasser. Alle genießen das ausgiebige Mahl und schlagen sich gehörig die Bäuche voll, Abos rülpst zufrieden.

„Das war gut", pflichtet ihm Ronan zufrieden bei. Nach dem Essen liegen sie im Gras, die Abenddämmerung zaubert eine herrliche Stimmung, die nicht recht zu ihrer Lage passen will. Es ist warm, die Vögel singen ihr Abendlied. Cerjoc meint: „Ich möchte gar nicht dran denken, was uns ab jetzt erwartet."

Ronan gibt zu bedenken: „Du hast Recht, einfach wird es sicher nicht, immerhin weiß der Drache jetzt, mit wem er es zu tun hat."

Flox reagiert genervt: „Hört jetzt mal auf, im Augenblick können wir nichts tun, heute haben wir uns etwas Ruhe verdient. So ein schöner Abend, wir sollten ihn genießen, wer weiß, wann wir wieder zur Ruhe kommen." Er seufzt: „Jetzt sollte Farib da sein und eine ruhige Weise auf der Fidel spielen, daß wäre schön."

Abos pflichtet ihm bei: „Du hast Recht, heute können wir nichts mehr bewegen, ich breche ganz früh auf und bringe Dana die Nachrichten, ihr versucht den Kristall wieder aufzuspüren."

„Alles schön und gut", gibt Cerjoc zu bedenken, „aber wie willst du uns wiederfinden, wenn wir uns jetzt trennen?".

„Wenn ich auch Klamour Bericht erstatte und ihm sage, dass wir die Versorgung aus der Luft zunächst nicht mehr brauchen, er sich aber bereithalten soll, werde ich einige Zeit brauchen. Ich versuche, Flox immer wieder mit der unhörbaren Pfeife zu rufen. Auch das Irrlicht wird Kontakt mit ihm aufnehmen, sobald ich nahe genug bin, finde ich euch."

„So machen wir es", Ronan nickt zustimmend.

Am nächsten Morgen brechen sie in verschiedene Richtungen auf, Ronan und Cerjoc folgen der Richtung, die Flox ihnen vorgibt. Nepomuks Pfote ist verbunden. Damit kein Schmutz in die Wunde kommt, hat Ronan den Lederlappen darumgebunden, den sie auf dem Gebirgspass angefertigt hatten.

Nach einiger Zeit kommen sie durch einen Wald. Plötzlich stellt sich Nepomuks Fell auf und er beginnt böse zu knurren. Ronan steigt ab, er hütet sich, den Hund zu missachten.

Er wirft Cerjoc die Zügel zu: „Warte hier, ich schleiche mich zunächst an, mal sehen, was es gibt, komm Nepomuk, lass uns gehen." Ronan zieht Sina aus der Scheide und schleicht davon. Nepomuk hat sich bereits mehr als einmal als sehr nützlich erwiesen, seine feine Nase nimmt die Dinge viel früher wahr, als man sie sehen kann. Hier verhält es sich aber anders, je weiter Ronan sich in die Richtung bewegt, die Nepomuk anzeigt, desto stärker wird der unangenehme Geruch, den er wahrnimmt.

„Das gibt es doch gar nicht, Nepomuk, was stinkt hier so erbärmlich?" Vorsichtig biegt er einige Äste auseinander und lugt auf die Lichtung vor ihm. Er traut seinen Augen kaum, da liegt der Drache, jawohl der Drache, mit dem er gekämpft hat. Er ist verwundet und dem Tode nahe. Ronan tritt aus seiner Deckung, in diesem Zustand ist der Drache für niemanden eine Gefahr. Der Drache erblickt ihn, erkennt ihn wieder und versucht Feuer zu speien, was bei einem kläglichen Versuch bleibt.

Ronan lacht laut auf: „Ist das alles?", spottet er, er wendet sich ab, um wieder zu gehen.

„Fen ist verwundet", antwortete der Drache gekränkt, „und wird sterben, wenn ihr niemand hilft. Deine Schuld, du hast Fen mit deinem Schwert verletzt."

184

Ronan stutzt: „Du kannst sprechen?", fragt er verwundert: „Verstehst du, was ich sage?"

„Was hast du gedacht?", der Drache ist gekränkt.

„Nun ja, keine Ahnung, ich habe mir nie Gedanken darüber gemacht." Anderseits hat er in den letzten Monaten viel erlebt, sprechende Fledermäuse, Zwerge...., ein sprechender Drache schockt ihn daher nicht. Feindselig blinzelt der Drache zu Ronan hinüber, der sich in sicherer Distanz aufhält.

„Wenn du sprechen kannst, sag schon, wo sind eigentlich deine Zwergenfreunde und warum helfen die dir nicht?"

„Ach die", enttäuscht und wütend will der Drache sich etwas aufrichten. Es bleibt bei dem Versuch, mit einem gequälten Laut sackt er wieder zusammen.

„Sie ließen Fen einfach hier zurück, als Fen nicht mehr konnte."

Dann aber verteidigt der Drache sie: „Sie mussten ja weiter und den Kristall in Sicherheit bringen."

„Wie du meinst", Ronan wendet sich wieder ab. „Wenn du weiter dem falschen Thyros und seinen Schergen die Treue halten willst, dann mach es gut." Er geht los und Nepomuk folgt ihm.

„Warte", fleht der Drache, „es gibt ein Kraut, das würde Fen schnell heilen."

„Wozu, damit du dann gleich wieder gegen uns kämpfst?"

Der Drache überlegt kurz, „Wer Fen hilft, dem gehört Fens ganze Loyalität, Fen gibt dir Fens Ehrenwort."

„Was meinst du mit Fen? Ich verstehe dich nicht ganz."

„Fen ist natürlich Fens Name."

„Ach so, na dann", ich heiße Ronan, das ist Nepomuk", er zeigt auf den Hund, „mein Freund heißt Cerjoc und die Fledermaus ist Flox."

Er stutzt: „Was mache ich hier? Ich stelle uns einem Drachen vor", kopfschüttelnd steht er da.

„Fen!"

„Auch gut, aber bevor wir weiter plaudern, sag' mal, kann ich dir auch trauen? Versprich es bei deinem Leben!"

„Fen verspricht es", sagt der Drache.

„Na gut, ich werde meinen Freund holen und sehen, was der dazu sagt, dann suchen wir vielleicht das Kraut."

Er kehrt zu Cerjoc zurück und erklärt ihm die Situation.

„Stell' dir vor, er kann sprechen."

„Das können alle Drachen, wenn sie wollen, wusstest du das nicht?"

„Nein", Ronan rechnet immer noch damit, dass Cerjoc zornig wird, deshalb fügt er an.

„Ich habe große Zweifel, ob wir ihm wohl trauen können."

Aber zu seinem großen Erstaunen ist Cerjoc überhaupt nicht ärgerlich, ganz im Gegenteil: „Was für ein Glück, besser hätte es kaum kommen können." Er führt regelrecht einen Freudentanz auf. Ronan schaut ihm verständnislos zu: „Was soll das nun wieder bedeuten?"

„Weißt du denn nicht? Drachen leben nach einem Ehrenkodex, sie sind an einen Schwur auf den Drachenvater gebunden, lebenslang. Wir müssen ihm nur einen entsprechenden Schwur abringen, nicht nur ein Versprechen. Ich habe noch niemals gehört, dass ein Drache einen solchen Schwur gebrochen hätte, dass würden sie niemals wagen. Dann hätten wir in unserem Kampf einen mächtigen Verbündeten. Thyros wusste das mit dem Schwur hoffentlich nicht, lass uns schnell zu dem Drachen gehen."

„Drachenvater? Wer ist das?"

„Vor langer Zeit lebte einmal ein Drache, so erzählt zumindest die Legende, er war weise und mächtig. Damals spielten Drachen noch eine wesentlich größere Rolle auf der Erde. Als dieser Drache starb, bildete sich ein feiner Schleier, der seit dieser Zeit an manchen Tagen den Sternenhimmel eintrübt. Angeblich gibt der verstorbene Drache so Zeichen an die Lebenden. Was wahr ist und was Legende, keine Ahnung, aber seit damals verehren alle Drachen den Drachenvater, das können wir ausnutzen."

„Na ja, sehr erfolgreich war der offensichtlich bisher nicht, es gibt nicht mehr viele Drachen."

„Du solltest nicht so zynisch sein, insbesondere dann nicht, wenn uns ein spezieller Umstand zum Vorteil gereicht, so sonderbar es dir auch vorkommen mag."

„Alles schön und gut, aber ich weiß nicht, ob ich fortan mit einem Drachen reisen will."

„Natürlich, denk' doch nur, welche Wirkung das hätte, komm lass uns gehen."

„Vielleicht schon, aber weisst du wie der stinkt?"

„Wir werden sehen."

186

Sie gehen auf die Lichtung zurück, dort liegt der Drache und atmet schwer. „Schnell beeilen", haucht er.

„So so", Cerjoc schaut den Drachen aus sicherer Entfernung misstrauisch an. „Immer langsam, dann stell' dich erstmal vor, damit wir wissen, mit wem wir es zu tun haben."

„Ich Fen."

„Oh je, auch das noch", stöhnt Cerjoc.

Ronan fragt verwundert: „Was ist, kennst du sie?"

„Nein, aber das ist auch noch ein hinterlistiges Weibsstück." Fen ist beleidigt: „Wie meinen?"

„Na ja, wie auch immer, wenn du es ernst meinst und uns nicht hintergehen willst, dann kannst du auch einen Schwur auf den Drachenvater leisten. Schwöre das du uns gegenüber immer loyal bist und uns und unseren Tieren nichts zuleide tust. Oder hast du diesen Schwur etwa „Thyros gegeben?"

Fen sieht ihn durchdringend an: „Woher weißt du Mensch von dem Schwur?"

Selbstverständlich hatte sie vorgehabt die beiden anzugreifen, sobald sie genesen ist, daraus wird jetzt wohl nichts. Der Alte scheint ein gerissener Bursche zu sein, nicht so gutherzig wie der Junge. „Schmeckt auch nicht so gut", denkt sie bei sich. Im Grunde findet sie die beiden aber ganz nett, deshalb fragt sie:

„Sagt Ihr Menschen, welches sind Eure Ziele?"

Cerjoc erklärt ihr in kurzen Worten wer Thyros ist und was er vor hat. Als er fertig ist, wird Fen sehr ärgerlich: „Dieser Schuft, Fen derart zu hintergehen: Nicht, dass er je mit Fen geredet hätte, Fen hat es gehört, als er mit den Zwergen sprach."

„Wie hat er erreicht, dass du ihm zu Diensten warst?"

„Na ja", der Drache wird etwas verlegen, „Fen ist immer alleine, hatte gehofft, für die Hilfe wäre Thyros dankbar und Fen könnte sich anschließen. Aber als Fen dann, im Kampf für deren Sache verletzt wurde, ließen diese gemeinen Zwerge Fen einfach zurück."

„Na ja, auf Thyros würde ich nicht setzen, er denkt nur an sich und seine Gefolgsleute sind genauso."

„Stimmt offenbar, der kennt keine Dankbarkeit, aber Fen spürt im Herzen, dass ihr es ehrlich meint. Deshalb schwört Fen, bei dem heiligen Drachenvater, immer für eure Ziele einzutreten und eure Feinde zu bekämpfen."

187

„Auch Thyros?", fragt Cerjoc sicherheitshalber nochmals nach.

„Gerade ihnœ Fen hasst hintergangen zu werden."

Cerjoc ist zufrieden, dass ging leichter als gedacht. Offensichtlich haben Thyros und die abtrünnigen Zwerge gute Vorarbeit geleistet, unwissentlich natürlich. Dazu kommt sicherlich noch, dass sich der Drache in einer verzweifelten Lage befindet.

„Eines interessiert mich noch, Fen", Cerjoc ist neugierig, „hat Thyros diesen Schwur nicht von dir verlangt?"

„Nö, er ist der Meinung, Fen kann ihn nicht verstehen, geschweige denn sprechen", abfällig verzieht sie das Gesicht: „Ob Thyros diesen Schwur überhaupt kennt, Fen weiß es nicht, spielt aber auch keine Rolle. Der ist sehr von sich überzeugt, meint sicher, er braucht so etwas nicht. Andernfalls hätte Fen auch gar nicht schwören können, dass geht nur einmal." Ihre Stimme ist bereits sehr leise und schwach, den Kopf hat sie abgelegt, es strengt den Drachen sichtbar an, zu sprechen.

„Aber jetzt müssen sich die Menschen beeilen, am Ende ist es sonst zu spät. Am Waldrand gibt es zahlreiche, längliche Blätter, bringt eines her, Fen will es ansehen."

Ronan holt ein Blatt und zeigt es Fen.

„Die sind gut, sammelt schnell zwei große Hände voll davon." Sie legt den Kopf wieder ab und schließt die Augen.

„Das sieht gar nicht gut aus." Cerjoc mahnt: „komm wir sollten uns beeilen."

Während sie zum Waldrand gehen, meint Ronan: „So schwach und ganz harmlos, sie tut einem fast leid, aber als wir gekämpft haben, war das kein Spaß, sie wollte mich töten. Sollen wir ihr wirklich trauen?"

„Keine Angst, an den Schwur wird sie sich halten, auch hat jeder eine zweite Chance verdient, auch ein Drache." Ronan zuckt mit den Schultern und beginnt Blätter zu sammeln.

Nach kürzester Zeit haben sie die gewünschte Menge zusammen und bringen sie zu Fen.

„Die Menschen müssen die Blätter zu einem stinkenden Brei zerstoßen und dick auf die Wunden streichen, schnell zieht er die Vergiftung aus Fens Körper, verschließt die Wunde und Fen ist wieder gesund."

Sie zerstampfen die Blätter, wie der Drache es ihnen aufgetragen hat und streichen den stinkenden, bräunlichen Brei auf die Wunde, Fen hat die Augen geschlossen.

Ronan ist angewidert: „Das stinkt wirklich fürchterlich, wobei ihr Geruch so und so nicht angenehm ist. Ob das wohl hilft?"

„Sie wollte es so, wir können nur hoffen, dass sie weiß was sie tut."

„Ja, das stimmt, hoffentlich ist es nicht schon zu spät", flüstert Ronan.

„Wir müssen abwarten."

Für Stunden liegt Fen regungslos da, aber ihre Atmung wird langsam ruhiger.

Am nächsten Tag geht Ronan auf die Jagd, denn der Hirsch gestern war klein und der Hunger riesig, außerdem möchten sie einen Vorrat anlegen. Cerjoc hat Zeit den Drachen zu betrachten. Fen ist etwa vier Mal so groß wie Sturmwind, mit angelegten Flügeln natürlich und der Schwanz kommt noch dazu. Cerjoc findet für einen Drachen ist sie durchaus schlank.

Ihre Schuppen haben eine grünlich-graue Farbe, Fen hat einen langen Schwanz. Am Ende hat dieser allerdings eine Quaste, Cerjoc hatte sich eher einen Dorn vorgestellt. Das Maul ist auch nicht so breit, wie gedacht, es erinnert eher an eine große Eidechse. Seiner Vorstellung entspricht allerdings der gezackte Kamm, der über Rücken und Schwanz verläuft, die Flügel sind angelegt.

Fen hat hinten kräftige Beine, und etwas schwächere Vorderläufe. Wenn es schnell gehen muss, läuft sie vermutlich wie ein Jagdsaurier und ist auch ähnlich schnell. Langsam läuft sie auf allen Vieren, wie ein Hund, ihre Hände haben Finger und sind auch so einsetzbar. Während Cerjoc gerade darüber sinniert, ob man wohl auf Fen reiten kann, während sie fliegt, erwacht der Drache.

Die stinkende Pampe hat schell geholfen, kaum zu glauben, aber ihre beeindruckend schönen, bernsteinfarbenen Augen sind wieder klar und feurig und Fen hat Hunger.

„Hast du Fressen, Mensch?"

Cerjoc, wird durch diese Frage aus seinen Gedanken gerissen: „Was ist, ach du bist wach? Es scheint dir wieder besser zu gehen."

„Ja, Blätter sind gut."

„Es heißt, die Blätter,"

„Wie?"

„Egal, dafür haben wir noch Zeit. Leider ist Ronan von der Jagd noch nicht zurück, ich habe nur noch ein paar alte Nahrungskuchen." Er gibt ihr einen und sie probiert.

„Gut, hat der Mensch mehr?" Cerjoc wundert sich, die alten, trockenen Dinger mochte sonst niemand mehr, aber sie sind ja auch keine Drachen.

„Hör mal Fen, du musst uns bei unseren Namen nennen, ich heiße Cerjoc und mein Freund Ronan, sonst ist das sehr unhöflich."

„Das wusste Fen nicht Mensch, ach Cerjoc."

Cerjoc brummt etwas vor sich hin, dann fällt ihm etwas viel Wichtigeres ein.

„Jetzt, wo es dir wieder besser geht, erinnerst du dich hoffentlich noch an deinen Schwur."

„Schwur?", fragt Fen und amüsiert sich köstlich über Cerjocs erschrockenes Gesicht. Sie tätschelt ihm sanft mit der Schwanzspitze die Schulter.

„Scherz, natürlich erinnert Fen sich. Zugegeben, als mich der Kleine fand, hatte Fen zunächst vor, ihn zu hintergehen. Aber nachdem, was ihr Fen über Thyros erzählt habt, hättet ihr keinen Schwur gebraucht. Fen hasst es, wenn Fen benutzt wird, außerdem merkt Fen schon jetzt, dass Fen sich bei euch wohl fühlt. Im Gegensatz zu der Gesellschaft der Gestalten um Thyros und seiner selbst."

Verschlafen schaut Flox aus seinem Beutel, er gähnt zuerst herzhaft, als er den Drachen erblickt erschrickt er: „Hilfe Cerjoc, der Drache, rette mich."

Cerjoc lacht: „Hauptsache die Fledermaus ist in Sicherheit, mich kann er ruhig fressen. Ausserdem haben wir sie schon vor Stunden aufgegabelt, du schläfst einfach zu viel."

Fen ist irritiert: „Nanu, wer ist das?", fragt sie erstaunt.

Flox schaut Cerjoc an: „Du sagst SIE, außerdem sieht es so aus, als wäre sie unser Gast, dann brauche ich wohl keine Angst zu haben. Willst du uns nicht bekannt machen?"

„Entschuldige, Flox das ist Fen, eine Drachendame, Fen, das ist Flox."

„Grüss dich Flox Fen kannte noch nie eine Fledermaus, schon gar nicht eine sprechende."

„Kein Wunder, als Mahlzeit sich wir zu klein", antwortet er abweisend.

190

„Flox, ich bitte dich", empört sich Cerjoc, „sei höflich, Fen wird uns von jetzt ab begleiten."

„Ist schon gut", beruhigt ihn Fen, „ein Drache ist nicht alltäglich, da kann man schon mal erschrecken."

„Nichts für ungut", Flox schaut den Drachen neugirig an: „Herzlich willkommen in der bunten Truppe, mit der schwierigen Aufgabe."

„Cerjoc hat es kurz erwähnt, aber du musst Fen ausführlich erklären." Flox krabbelt aus seinem Beutel, zu Fen herüber und klettert auf ihre Vorderpfote. Fen setzt sich und nimmt die Fledermaus hoch.

„Vorsicht, ich bin zerbrechlich", ruft Flox erschrocken aus.

„Keine Angst, Fen tut dir nichts und Fens Haut ist so dick, dass Fen deine Krallen gar nicht spürt, erzähle."

Cerjoc, der bei Amsel steht, schaut hinüber. Flox sitzt gemütlich auf der Hand des Drachen, sie unterhalten sich.

Cerjoc schüttelt bei diesem Anblick den Kopf: „Tss, tss, nicht zu fassen."

Ronan kommt später von der Jagd zurück und traut seinen Augen kaum. Cerjoc, Fen und Flox sitzen friedlich am Feuer und unterhalten sich angeregt.

Ronan ist noch immer nicht völlig überzeugt: „Das erstaunt mich sehr, der Drache ist wach, ich hoffe, er will mich nicht schon wieder fressen."

Fen ist zerknirscht: „Tut mir leid, vergessen wir, was gewesen ist?"

„Also gut, auf eine gemeinsame Zukunft", Ronan geht zu dem Drachen und schlägt in die hingehaltene Pfote ein.

„Vielen Dank für Hilfe, Fen ist wieder gesund."

„Danke mir nicht vorschnell, diese Aufgabe ist nicht ungefährlich. Wir wissen beispielsweise nicht, ob Thyros über Zauberkräfte verfügt."

Fen antwortet: „Das werden wir sehen, Flox hat die Gefährlichkeit auch schon angedeutet, jedenfalls hilft Fen euch, denk an den Schwur, aber Fen tut das nicht nur deshalb, Fen mag euch, ihr könnt euch auf Fen verlassen."

„Gut zu wissen", Ronan wendet sich dem Hund zu, „was meint ihr, wenn diese Blätter bei Fen geholfen haben, vielleicht wirken sie auch bei Nepomuk?"

Fen ermutigt sie: „Fen hat noch nie gehört, dass sei nur bei Drachen gut, schaden kann es nicht, ihr solltet es versuchen."

Ronan holt noch einige Blätter, sie stellen etwas Brei her und verbinden die Pfote, dann wendet er sich Sturmwind zu, um ihn zu versorgen.

Cerjoc betrachtet die Szene mit Wohlwollen: „Ich denke, wir werden eine gute Truppe, ungewöhnlich zwar, aber gut", murmelt er vor sich hin während er aufsteht.: „Ich fange lieber gleich mit dem Essen an, es ist ein großes Maul mehr zu stopfen." Er macht sich daran die Beute auszunehmen und zu zerlegen. „Magst du Schweinebraten?" fragt er Fen nebenbei.

„Keine Ahnung, Fen hat bisher das Fleisch roh gefressen oder höchstens leicht geröstet, wenn Fen es feuerspeiend erlegt hat. Meistens frisst Fen die Beute auf einen Sitz, aber Fen würde euer Essen gerne probieren. Die Teile allerdings, die ihr nicht braucht, kannst du Fen geben."

Als das Essen fertig ist, probiert Fen.

„Sehr fein, normalerweise kommt kein Mensch auf die Idee, einen Drachen zum Essen einzuladen, deshalb kannte Fen das nicht." Sie denkt kurz nach, dann schlägt sie vor: „Fen frisst sich wie gewohnt satt und isst dann mit euch zusammen noch einmal, sagen wir einen Nachtisch."

Cerjoc nickt: „Das verbindet uns."

Ronan nickt: „Unter zwei Bedingungen ist das in Ordnung, erstens, wir dürfen dir Tischmanieren beibringen. Wenigstens versuchen wir es, bei Flox hat es auch geklappt, zweitens musst du dringend baden."

„Genau", stimmt Cerjoc zu, „der Gestank ist unerträglich, was meinst du?"

„Das ist Fen noch nie aufgefallen, es hat auch noch niemand gesagt." Ronan entgegnet schmunzelnd „Das liegt sicher daran, dass du sie alle gefressen hast, bevor jemand den Gestank ansprechen oder dich zum Essen einladen konnte."

Fen sieht ihn an: „Da könnte der Mensch Recht haben, aber die Menschen erwarten, dass ein Drache böse ist und kämpft. Diese Erwartungshaltung, dieser Druck, Fen ist froh, dass ihr anders seid, Fen muss nicht immer die Rolle des bösen Drachen spielen."

„Das hast du aber scheinbar immer sehr gut hinbekommen", wendet Ronan ein. „Cerjoc hat furchtbare Schauergeschichten über den schrecklichen Drachen gehört. Mir war gar nicht wohl, als ich gegen

192

dich kämpfen musste, auch wenn es nur ein Ablenkungsmanöver war."

Cerjoc gähnt: „Also gut, Schluss jetzt, schwafeln könnt ihr noch lange genug. Es ist beschlossen, morgen früh baden wir zuerst einen Drachen, aber jetzt sollten wir schlafen." Cerjoc rollt sich in seine Decke ein, ein untrügliches Zeichen, dass er nicht mehr reden will.

Am nächsten Morgen gehen sie noch vor dem Frühstück zum Bach. Cerjoc und Ronan waschen den Drachen mit Bürsten und selber gekochter Seife. Flox sitzt am Ufer und spart nicht mit bissigen Bemerkungen. „Ihr seht ohne Ausnahme sehr komisch aus", haha, hoha. Er hält sich den Bauch vor Lachen, aus freundlicher Rache spritzt ihn Ronan nass, der Fledermaus vergeht das Lachen.

Beleidigt trocknet Flox sein Fell: „Ihr versteht auch keinen Spaß."

„Doch schon, aber warum sollst du als einziger trocken bleiben?", feixt Ronan.

Es stellt sich zum einen heraus, dass Fen deutlich heller ist, als gedacht: „Sieh einer an," lacht Cerjoc, „du bist in Wirklichkeit grün-hellbraun", zum anderen ist sie am Bauch sehr kitzelig. Alle haben großen Spaß. „Ha, ha, hi, hi, hi." prustet Fen vor Vergnügen und schlägt mit dem Schwanz auf das Wasser. Beim Schrubben löst sich ein regelrechter Schmutzfilm und treibt, in allen Farben schimmernd, auf dem Wasser davon.

Ronan bemerkt das: „Seht mal her, Fen löst sich regelrecht auf."

Fen ist etwas beleidigt. „Fen kann auch nichts dafür, baden gehört nicht zu den Dingen, die kleine Drachen lernen."

Am Ende können Ronan und Cerjoc nicht mehr, beide sitzen am Ufer, tropfnass.

Ronan meint: „Zum Glück haben wir nur eine Unterhose angezogen, sonst würden unsere Sachen jetzt triefen."

Sie amüsieren sich köstlich, dann gehen sie frühstücken. Fen sagt: „Fen hat sich noch nie getraut zu lachen. Das ist sehr befreiend, hoffentlich riecht Fen jetzt auch angenehm, für Menschen."

„Das stimmt", bestätigt Cerjoc, „fast wie ein Rosengarten."

Anschließend brechen sie zusammen auf, eine sehr bunte Truppegm. Sie haben zwei Tage verloren, aber einen mächtigen Freund gewonnen.

Inzwischen sind auch die Irrlichter da, dieses Mal zu zweit. Da sie sich mit Flox unterhalten können, wurde beschlossen, ihre Flüge von denen des Zwergs unabhängig durchzuführen.

„Warum fliegt Flox eigentlich nicht über die Baumwipfel, da hätte er einen viel besseren Überblick", wundert sich Fen bereits am ersten Tag ihrer gemeinsamen Reise.

„Das ist so", erläutert Cerjoc, „Flox kann tagsüber nicht fliegen, wenn man es genau nimmt, kann er überhaupt nicht fliegen. Er ist eine Fledermaus, mit schrecklicher Höhenangst, deshalb ist er, als Junges, von der Höhlendecke gefallen. Damals wurde er von den Zwergen, mit gebrochenem Flügel, vor einer gefräßigen Schlange gerettet. Er ist zu allem Überfluss ein Angsthase, der sich vor allem fürchtet, besonders vor dem Fliegen. Für ein Flugtier, das sich auch im Flug ernährt, äußerst ungünstig. Deshalb wohnt er in seinem Lederbeutel und isst unsere Nahrung.

Zunächst wollten die Zwerge ihn als süßes, kleines Haustier behalten. Später bemerkte man seine Fähigkeit, den Kristall, auch über große Entfernungen, zu orten. Der Zwergenkönig erkannte den Wert, den das einmal haben könnte und ließ Flox trainieren. Jedenfalls kann man sicher sein, dass er niemals davonfliegt."

„Nicht zu glauben, was es alles gibt", Fen schüttelt den Kopf. „Fen könnte ihn aber über die Baumwipfel bringen, was haltet ihr davon?"

„Das sollten wir versuchen", Ronan ist ganz begeistert von diesem Vorschlag.

Allerdings macht es einige Mühe zu erreichen, dass Flox dem Drachen vertraut und sich, ohne zu protestieren, in seinem Beutel im Flug mitnehmen lässt. Flox muss sich im Flug konzentrieren und mit Fen kommunizieren.

Er protestiert zunächst lautstark, als das nichts hilft jammert er furchtbar. „Ihr seid grausam, ich bin eine kleine wehrlose Fledermaus. Das werde ich nicht überleben...", und so weiter und so fort, es hilft alles nichts, er muss. Endlich, nach mehreren Versuchen klappt es. Einmal als Fen wieder gelandet ist, ist Flox ganz aufgeregt: „Von oben sieht die Welt so interessant aus, meint ihr, ich kann meine Angst überwinden?"

„Ich bin mir sicher", Cerjoc freut sich über den Ansatz eines Sinneswandels, das würde vieles leichter machen. „Fen wird deine

194

Flugversuche sicher gerne beaufsichtigen und dich notfalls auffangen."

„Au ja, Fen als Fluglehrer", Fens Augen leuchten vor Aufregung.

„Nun mal langsam, seid ja vorsichtig. Eine verletzte Fledermaus können wir gewiss nicht brauchen", beruhigt Ronan die Situation.

Fen dagegen muss lernen, sich an das Tempo der Reiter anzupassen, zunächst ist das Zusammenspiel etwas holprig. Es geht im Zickzack zurück Richtung Drachenhöhle. Vielleicht wissen die abtrünnigen Zwerge ja noch nichts von Fens Genesung und ihrem Sinneswandel.

Die Hoffnung auf den Überraschungseffekt wird zerstört, als Flox sie an der Drachenhöhle vorbei, weiter in die Berge führt.

Sie denken, sie müssen Proviant mitnehmen, tiefer im Gebirge gibt es vielleicht nichts und die letzten Nahrungskuchen hat Fen gefressen.

Cerjoc überlegt laut: „Du musst vorher nochmal jagen gehen, Ronan und den Tee müssen wir uns selber kochen."

„Halt mal", meldet sich Fen, „wir sind doch jetzt eine Gruppe. Fen ist viel schneller als ihr und kann euch versorgen, vergesst das nicht."

„Das stimmt, daran habe gar nicht gedacht."

Fen weiß auch, dass es im Gebirge, auf der Südseite Wasser gibt.

Ronan wirft ein: „So einen Drachen zu haben, ist wirklich sehr hilfreich."

„Du hast Recht, nicht übel, wir behalten ihn."

Cerjoc muss über diesen Kommentar der Fledermaus lächeln: „Etwas anderes hatten wir auch nicht vor."

Fen hat die Unterhaltung mit angehört, mit nachdenklichem Blick läuft sie neben den Reitern her: „Wird Fen eigentlich auch gefragt? Na ja, gut zu wissen, dass Fen bei euch bleiben darf, habt ihr denn genug Platz? Außerdem haben Drachen auf die meisten Menschen eine recht verstörende Wirkung."

Ronan schaut sie eindringlich an: „Deine Zustimmung vorausgesetzt kannst du natürlich bleiben, solange du willst. Wir werden die Probleme lösen, sobald sie auftreten."

Fen ist sprachlos, verschämt wischt sie eine kleine Träne fort und tätschelt Ronan mit der Schwanzquaste die Schulter.

Auch Flox und Cerjoc sind ganz gerührt. Flox sagt leise: „Wer hätte das zu Anfang gedacht, wir sind zu einer starken Truppe zusammengewachsen, alle vertrauen einander. Wir haben gute

Freunde gefunden, Farib, den Nom, Klamour, Fen die Drachendame, die Feen und die Irrlichter", dann verstummt er.
Dann Schweigen, jeder reitet gedankenverloren weiter.

DIE OCKERBERGE

Sie streifen das Gebirge nur, der Weg ist steinig, die Wolken hängen tief, es nieselt.
Abends als sie ihr Lager aufgeschlagen haben, kommt Abos zurück. Er ist wegen der Anwesenheit des Drachen verunsichert und landet deshalb etwas abseits. Nepomuk bemerkt ihn zuerst und läuft zu dem Zwerg hin.
Ronan ruft hinüber: „Du kannst näherkommen, der Drache ist unser Freund."
Der Zwerg kommt näher, er schüttelt den Kopf: „Kaum lässt man euch alleine, schafft ihr euch ein neues Haustier an."
„Das ist Fen, unsere neue Freundin, darf ich vorstellen Fen, das ist Abos", stellt Cerjoc den Zwerg vor.
„Sei gegrüßt Abos, nicht erschrecken Fen tut nichts."
„Hallo, seid willkommen, entschuldigt meine Zurückhaltung, aber ein Drache ist schon ungewöhnlich."
„Drachen haben einen schrecklich schlechten Ruf."
„Das stimmt, Ihr müsst mir unbedingt erzählen, wie es dazu kam, wie sie Euch aufgegabelt haben und das ihr jetzt ganz offensichtlich Freunde seid. Ich habe noch mitbekommen, wie du gegen Ronan gekämpft hast, dass war gar nicht freundschaftlich. Ich schlage vor, dass wir auch zu einem formlosen Umgang übergehen."
„Fen ist einverstanden."
Nachdem er sich gesetzt hat, berichtet Abos: „Ich konnte meinen Auftrag nicht erfüllen, ich wollte Dana die Briefe bringen, habe aber schon nach kurzer Zeit bemerkt, dass mein Vogel Probleme mit

196

seinem Flügel hat. An einen Weiterflug war nicht zu denken, da bin ich umgekehrt."

Cerjoc bemerkt die Enttäuschung, die sich in Ronans Gesicht widerspiegelt: „Es tut mir leid, aber Klamour können die Irrlichter eine Nachricht überbringen, die Briefe müssen in dem Fall leider warten, es geht nicht anders."

Ronan nickt wortlos.

Abos schaut ihn betrübt an, dann fährt er fort: „Mir tut es auch leid, Ronan, auch kann ich euch zunächst nicht begleiten, mein Greifvogel braucht Ruhe, aber ich freue mich auf ein gutes Essen." Sie sitzen zusammen und erzählen Abos was in der letzten Zeit vorgefallen ist. Als es später Essen gibt, versuchen die Freunde, wie vereinbart, Fen das Essen mit einem Löffel beizubringen, es ist lustig, zunächst aber erfolglos.

Fen ist traurig: „Wenn Fen das nicht lernt, akzeptiert ihr Fen nie."

„Das ist Unsinn", entgegnet Cerjoc, „erstens bist du ein Drache und keine Tänzerin und zweitens hast du es jetzt gerade einmal versucht. Es ist noch kein Meister vom Himmel gefallen, wir üben das, seit wir kleine Kinder waren.

„Versuch es nochmal, etwa so", Cerjoc macht dem Drachen vor, was er meint. Er legt den Kopf in den Nacken und spitzt die Lippen. Den Löffel steckt er in die so geformte runde Öffnung, dreht ihn um und lässt sich die Suppe in den Mund laufen. Es sieht urkomisch aus. Ronan hört auf zu essen und hält sich den Bauch vor Lachen.

„Mach es nach", fordert Cerjoc den Drachen auf.

Fen ziert sich etwas, dann probiert sie es aber doch. Sie legt den Kopf in den Nacken, spitzt die Lippen, macht andächtig die Augen zu und ... trifft den Mund nicht. Sie stößt allerdings so fest an ihr hartes Maul, das der Holzlöffel zerbricht.

„Seht ihr, Fen kann es nicht", trotzig stemmt sie die Arme an ihren Bauch, da wo, bei einem Menschen, die Taille wäre. Ronan kann sich vor Lachen kaum halten, auch Abos und Flox kugeln sich und prusten. Cerjoc ist darüber gar nicht begeistert: „Schluss jetzt ihr Kindsköpfe, seht ihr nicht, dass ihr Fen weh tut?"

Flox sieht betroffen aus: „Entschuldigung, das war nicht böse gemeint, hat nur urkomisch ausgesehen, versuch es noch einmal, bitte."

Ronan pflichtet ihm bei: „Ja bitte, noch einmal", fleht er den Drachen an. Fen lehnt das zuerst ab, gibt aber schließlich nach und versucht es noch einmal, dieses Mal klappt es schon besser, alle klatschen Beifall.

Cerjoc ermahnt die Freunde: „Wir sollten jetzt schlafen, wer weiß, was uns morgen erwartet."

Sie schlafen ruhig und sicher, unter der beruhigenden Anwesenheit des Drachen. Fen verfügt, wie alle Drachen, über einen feinen Geruchssinn und ein sehr gutes Gehör, so verzichten sie auf eine Wache und verlassen sich ganz auf die sensiblen Sinne der Tiere.

Am nächsten Morgen brechen die Freunde auf, Abos verabschiedet sie: „Ich stoße später wieder zu euch", er winkt den anderen nach.

Der Weg führt die Gruppe auf eine leicht wellige Ebene.

„Bist du sicher, Flox, dass das hier richtig ist?", Ronan schaut nicht gerade begeistert über die karge Ebene.

„Jawohl, ich bin sicher."

„Hier gibt es aber keinen Weg."

„Du bist ein Schlaumeier, die Zwerge fliegen, sie brauchen keinen Weg."

„Das stimmt und da wir sowieso keine andere Spur haben, müssen wir dir wohl vertrauen."

„Na besten Dank auch, ich glaube, sobald Fen mir das Fliegen richtig beigebracht hat, werde ich mich aus dem Staub machen."

Cerjoc beruhigt ihn: „Entschuldigung Flox, Ronan hat es nicht so gemeint, wir brauchen dich, bitte bleib hier."

Cerjoc weist Ronan streng zurecht: „Du solltest dich bei Flox entschuldigen, das war unnötig, alle Mitglieder der Gruppe sind wichtig."

„Entschuldige, Flox, ich habe das nicht so gemeint, aber der Weg sieht wirklich nicht einladend aus."

Ronan schaut sich die Ebene genauer an. Spärlicher, trockner Grasbewuchs bedeckt die Fläche. Grau-braune Kieselsteine liegen zahlreich überall verstreut, alles wirkt grau und trüb.

„Na dann los, es hilft ja nichts." Ronan fordert Sturmwind auf weiterzugehen, in einem schnellen Trab versuchen sie die Ebene rasch zu überqueren.

198

Abends stellt Ronan fest: „Hier sieht alles gleich aus, es ist richtig gruselig, wir brauchen dich mehr als je zuvor, Flox, sonst verirren wir uns."

Flox plustert sich regelrecht auf, diese Worte tun ihm sichtlich gut.

„Fen kann morgen die nähere Umgebung erkunden, so weit ist Fen in dieser Richtung vorher nämlich nie gekommen."

„Das wäre nett, leider ist heute kein Mondlicht, zusätzlich sieht man bei dem dichten Nebel überhaupt nichts. Du musst also wirklich bis morgen warten, hoffen wir, dass dich bei Tageslicht niemand sieht, gute Nacht."

„So wie es hier aussieht, wohnt hier sicher niemand, Fen wird trotzdem sehr aufpassen."

Sie wickeln sich fest in ihre Decken, es ist kalt und feucht.

Als sich am nächsten Morgen der Dunst der Nacht auflöst, traut Cerjoc seinen Augen nicht. Aufgeregt weckt er die anderen: „Seht mal, ist das nicht wunderschön."

Ronan reibt sich die Augen, in der Ferne erhebt sich aus dem Dunst ein Gebirge, im Nebel hatten sie die Berge am Abend nicht gesehen. Die Felsen werden von der Morgensonne angestrahlt. Sie leuchten in den schönsten Ockertönen, gelbliche Töne wechseln sich mit braun und rötlichen Farben in unregelmäßigen Querstreifen ab. Die Berge bilden einen wundervollen Kontrast zu dem, azurblauen, wolkenlosem Himmel.

„Müssen wir da hin?", mit ungläubigem Staunen betrachtet Ronan das Farbspiel.

„Allerdings, kommt los, das sieht sehr interessant aus." Flox macht einen Flugversuch, flattert die wenigen Meter zu Fen hinüber und landet an ihrer dicken Haut.

„Ich reite heute auf Fen, wenn ich darf."

„Fen ist das recht, aber Flox muss sich gut festhalten."

Die Reiter brechen auf und jagen den Ockerbergen entgegen.

Als sie näherkommen, wird das Farbspiel intensiver. Licht und Schatten bilden interessante Kontraste, die Berge scheinen richtig gehend zu leuchten. Die Felswände sind recht steil, von nahezu flachen, ebenen Tälern durchbrochen. Vor sehr langer Zeit bereits ausgetrocknete Flussläufe sind darin zu erkennen. Wie felsige Zungen ragen die Berge in die Ebene, die ganze Gegend wird gnadenlos von der Sonne aufgeheizt. So bitterkalt es in der Nacht war, so unerträglich heiß ist es jetzt bereits und die Sonne steht noch nicht im Zenit.

Ronan schaut sich um: „Hier scheint es kaum zu regnen, aber wenn, dann ergießen sich wahre Fluten die Berge hinunter, das Wasser hat Spuren hinterlassen."

„Du hast Recht, wenn hier ein entsprechender Regen niedergeht, wird es sehr ungemütlich." Cerjoc schaut nachdenklich auf die deutlich sichtbaren Spuren, die das Wasser letztes Mal hinterlassen hat. „Wir sollten uns das merken."

Die Gruppe reitet weiter, außer Fen leiden Mensch und Tier unter der Hitze.

Flox weist mit dem Flügel in eins der Täler: „Hier müssen wir hinein."

„Wir reiten in dem ausgetrockneten Flussbett weiter, komm Sturmwind." Ronan lenkt den Hengst in das Flusstal, Cerjoc und Fen folgen.

Nachdem sie einige Stunden leicht bergauf geritten sind, erreichen sie eine kleine Höhle.

Flox ist ganz aufgeregt: „Da da da, da drin ist der Kristall", er fuchtelt wild mit seinen Flügeln. Die Reiter halten an: „Wir sollten Deckung suchen, damit die Pferde nicht in Gefahr kommen."

„Ja, richtig Cerjoc bring' die Pferde in das kleine Seitental, nimm Flox mit und bleibe bei ihnen. Wie es aussieht können wir uns sowieso nicht gleichzeitig in der Höhle bewegen."

„Ja, gut, viel Glück."

Cerjoc nimmt Sturmwinds Zügel, er führt ihn mit sich und sucht Deckung. Ronan schaut sich derweil vor der Höhle um. Der Boden ist mit rötlich-gelbem Sand bedeckt, der von der erbarmungslos brennenden Sonne aufgeheizt wird. Vor der Höhle stehen einige struppige Büsche und einige spärliche, gelbe, trockene Grasbüschel. Ronan schleicht sich an, da stößt er mit dem Fuß an einen Stein, der wegrollt und mit einem lauten Geräusch gegen einen anderen Stein kracht, noch bevor Ronan das verhindern kann. Seine Anwesenheit ist damit verraten, trotzdem schaut er vorsichtig in die Höhle, er muss die Gegebenheiten kennen. Es handelt sich eher um einen Felsüberhang, deutlich breiter als tief, Ronan kann auch im vorderen Bereich nicht stehen, es ist zu niedrig. Im hinteren Bereich ist nicht einmal an hinhocken zu denken, zusätzlich erschweren scharfkantige

Steine das Bewegen. Darauf verlassen sich die Diebe des Kristalls, sie haben sich im hinteren Teil verkrochen, für die kleinen Zwerge ist es allemal hoch genug. Wachen haben sie nicht aufgestellt, aus Angst sich dadurch zu verraten. Pino und seine Männer hoffen noch immer, Ronan würde sie nicht bemerken und weiter reiten und verstecken sich. Sie kriegen deshalb nicht mit, was vor sich geht, sie kennen Floxs Fähigkeit nicht. Sie wissen daher auch nicht, das dieser den Kristall bereits geortet hat.

Pino flüstert noch: „Pssst, verhaltet euch ruhig." Es nützt jedoch nichts, Ronan überlegt bereits wie er am besten angreifen kann und beginnt dann, den Plan umzusetzen.

„Fen, du musst den Eingang sichern und Ausbrecher sofort aus der Luft holen."

Fen nickt eifrig: „Das macht Fen."

Nepomuk, an den die Zwerge offensichtlich nicht gedacht haben, soll in den hinteren Bereich der Höhle vordringen und den Stein in der Schnauze forttragen.

Ronan will im vorderen Teil der Höhle gebückt mit den Zwergen kämpfen, um sie von dem Hund abzulenken.

„Nepomuk, such' den Kristall und bring' ihn her."

Mit dieser Anweisung schickt Ronan den Hund in den Überhang und betritt gebückt das Versteck. Sofort entbrennt ein heftiger Kampf, die kleinen wendigen Zwerge erweisen sich als schwierige Gegner. Trotzdem gelingt es Ronan sie zu beschäftigen, so dass Nepomuk in den hinteren Teil vordringen kann. Mit lautem Gebell, wild nach den davonstürzenden Zwergen schnappend springt der Hund herum. Die Höhlenwände werfen den Schall zurück, so entsteht ein Getöse, als würde ein ganzes Rudel Hunde angreifen. Nepomuk schnappt sich den Kristall und trägt ihn in der Schnauze nach draußen. Dort ruft ihn Cerjoc, der die Szene aus sicherer Entfernung beobachtet: „Komm her Nepomuk, bring mir den Kristall." Der Hund rennt zu ihm hin und legt seine Beute vor Cerjocs Füßen ab. In Erwartung des Lobes streckt er die Vorderpfoten vor, hechelt und wedelt erwartungsvoll mit dem Schwanz.

Cerjoc streichelt ihm den Kopf. „Das hast du sehr gut gemacht, aber jetzt sollten wir den Stein in Sicherheit bringen, ehe die Diebe wieder zuschlagen." Er nimmt den Kristall, er will ihn in einem Lederbeutel in Amsels Satteltasche verstauen. Die Pferde sind außer Sichtweite an einen vertrockneten Baum gebunden, deshalb hat Cerjoc eine gewisse Strecke zurückzulegen.

Ronan bleibt allein in der Höhle zurück, die Zwerge, erbost über den Verlust des Kristalls, schneiden Ronan den Rückweg ab. Fen kann nicht helfen, für die Höhle ist sie zu groß und mit einem Feuerstrahl würde sie Ronan selbst verletzen.

Einer der Zwerge schafft es, Ronan an der Seite mit seinem Pfeil zu treffen. Die Wunde ist nicht tief, der Waffenrock hat einiges abgefangen, aber der Pfeil ist mit einer giftigen Pflanzenlösung eingestrichen worden. Augenblicklich beginnt sich die Wunde lila zu verfärben, sie brennt wie Feuer und Ronan wird ganz benommen. Halb von Sinnen entwickelt er riesige Kräfte, er schreit furchterregend und brüllt: „Da nehmt das, Ihr Widerlinge."

Als sie den entstehenden Tumult hören, bleiben Nepomuk und Cerjoc stehen und schauen sich entsetzt um. Erschauernd sagt Cerjoc: „Das hört sich gar nicht gut an."

Nepomuk winselt und legt die Ohren an, aber sie müssen weiter, der Kristall ist zu wichtig.

Ronan nimmt jetzt keine Rücksicht mehr, in Todesangst wütet er furchtbar unter den Zwergen. Sina ist leicht, es scheint fast, als würde sie ein Eigenleben entwickeln, die Hiebe gelingen wie von selber. Einen der Zwerge haut Ronan in der Mitte entzwei, ein anderer verliert einen Arm. In dem wilden Schlachtgetümmel wird Ronan am Arm verletzt.

Er schreit wild auf, der Schmerz, denn die von vergifteten Waffen verursachten Wunden, brennt wie Feuer in seinen Körper. Halb betäubt holt er mit dem Schwert aus und enthauptet den nächsten Angreifer, die anderen verlässt der Mut, sie ziehen sich nach Hinten zurück und geben den Weg frei.

Fen beobachtet von draußen das Geschehen: „Du meine Güte, er ist wie von Sinnen, könnte Fen nur helfen."

Mit letzter Kraft torkelt Ronan aus der Höhle und bricht augenblicklich zusammen.

Er stöhnt. „Hilf mir bitte." Fen denkt nicht weiter über das Gesehene nach, nimmt Ronan mit der Schnauze hoch und legt ihn hinter sich ab. Um zu verhindern, dass sie verfolgt werden, verschließt sie mit einem lang anhaltenden, heftigen Feuerstoß den Eingang. Die Büsche und das Gras brennen und machen eine Verfolgung unmöglich.

Auch in dem Versteck entsteht ein Inferno, die meisten Zwerge kommen um, für einige der Verletzten eine Erlösung. Nur Pino und einer seiner Gefolgsleute können sich hinter einem großen Stein verstecken, nur die Hüte und Haare werden versenkt und beide erleiden leichte Verbrennungen.

Fen wendet sich von dem Drama ab und wieder dem verletzten Ronan zu. Cerjoc und der Hund warten derweil unruhig bei den Pferden. Cerjoc traut sich nicht, den Kristall aus den Augen zu lassen. Als er den Drachen mit dem leblosen Ronan auf sich zukommen sieht, erschrickt er.

„Was ist geschehen?"

Fen legt den jungen Mann sanft ab: „Es gab einen heftigen Kampf mit schlimmen Verlusten, Fen konnte nicht helfen, die Höhle viel zu niedrig. Nachdem Ronan draußen war, hat Fen den Unterstand mit einer brennenden Feuerwand verschlossen, damit uns niemand verfolgen kann."

„Danke, aber jetzt müssen wir ein Versteck suchen, wir müssen die Wunden behandeln. Außerdem zieht ein Unwetter auf, wir haben die Spuren des Wassers gesehen, deshalb brauchen wir ein höhergelegenes Versteck."

Während die beiden reden, beginnt Nepomuk die Wunden seines Herrn zu lecken. Zum Glück beginnt er mit einem kleinen Kratzer am Arm. Bevor der Hund die vergifteten Wunden berührt, bemerkt Cerjoc die Gefahr und hält Nepomuk geistesgegenwärtig davon ab: „Nein, Nepomuk, Platz, lass das, das ist gefährlich für dich."

„Schnell, Fen weiß nicht wie lange das Feuer schützt. Außerdem, wenn unsere Feinde überlebt haben, sollten sie das Versteck nicht erfahren."

„Das stimmt, also was tun wir am besten?"

„Auf dem Weg hierher ist Fen eine Höhle aufgefallen, guter Schutz vor dem Wetter."

„Komisch", wundert sich Cerjoc, die habe ich nicht bemerkt."

„Kein Wunder", erwidert Fen, „von unten kann man sie nicht sehen, sie liegt gut versteckt etwas erhöht, bietet deshalb Schutz vor dem Wasser. Zusätzlich wird sie von einigen dürren Bäumen und Büschen verdeckt."

„Sehr gut, aber die Pferde?"

„Groß genug für alle."

„Du bist gut, du kannst ja fliegen, aber wie sollen die Pferde hochkommen?"

„Keine Sorge, Fen hilft euch hoch, dort sind alle sicher und du kannst dich um Ronans Verletzungen kümmern."

„Also dann, lass' uns gehen, kannst du Ronan tragen?"

Bei der Höhle angekommen bringt Fen zunächst Ronan in die Höhle und legt ihn vorsichtig ab. Dann beobachtet sie, ob Cerjoc und den Pferden der schwierige Aufstieg gelingt. Es ist nicht einfach, Fen entschließt sich zu helfen. „Cerjoc nimmt die Zügel, Fen hält und schiebt von hinten." Lose Steine rollen immer wieder auf den Weg, aber schließlich sind alle oben.

„Geschafft!" Cerjoc steht der Schweiß auf der Stirn. „Oh Mann, das ist der reinste Glutofen." Er nimmt seinen Hut ab, wischt sich über die Stirn und setzt den Hut wieder auf, dann sieht er sich in der Höhle um: „Das ist gut, hier haben wir genug Platz

Fen betrachtet die Pferde, die Tasche mit Flox an Cerjocs Schulter und dann Cerjoc selber, alles scheint in Ordnung zu sein, so gut es eben unter diesen Umständen geht.

„Wie geht es eigentlich Flox?"

„Er hat sich verkrochen, als Ronan so fürchterlich zu schreien anfing, aber um ihn kümmere ich mich später."

Cerjoc untersucht Ronans Wunde.

„Fen, diese Wunde wurde vergiftet, wir hätten etwas von dem Kraut mitnehmen sollen, das dich geheilt hat. Schade, dass die Verletzung von einem Zwerg zugefügt wurde, so kann der Kristall nicht helfen." Die Verzweiflung schwingt in Cerjoc Stimme mit.

„Das muss Cerjoc Fen erklären", sie schaut ihn fragend an.

„Nur so viel, der Kristall ist nur dann in der Lage zu helfen, wenn die Ursache eine natürliche ist, ausführlicher erkläre ich es dir ein anderes Mal."

Ein Donnergrollen erinnert Fen daran, dass ein Unwetter droht, wortlos breitet sie ihre Flügel aus und startet.

Cerjoc ruft ihr entsetzt nach: „Halt warte, ich danke dir, dass du mir mit den Pferden geholfen hast. Aber ich brauche dich, wo willst du überhaupt hin?"

Fen hört ihn nicht mehr. „Sie ist halt doch ein Drache, ich erwarte zu viel, hoffentlich kommt sie zurück. Wir wären sonst endgültig verloren."

204

Eine Windböe erinnert den Mann an das Naheliegende: „Ich muss mich dringend um Ronan kümmern." Flox, der inzwischen aus seinem Beutel gekrochen ist, nickt: „Besser wäre es, du solltest dich beeilen", gemeinsam gehen sie in die Höhle.

AUF DES MESSERS SCHNEIDE

Das Versteck ist gut gewählt, die Bäume und Sträucher, wenn auch nahezu kahl, verdecken den Eingang, der nach Süden ausgerichtet ist. In der Höhle ist es dadurch angenehm kühl und die zerrupften Bäume halten das Wetter ab. Vor dem Unterschlupf liegt ein ungefähr zwei Schritte breiter Sims, auf der rechten Seite begrenzt durch eine Felswand. Auf der anderen Seite verläuft dieser Sims in der Wand.

Cerjoc steht zunächst wie gelähmt in der Höhle, Panik steigt in ihm hoch und droht ihn zu ersticken. Fen ist fort, Abos ist noch nicht wieder hier, Ronan ist schwer verletzt, draußen braut sich ein Unwetter zusammen. Sie haben zwar den Kristall, aber die Situation scheint ausweglos. Dummerweise kann der Stein nicht helfen, wie Cerjoc Fen schon erklärt hat, haben Ronans Verletzungen ja keinen natürlichen Ursprung.

Dann nimmt sich Cerjoc zusammen, ein Ruck läuft durch seinen Körper. Er richtet sich straff auf, gibt sich selber eine Ohrfeige und schimpft sich laut aus: „Reiß dich zusammen, alter Junge, Ronan braucht dich, wir packen ein Problem nach dem anderen an. Sicher wird sich die Situation entwirren und ich sehe wieder klarer, fang an Cerjoc."

Da fällt sein Blick auf Flox, dieser sitzt auf seinem Beutel, mit hängenden Ohren und einem entsprechenden Gesicht, bietet er ein Bild der Hoffnungslosigkeit.

„Flox, reiss dich zusammen, ich weiß selber, in welcher Lage wir uns befinden, da könnte ich etwas Aufmunterung brauchen."

Dann wendet er sich ab, sucht etwas Holz zusammen und zündet ein Feuer an, um ein Eisen glühend zu machen. Flox schnieft, er schüttelt den Kopf und zieht seinen kleinen Lederumhang fest um den Körper. Während Cerjoc noch beschäftigt ist, kommt Fen zurück, gerade noch rechtzeitig bevor das Unwetter losbricht. Sie bringt ein erlegtes Beutetier, Blätter für die Pferde und Laub als Lager für Ronan.

Cerjoc ist erleichtert: „Zum Glück bist du wieder da, danke."

„Hat Cerjoc geglaubt Fen kommt nicht wieder? Das versteht Fen nicht, wir gehören doch jetzt zusammen."

„Entschuldige, das stimmt, fangen wir an, bitte hilf mir."

„Ich wollte noch von den heilenden Blättern holen, aber das Wetter kommt zu schnell."

„Das mit den Blättern ist eine gute Idee, na ja vielleicht morgen."

Cerjoc beginnt Ronan zu entkleiden, seinen Körper nach Wunden abzusuchen und diese zu reinigen. Ronan hat einen tiefen Schnitt an seiner linken Seite, unterhalb des Rippenbogens. Eine zweite Wunde klafft an seiner rechten Hüfte und eine dritte am Oberarm. Zum Glück sind sie nicht tief, aber der Knochen liegt an der Hüfte etwas frei. Die Wunden haben sich bereits dunkellila verfärbt, reinigen alleine wird daher nicht helfen. Die Waffen, mit denen sie zugefügt wurden, waren tatsächlich vergiftetet und vermutlich dreckig. Cerjoc hat das bereits vorhin erkannt und bringt deshalb das Schwert zum Glühen.

„Es hilft nichts, ich muss die Wunden ausbrennen, hoffentlich ist es noch nicht zu spät."

„Oh nein, das kann Cerjoc nicht Ernst meinen." Fen steht der Schreck ins Gesicht geschrieben, erstaunlicher Weise, kann sogar ein Drache blass werden. Cerjoc bemerkt dies mit Verwunderung.

„Oh nein", stöhnt Ronan, „ist das wirklich nötig?" Er ist kurz wieder zu Bewusstsein gekommen, Cerjoc und Fen waren der Meinung, er sei bewusstlos.

„Ach du bist wach", sagt Cerjoc erstaunt. „Na egal, du hättest es sowieso erfahren müssen, du hast an drei Stellen Fleischwunden davongetragen, verursacht von, im besten Fall dreckigen Waffen, teilweise waren sie aber offensichtlich vergiftet. Etwas von dem Gift ist sicher schon in deinen Körper eingedrungen, um Schlimmeres zu verhindern, muss ich die Wunden ausbrennen, so leid es mir tut. Wir dürfen nicht abwarten, ob sich die Vergiftung ausbreitet, dann ist es

206

nämlich zu spät." Ronan wird, bei diesen Ausführungen, schon wieder von einer tiefen Ohnmacht umfangen.

Cerjoc ist mit den Wunden beschäftigt, auch traut er sich nicht, Ronan anzuschauen.

Fen flüstert: „Ronan schon wieder eingeschlafen."

„Gut für ihn, dass ist besser so."

Cerjoc hat sein Schwert, eines der starken, geraden Ritterschwerter ins Feuer gelegt, um das Eisen rotglühend zu machen und gibt Fen Anweisungen.

„Wir sollten anfangen, damit wir die für alle unangenehme Sache schnell hinter uns bringen. Fen, du musst Ronan halten. Vorsicht, er wird erstaunliche Kräfte entwickeln, aber pass' auf, dass du ihn nicht noch mehr verletzt. Außerdem muss Ronan unbedingt auf das Holzstück beißen, kriegst du das hin?"

Fen nickt schwach: „Fen hat ja keine Wahl, denn trotz unseres furchterregenden Aussehens, bei so etwas sind Drachen gar nicht gut. Aber wenn Cerjoc es sagt, muss es sein", es würgt sie bei dem Gedanken. „Fen wird Ronan mit dem Schwanz und mit einer Pfote halten, mit der anderen hält Fen das Holz."

Cerjoc nickt und wendet sich Ronan zu: „Schrei ruhig, es ist niemand da und falls doch, durch das Gewitter wird dich sowieso niemand hören." Doch der halb bewusstlose Ronan versteht ihn nicht.

Das Unwetter wütet über den Bergen, wie schon auf dem Weg vermutet stüzt ein reissender Bach durch das Tal.

Cerjoc prüft das Schwert: „Ich glaube, es ist noch nicht heiss genug."

Er steht einen Moment da, um sich zu sammeln, dann atmet er tief durch. Er sieht Flox immer noch mutlos auf seinem Beutel sitzen. Dieses Bild kann er nicht gebrauchen, er beschließt, die Fledermaus braucht eine Aufgabe.

„Flox hör mir zu, du musst den Stein beschützen, setz dich am besten darauf." Kurzerhand nimmt er Flox und setzt die Fledermaus auf den Kristall.

„Glaubst du, dies ist eine gute Idee? Bei dem, was Ihr vorhabt, wird man mich nicht einmal schreien hören, falls etwas passiert."

„Eine andere Möglichkeit haben wir nicht, Nepomuk bringe ich von seinem Herren nicht weg, Abos ist nicht hier und Fen muss Ronan festhalten. Du siehst, es bleibst nur du für diese Aufgabe." Er schaut in das zitternde Gesicht der Fledermaus.

„Keine Sorge, du wirst das großartig machen und es wird schon nichts geschehen."

„Wenn du meinst", Flox klingt nicht wirklich überzeugt.

Dann geht Cerjoc zurück zum Feuer, nimmt das an der Spitze rotglühende Schwert und fängt an. Ronan schreit, windet sich und umklammert den Schwanz des Drachen mit aller Kraft, während sich das glühende Eisen in sein Fleisch frisst. Es riecht erst süßlich und dann verbrannt, der Schmerz ist kaum auszuhalten. Denn Cerjoc ist gezwungen die Wunden gründlich auszubrennen, eine kurze Berührung, etwa wie beim Anbringen eines Brandzeichens, genügt nicht. Ronan bäumt sich mit aller Kraft auf, Fen hat Mühe ihn nieder zu drücken ohne ihn zu verletzen. Abwechseln schreit Ronan und beisst dann wieder auf das Holz, blutiger Schweiß steht ihm auf der Stirn, endlich erlöst ihn eine tiefe Ohnmacht von dieser Qual.

Zwischen der Behandlung der einzelnen Wunden muss Cerjoc das Eisen immer wieder rotglühend machen. Das verschafft allen eine kurze Verschnaufpause, bevor er sich der nächsten Wunde zuwendet. Als er fertig ist, steht ihm der Schweiß auf der Stirn, er sagt zu Fen: „Wir haben es geschafft."

„Hoffentlich hilft es", auch Fen steht das Grauen noch im Gesicht, sie hält sich den Schwanz, Ronan hat so fest zugedrückt, er tut jetzt richtig weh.

„Au au, das tut Fen weh." Cerjoc schaut hoch, er ist übermüdet: „Sei still,wir wollen Ronan doch nicht wecken." Höhnisch sagt er dann: „Oh, das tut mir aber leid, wir sollten eine Gesellschaft für bedauernswerte Drachen gründen."

Fen schaut beleidigt, sie schmollt: „Auch wenn Fen ein Drache ist, hat Fen trotzdem Schmerzen."

„Tut mir leid, aber ich bin hundemüde."

Trotzdem setzt sich Cerjoc neben Ronan, sorgenvoll schaut er den Freund an. Was ist alles geschehen, seit er ihn zum ersten Mal traf, Cerjoc fühlt sich irgendwie verantwortlich für Ronan. Sorgfältig deckt er den jungen Mann zu, es wird empfindlich kalt, jetzt wo die Sonne untergeht. Cerjoc denkt eine Weile über alles nach, dabei kommt er etwas zu Ruhe. Bisher ist noch immer alles gut ausgegangen, er hofft, auch dieses Mal würde es so sein. Während er so dasitzt, nickt er immer wieder ein, schließlich übermannt ihn die Müdigkeit endgültig. Cerjoc hat seine Hand sicherheitshalber an den Beutel gebunden, in dem sich der Kristall befindet. Als ihn Nepomuk gegen Morgen anstößt, schreckt er auf, er ist steif von der unglücklichen Haltung. „Was, wie, was ist los?"

Flox hat auch noch geschlafen, erschöpft von den Ereignissen des vergangenen Tages: „Was ist geschehen? Du hast mich aufgeschreckt."

„Ich habe geträumt, wir hätten den Kristall verloren. Vermutlich habe ich im Schlaf gesprochen, der Hund hat mich jedenfalls geweckt. Was bin ich froh, dass alles nur ein Traum war."

Cerjoc sieht in Ronans blasses, schweißnasses Gesicht: „Zum Glück habe ich ihn nicht auch noch geweckt."

Flox ist zu Ronan hinüber geflattert, er sieht besorgt auf den Kranken hinunter: „Ich hatte so gehofft, es würde Ronan schon besser gehen, sieht aber nicht danach aus. Was sollen wir jetzt tun?"

„Ja, über Nacht hat sich das Wetter zwar ausgetobt, aber Ronan hat hohes Fieber und Schüttelfrost", Cerjoc hat den Kopf auf die Hand gestützt.

Er wendet sich an Fen: „Das Gift hat schon mehr Schaden angerichtet, als ich gehofft hatte. Thyros wird den Verlust des Kristalls nicht einfach hinnehmen. Unsere Lage ist nicht gerade rosig. Du wirst schon bald bereuen, das du dich uns angeschlossen hast."

„Ach was, so leicht gibt Fen nicht auf und wenn ihr Fen nicht geholfen hättet, wäre Fen jetzt in überhaupt keiner Lage mehr. So gesehen, alles gut, es gibt immer einen Ausweg."

Cerjoc schluckt, er darf jetzt keine Schwäche zeigen.

„Wie kann Fen helfen?"

„Wir müssen alles versuchen, um Ronan wieder auf die Beine zu bringen, wenn es zum Kampf kommt, brauchen wir ihn, vielleicht kannst du von den Blättern holen? "

Der Drache nickt: „Fen holt die Blätter, wir brauchen auch Essen, Fen muss Cerjoc deshalb vorübergehend alleine lassen. Wasser findet Cerjoc draußen, seit dem Unwetter tropft es rechts neben dem Eingang von den Felsen, pass' aber auf, dass niemand Cerjoc sieht. Fen hofft, dass Thyros noch nicht so bald kommt."

Cerjoc nickt und der Drache verlässt die Höhle. Einige Zeit später hört Flox Abos pfeifen, er ruft aufgeregt: „Abos, hier drinnen sind wir."

Der Zwerg hört ihn und kommt herein.

Mit einem Blick sieht er was los ist. „Urks, was ist denn geschehen?"

„Hallo Abos, schön das du wieder da bist."

Dann berichtet Cerjoc dem Zwerg von dem Kampf: „Wenigstens war Ronan erfolgreich, auch wenn der Preis ziemlich hoch war. Sieh her, hier ist der Kristall, wir lassen ihn nicht aus den Augen." Er ruft Nepomuk, holt den Stein aus dem Beutel des Hundes und zeigt ihn, nicht ohne Stolz dem Zwerg.

„Das ist eine gute Nachricht, aber Thyros wird diesen Verlust nicht einfach hinnehmen, wo ist der eigentlich?"

„Keine Ahnung, wir haben ihn nicht gesehen. Schon bei unserem ersten Versuch den Kristall zu entwenden, war ja er nicht da."

„Sollte es möglich sein ...?" Abos beendet den Satz nicht.

„Was, was meinst du?", Cerjoc ist ungehalten, das passt eigentlich nicht zu ihm, aber die Nerven liegen blank.

„Ich meine, vielleicht hat Pino aus Angst noch gar nicht gebeichtet, dass ihr den Stein entwendet habt, oder er hat das Feuerinferno nicht überlebt. Thyros weiß vielleicht noch gar nichts von dem Verlust des Kristalls."

„Das wäre gut, denn ehrlich gesagt weiß ich nicht, was wir bei einem Angriff unternehmen sollen."

„Da bin ich auch überfragt." Abos macht ein entsprechendes Gesicht, dieses Mal hat er Recht.

„Wo ist eigentlich Fen?"

„Sie ist auf der Jagd."

„Zum Glück, ich dachte schon..."

„Keine Angst, es geht ihr gut, zumindest war das so, als sie aufbrach.

„Ich gehe mal kurz nach draußen, ich muss nachdenken."

Cerjoc nickt, Abos geht und setzt sich auf einen Stein in den spärlichen Schatten der dürren Bäume. Von dem Unwetter und von Wolken ist nichts mehr zu sehen, die Sonne brennt erbarmungslos auf das Tal nieder, es ist bereits wieder sehr heiss.

Abos denkt nach: „Irgendwann wird Thyros von dem Verlust erfahren, wenn sich Ronan dann noch gar nicht oder nicht vollständig erholt hat, wird es sehr schwierig den Kristall zu verteidigen. An den schlimmsten Fall möchte ich gar nicht denken, aber es ist eindeutig, wir brauchen Hilfe."

Er eilt wieder in die Höhle zurück: „Ich bin der Meinung, dass wir Unterstützung brauchen, was meinst du?"

210

„Ausnahmsweise bin ich ganz deiner Meinung", Cerjoc schaut besorgt auf den vom Fieber geplagten, Ronan, „aber wer sollte uns helfen?"

„Die Irrlichter!"

„Irrlichter, wie sollten die kämpfen? Die sind doch viel zu klein."

„Klein ja, aber auch schnell und in dieser Kombination schwer zu treffen, in einem Kampf können sie die Gegner trefflich verwirren."

„So habe ich das noch nie gesehen, du hast Recht, aber dauert es nicht viel zu lange diese Bitte über Klamour an die Feenkönigin weiterzuleiten."

„Leider, wir müssen die Feenkönigin durch unsere Irrlichter direkt darum bitten und auch zur Eile Ermahnen. Bei Ratsmitgliedern dauert leider alles ewig, dass musste ich bei meinem Besuch bei den Feen erleben, wir haben aber keine Zeit."

„Ist gut, bitte kümmere dich darum."

Abos erklärt Flox seinen Plan und bittet ihn diesen dringenden Appell an die Irrlichter weiterzugeben.

Nach einiger Zeit starten beide Irrlichter eilig.

Flox wendet sich an Abos: „Sie sind mit der Botschaft unterwegs, ob die Feenkönigin Irrlichter schickt und wenn ja, ob diese rechtzeitig kommen, darauf habe ich jetzt keinen Einfluss mehr."

„Vielen Dank, ab jetzt können wir nur hoffen, dass alles gut geht."

„Allerdings, es sieht aber momentan nicht danach aus, ich weiß nicht welche guten Geister ich um Hilfe bitten soll."

„Ja, ich weiß es auch nicht." Abos macht ein sorgenvolles Gesicht, Flox zieht sich in seinen Beutel zurück, Cerjoc und Abos setzen sich zu Ronan und kühlen abwechselnd seine Stirn. Die Stimmung ist gedrückt, gesprochen wird nicht, jeder hängt seinen Gedanken nach, man wartet auf Fen.

Es vergehen viele Stunden, Cerjoc kann nichts weiter für Ronan tun. Es ist Wind aufgekommen und nachts wird es wieder empfindlich kalt. Cerjoc hat deshalb eine Decke vor den Eingang der Höhle gehängt. Nepomuk liegt dicht neben Ronan und wärmt seinen Herren.

Wo bleibt Fen nur, dem Drachen wird doch nichts zugestossen sein? Zum Glück hat sie vor ihrem Aufbruch noch reichlich Feuerholz gesammelt, so muss Cerjoc den Kranken nicht alleine lassen. Cerjoc ist kurz eingenickt, als Nepomuk knurrend meldet, dass sich etwas vor der Höhle befindet. Der übermüdete Mann springt auf, greift nach seinem Messer und stellt sich schützend vor Ronan. Er lauert, er hat keine Ahnung, was sich vor der Höhle befindet, neben dem Wind ist ein relativ lautes Knirschen zu hören. Anscheinend bewegen sich einige Personen vor der Höhle auf dem Kies. Ist das schon Thyros mit seinen Männern?

Flox und Abos sind ebenfalls aufgewacht, Abos hätte eigentlich Wache gehabt, war aber eingeschlafen, schuldbewusst flüstert er: „Tut mir sehr leid, wenn ich früher bemerkt hätte, dass etwas nicht stimmt, wärst du nicht überrascht worden."

„Dafür können wir uns jetzt auch nichts mehr kaufen. Ihr müsst um jeden Preis den Stein verteidigen. Hört ihr, das ist das allerwichtigste, dann starrt er wieder zum Eingang. Nepomuk steht leicht geduckt, zum Sprung bereit, neben Cerjoc, hat die Zähne gefletscht und ein tiefes Grollen entsteigt seiner Kehle.

Abos zieht sein kurzes Schwert, Flox flattert zur Höhlendecke, Abos flüstert in Panik: „Was sollen wir tun, wir werden sterben. Wer berichtet dann von unserem Schicksal?"

Nach quälenden Minuten betritt Fen die Höhle und wird sofort von Flox in ungeschicktem Sturzflug angegriffen. Fen ist reichlich verdutzt über diesen aggressiven Empfang. In der Schnauze trägt sie eine erlegte, leicht angesengte Wildsau, die sie jetzt fallen lässt.

„Oh Mann, hast du uns erschreckt", ruft Cerjoc erleichtert aus. Alle entspannen sich. Der Hund umkreist den Drachen und winselt erfreut. „Hoppla, Fen war darauf nicht vorbereitet, Fen wollte niemanden erschrecken."

„Entschuldige den Empfang, der Geruch des Wildschweines hat Nepomuk offensichtlich verwirrt. Er dachte wohl etwas Unbekanntes sei vor der Höhle. Was bin ich erleichtert dich zu sehen, wo warst du so lange, wir haben uns Sorgen gemacht."

Fen schaut ihn verdutzt an: „Das ist ein schönes Gefühl", freut sich der Drache dann, „um Fen hat sich schon seit ewigen Zeiten niemand mehr Sorgen gemacht."

„Na hör mal, wir sind Freunde, daran musst du dich gewöhnen. Jetzt erzähl aber mal, wo warst du so lange."

„Ich habe noch von den Blättern geholt, mir und Nepomuk haben sie ja auch geholfen. Ronans Wunden sind zwar ausgebrannt, hoffentlich wirkt es dann noch. Wie geht es ihm eigentlich?"

212

„Na ja, du siehst es ja, das Fieber quält ihn. Komm, vergiss erst einmal das Schwein, wir stellen erst den Brei her und tragen ihn sehr großflächig auf." Gesagt getan, sie zerstampfen die Blätter zu dem stinkenden Brei und schmieren diesen dick auf Ronans Wunden.

Als sie fertig sind, schauen sie einander an. Fen flüstert: „Jetzt können Cerjoc und Fen nur noch abwarten und hoffen."

„Du hast Recht."

Da mischt sich Abos ein: „Was haltet ihr von einem schönen Schweinebraten?"

„Das ist eine gute Idee", Cerjoc stimmt zu. „Ich habe einen Bärenhunger, lasst uns anfangen."

Während sie das Schwein zerlegen, bittet Cerjoc die anderen: „Kann bitte einer von euch die Wache übernehmen, ich bin hundemüde."

„Kein Problem, Drachen brauchen nicht so viel Schlaf. Fen döst eher, deshalb übernimmt Fen."

Sie essen und legen sich dann schlafen, wobei Fen die Wache antritt.

Am nächsten Morgen hat der Brei das Gift aus den Wunden gezogen, das Fieber ist fast weg. Ronan ist sehr schwach aber seine Augen sind wieder klar.

„Sieh nur", Abos rüttelt Cerjoc an der Schulter, „wach auf, die Blätter haben geholfen."

Cerjoc ist sofort hell wach: „Was ein Glück, wie geht es dir?"

Schnell geht er zu Ronan hin und beugt sich zu dem Freund herunter.

„Besser, ihr beide habt mir das Leben gerettet, danke." Cerjoc lächelt nur verlegen,

Fen sagt, während sie mit der Pfote abwinkt: „Das macht man doch unter Freunden so. Fen hatte noch nie Freunde, was glaubt ihr, Fen will sie doch nicht gleich wieder verlieren. Plötzlich erschrickt Ronan: „Cerjoc, wo ist mein Amulett?"

„Als ich dich auszog, habe ich es neben dir ins Laub gelegt."

Ronan sucht und findet es schließlich. „Zum Glück, hier ist es", fest hält er die Kette in der Hand.

„Es scheint zu stimmen, es beschützt mich wirklich", er drückt das Amulett an seine Brust. Cerjoc schaut Fen an, er könnte leicht beleidigt sein, aber er beschließt diesen Umstand auszunutzen.

„Du solltest es nie verlieren, ein Amulett, dass uns beschützt, können wir gut gebrauchen."

Cerjoc und Abos unterhalten sich später vor der Höhle.

Cerjoc zieht den Zwerg nach außen, etwas von dem Eingang weg: „Du weißt, dass diese Höhle ein ausgesprochen ungünstiges Versteck ist, sie hat zwei Eingänge, sehr schlecht zu verteidigen."

„Richtig, außerdem würde ich bevorzugen, noch etwas Abstand zwischen uns und Thyros zu bringen. Mit einem Angriff müssen wir in jedem Fall rechnen, aber wir sollten versuchen so viel Zeit wie möglich zu gewinnen."

„Gut, wir brechen sobald wie möglich auf."

Bei den abtrünnigen Zwergen herrscht derweil an Panik grenzende Ratlosigkeit. Die Gruppe ist durch Ronans Angriff stark zusammengeschrumpft, die Moral ist am Boden. Jetzt müssen sie Thyros den Verlust des Kristalls beichten, sein Zorn wird fürchterlich sein. Pino möchte sich um diese Aufgabe drücken: „Wer übernimmt das freiwillig?"

Betretens Schweigen, Pino schaut die Zwerge nacheinander an, jeder vermeidet den Blick, niemand möchte das übernehmen.

Schließlich fasst sich einer ein Herz: „Du bist unser Anführer, das ist deine Aufgabe."

„Ihr seid Feiglinge, alles muss ich machen. Na gut, anscheinend seid ihr nicht fähig dazu, du kommst mit." Er deutet mit dem Finger auf den Zwerg, der sich eben zu Wort gemeldet hat.

„So ein Mist, hätte ich nur meinen Mund gehalten."

Verzweifelt wendet er sich an seinen Nachbarn: „Bitte komm mit, lass mich nicht alleine."

Der Zwerg willigt ein, die drei gehen zu ihren Vögeln und machen sich auf die Suche. Thyros ist in einer nahegelegen Stadt, es ist nicht sehr weit. Gut für Thyros, schlecht für Ronan und seine Freunde. Thyros ist dabei, seine Lehren unters Volk zu bringen. Als die Zwerge mit den schlechten Nachrichten eintreffen und ihm berichten, was geschehen ist, gerät er außer sich vor Zorn. Mit hochrotem Kopf und wütend blitzenden Augen, brüllt er.

„Ihr habt mir versichert, dass Ronan kein Problem sei, ihr Versager. Seid ihr nicht einmal in der Lage einen einzelnen Mann auszuschalten, alles muss man selber machen" ,zornig stampft er mit dem Fuß auf. Dann fragt er ungläubig: „Ist Ronan wirklich nur mit Cerjoc unterwegs?"

Kleinlaut nickt Pino: „Ein sehr hinterhältiger Zwerg ist auch noch dabei."

„Ihr wart nicht in der Lage sie aufzuhalten, obwohl der Drache auf eurer Seite ist, unfassbar. Dass er kein Heer geschickt hat, ist leichtsinnig vom dem überheblichen Ritter, etwas mehr Respekt hätte ich schon erwartet. Ha, ha, ich werde diesen Möchtegern Ersatzritter mit Freude zerquetschen."

„Er hat auch einen großen und sehr gefährlichen Hund bei sich, eine wahre Bestie." Pino versucht sich in einem etwas besseren Licht darzustellen.

Thyros hört ihm nicht zu, er führt den Gedanken weiter.

„Das erspart mir wenigstens Zeit, dafür benötige ich keine Armee", stellt er überheblich fest.

Er ist noch immer so rasend, dass Pino es vermeidet, ihm zu sagen das Fen die Seite gewechselt hat. Wutschnaubend lässt Thyros sein Pferd satteln und jagt ohne einen Gruß davon. Pino ist erleichtert.

„Puh, das hätten wir lebend überstanden."

„Ja, fürs Erste, ob es so eine gute Idee war, sich auf den einzulassen", sein Mitstreiter ist nicht sehr zuversichtlich.

Pino lässt seinen Frust an dem Zwerg aus und schreit ihn an: „Natürlich war das richtig, habt ihr vergessen welch' tolle Belohnung uns erwartet? Wir werden wichtige Positionen in dem neuen Reich bekleiden und in nie gekanntem Luxus schwelgen."

Die beiden sind eingeschüchtert, niemand sagt noch etwas, sie brechen auf und folgen Thyros auf ihren Vögeln. Dieser trommelt einige seiner Schergen zusammen. Ohne Rücksicht auf die Pferde jagen sie tagelang in Richtung der Höhle, in der die Zwerge sich versteckt hatten. Kann eines der Tiere nicht mehr weiter, überlassen sie es einfach seinem Schicksal und nehmen an seiner Statt, eines der Ersatzpferde. Zum Glück nimmt sich Thyros nicht die Zeit bei der Drachenhöhle vorbei zu reiten, sonst hätte er am Ende noch gemerkt, dass der Drache nicht da ist. Pino zeigt ihm, wo der Kampf stattgefunden hat, bei seiner Erzählung übertreibt er maßlos. Thyros herrscht ihn an: „Such die Spur."

Pino gibt sein Bestes, er findet sogar das Versteck der Freunde. Der Zwerg macht einen Erkundungsflug: „Ich habe in der Höhle Geräusche gehört, ich glaube sie verstecken sich dort. Außerdem habe ich herausgefunden, es gibt zwei Eingänge wir müssen aufpassen, dass sie nicht entkommen."

„Teilt euch auf und schleicht euch an, aber denkt daran, Ronan will ich lebend." Thyros macht keine Anstalten selber hochzuklettern, er bleibt im Sattel sitzen.

Die anderen teilen sich auf, eine Gruppe entzündet mit Teer getränkte Fackeln und stürmt laut johlend durch den hinteren Eingang in die Höhle, um Ronan und seine Begleiter heraus zu treiben. Sie hoffen die Gruppe zu überraschen und vielleicht sogar kampflos überwältigen zu können. Als sie laut schreiend in die Höhle stürzen, bleiben sie plötzlich verdutzt stehen. Ein Berglöwe, der sich an den zurückgelassenen Essensresten gütlich getan hatte, faucht die Eindringlinge böse an. Er hat sich umgewandt und sprungbereit vor den Männern hingekauert, seine Augen funkeln und in seiner Schnauze blitzen imposant große Zähne auf. Angesichts des Feuers entscheidet er sich aber doch zur Flucht. Er dreht sich um und springt mit wenigen mächtigen Sätzen an Pino und seinen Männern vorbei. Behände flieht er und ist außer Sicht, bevor jemand reagieren kann, schade, das Fell wäre eine schöne Beute gewesen. Enttäuscht sieht ihm Pino nach, nur noch der Berglöwe war hier, sie sind ganz offensichtlich zu spät. Der Zwerg schaut sich in der Höhle um, der Boden ist mit Sand bedeckt und es gibt deutliche Drachenspuren, das darf Thyros auf keinen Fall sehen. Die Kämpfer werden, sofern sie die Abdrücke überhaupt zuordnen können, sich hüten etwas zu verraten. Deshalb beeilt sich Pino herunter zu rufen: „Sie sind schon weg, Ihr braucht nicht erst hochzukommen, Herr."

„Du Nichtsnutz, du sagtest doch, du hättest sie gehört."

Kleinlaut antwortet Pino: „Ich sagte, ich hätte etwas gehört."

„Was fällt dir ein, so mit mir zu reden?"

Pino besinnt sich darauf, dass es besser wäre Thyros nicht zu widersprechen: „Es tut mir leid, aber das war nur ein Berglöwe, ich habe mich getäuscht", fügt er noch an, in der Hoffnung Thyros milder zu stimmen.

„Dann beeil dich, such die Spur", schnauzt Thyros den Zwerg an. Da Pino die Ungeduld seines Herrn kennt, beginnt er sofort die Fährte zu suchen, nach kurzer Zeit hat er sie gefunden und Thyros nimmt die Verfolgung wieder auf.

216

Schon Tage bevor Thyros bei der Höhle angekommen ist, war die Gruppe um Ronan aufgebrochen.

DER WEG

Ronan kann sich einigermaßen im Sattel halten, die Freunde machen sich auf den Weg. Cerjoc bemerkt Ronans schmerzverzerrtes Gesicht, als dieser aufsteigt: „Es tut mir leid, Ronan, dass wir aufbrechen müssen, aber Thyros ist sicher bereits auf dem Weg."
„Ich weiß, es wird schon gehen, Sturmwind wird mir helfen."
Tatsächlich, als würde der Hengst verstehen, wie es um Ronan bestellt ist, vermeidet er jede unnötige Bewegung. Erschütterungen sind auf den steinigen Wegen aber unausweichlich und Ronans Willensstärke ist ziemlich schnell erschöpft. Die ständigen Schmerzen fordern ihren Tribut, er kippt ohnmächtig vom Pferd. Sturmwind bleibt sofort stehen, durch den unsanften Aufprall kommt Ronan wieder zu sich.
Amsel springt schnell zur Seite, um den stürzenden Ronan nicht zu treten, auch deshalb konnte Cerjoc den Sturz nicht verhindern, erschrocken schlägt er eine Pause vor.
Ronan lehnt das entschieden ab: „Nein, das geht nicht, wir müssen weiter, wenn sie uns einholen sind wir verloren, ich bin nicht in der Lage euch zu verteidigen. Vielleicht kannst du, Abos, unauffällig herausfinden wie viel Vorsprung wir haben."
„Ja gut, folgt weiter dem Weg, damit ich euch leicht wiederfinde", dann startet er.
Cerjoc schaut ihm nach: „Hoffentlich bleibt uns noch etwas Zeit." Er wendet sich wieder Ronan zu: „Was machen wir jetzt?"
„Wir haben keine Wahl, du musst mich am Sattel festbinden."
Cerjoc macht ein erschrockenes Gesicht: „Meinst du wirklich?"
„Ja, mach schon." Cerjoc tut widerwillig, was Ronan vorgeschlagen hat.

Das geht eine Weile gut, auch wenn Ronan Sturmwind nicht wirklich reitet, sondern mehr wie ein nasser Sack auf seinem Rücken hängt. Dann kann er sich nicht mehr halten und kippt nach einer Seite in die Seile. Für Sturmwind wird es immer schwieriger im Gleichgewicht zu bleiben, so geht es nicht weiter.

Cerjoc hält an, er sagt zu Fen: „Egal, was Abos herausfindet, wir sind zu langsam. Auch ist das Risiko, dass Sturmwind fehltritt und sich selbst oder Ronan schwer verletzt, zu groß. Meinst du, du könntest Ronan im Flug tragen, wenn wir eine Art Hängematte bauen?"

„Fen versucht es."

„Gut, vielleicht kann sich Ronan auf diese Weise etwas erholen. Auf dem Pferd wird es ja nur noch schlimmer."

Sie bauen aus ihrer leichten Zeltplane, ein dünner Stoff mit fest vernähten Schlaufen aus Leder an den Ecken und mit Hilfe von zwei biegsamen Holzstäben, eine Trage. Ronan legt sich hinein und Fen startet zu einem Probeflug. Es ist anstrengend, sogar für sie als Drache, aber es geht.

Als sie wieder landet sagt sie: „So müsste es gehen, Fen kommt aber nur langsam voran." „Richtig, aber wir sind immer noch deutlich schneller als bisher."

Da meldet sich Ronan: „Die Hängematte ist sogar bequem, ich vertraue dir Fen, vielen Dank für deine Hilfe. Bitte gebt mir Sina, dann fühle ich mich sicherer."

Sie legen das Schwert zu Ronan, dann geht es weiter. Fen fliegt nicht sehr hoch damit, falls das Tuch reisst, der Absturz nicht zu heftig wird. Cerjoc erinnert sich an seine Worte, als er Sina an Ronan überreicht hat und denkt bei sich: „Vielleicht hat Sina ja wirklich wundersame Kräfte, damals habe ich mir das nur ausgedacht, jetzt könnten wir es gut gebrauchen."

Als Abos zurück kommt, ist er erstaunt über diesen Anblick: „Was ist das ?"

„Komm her und setz dich auf Sturmwinds Rücken, er läuft nur nebenher. Wir können uns unterhalten ohne schreien zu müssen."

Cerjoc erzählt alles, als er fertig ist, berichtet Abos: „Thyros und seine Männer sind auf dem Weg, wir haben Vorsprung, aber nicht all zuviel", er schaut sorgenvoll auf den Drachen.

„Jetzt ist dein Pessimismus angebracht", Cerjocs Stimme klingt mutlos.

Das lässt Abos aufhorchen, das ist die verkehrte Einstellung: „Na, na, den Mut dürfen wir nicht verlieren, zu viele Wesen zählen auf uns, auch wenn sie es größtenteils nicht wissen."

„Mir fällt aber nichts ein, ich bin ratlos."

„Aufgeben dürfen wir jedenfalls nicht, auch wenn es momentan schlecht aussieht. Denk dran, was der König zum Abschied gesagt hat, 'wer nicht kämpft, hat schon verloren', daran sollten wir uns halten. Ronan hat noch etwas Zeit bis Thyros kommt, wer weiß."

„Du hast Recht, Abos", Cerjoc packt allen Optimismus in seine Stimme, „wir müssen auf jeden Fall an uns glauben."

Ohne den Zwerg anzuschauen sagt Cerjoc plötzlich: „Ich fühle mich sehr viel besser, wenn du da bist Abos, trotzdem sollten wir Thyros im Auge behalten, damit wir uns rechtzeitig vorbereiten können."

Abos kann sich zwar nicht vorstellen, wie Cerjoc sich vorbereiten will, aber er stimmt zu: „Ja, ich werde regelmäßig nachsehen, damit Thyros uns nicht überraschen kann ."

„Pass aber gut auf, dass du nicht entdeckt wirst."

Nach tagelangem anstrengendem Ritt kommt Fen wieder einmal näher an die beiden heran, sie fliegt meistens etwas voraus und stöhnt: „Fen braucht unbedingt eine Pause."

„Für dich als Drache müsste dieses Gewicht doch ein Leichtes sein."

„Schon, aber das Ruhighalten, tief und ruhig fliegen strengt Fen an."

Abos mischt sich ein: „Ich hätte auch nichts gegen einen kurzen Halt, ich sterbe vor Hunger, such' einen Landeplatz."

Sobald sie eine geeignete Stelle gefunden hat, legt Fen Ronan sanft ab, als die Freunde nachsehen, staunen sie nicht schlecht. Abos flüstert: „Nicht zu glauben, Ronan schläft."

Abos betrachtet den Schlafenden: „Das ist wirklich erstaunlich, in diesen verdammten Bergen ist es so heiß wie in einem Backofen und der schläft, tss, tss."

„Das ist auf jeden Fall ein Lob für deinen ruhigen Flugstil, Fen", freut sich Cerjoc.

Bei seinem nächsten Flug erkundet Abos auch den Weg, der vor ihnen liegt. Als er zurückkommt, hat er eine Nachricht, die zumindest etwas Hoffnung macht.

„Ein Stück weiter den Weg lang, hört das Gebirge auf, so abrupt, wie es angefangen hat. Dort beginnt eine flache und nicht mehr ganz so trockene Landschaft, wir können unsere Vorräte wieder auffüllen, was aber noch wichtiger ist, dort gibt es eine Höhle. Sie ist zwar nicht sehr tief, trotzdem bietet sie genug Platz, dass sich die Gruppe verbergen kann. Ihr größter Vorteil ist aber, sie ist nur aus einer Richtung erreichbar, gut zu verteidigen."

Cerjoc freut sich: „Das ist eine gute Nachricht, wir haben nicht mehr viel Proviant, es ist aber wichtiger denn je, dass alle bei Kräften bleiben."

Abos lächelt gequält: „In Ronans Fall heißt es wohl eher wieder zu Kräften kommen. Ich schlage vor, wir bleiben in dieser Höhle und warten dort auf Thyros, stellen müssen wir uns sowieso. Vielleicht gelingt es uns, tagsüber nicht draußen aufzuhalten, so können uns die Späher aus der Luft nicht sehen und wir gewinnen etwas Zeit."

„Du meinst also wir haben noch Zeit, bis Thyros eintrifft?"

„Ich kann es nicht mit Sicherheit sagen, Thyros hat Pferde zum Wechseln dabei. Diese ermöglichen es ihm einerseits schnell zu reiten, anderseits machen diese Pferde die Gruppe auch langsam. Ein weiterer Punkt ist, sollten wir die Höhle rechtzeitig erreichen und sollte es uns gelingen, uns zu verbergen, weiß Thyros nicht, welchen Weg wir genommen haben, er muss uns suchen. Wenn wir Glück haben, verschafft uns dieser Umstand noch einmal etwas Zeit."

„Sag mal, aus wie vielen Personen besteht seine Gruppe überhaupt?"

„Thyros ist sich seiner Sache offensichtlich sehr sicher. Er hat nur wenige Kämpfer und vier Zwerge dabei, das ist ein Vorteil für uns, gegen eine ganze Arme hätten wir schlechte Karten."

„Durch den schonenden Transport erholt sich Ronan ganz gut, vielleicht haben wir sogar eine Chance", Cerjoc klingt vorsichtig optimistisch.

„Also abgemacht, wir versuchen so schnell wie möglich diesen Unterstand zu erreichen. Ich bleibe vorerst bei euch, der Brief an Dana muss warten."

Sie weihen Fen ein, diese denkt nach: „Sag mal Abos, wenn du Fen den Weg zeigst, könnte Fen die Höhle schneller erreichen. Schließlich braucht Fen keine Wege und Cerjoc könnte schneller reiten."

Cerjoc ist skeptisch: „Du hast Recht, aber wir müssen uns dann trennen, das gefällt mir ganz und gar nicht."

„Mir auch nicht, trotzdem hat Fen Recht, Ronan bliebe so mehr Zeit sich auszuruhen. Wir können auch beruhigt sein, Thyros kann ja noch nicht da sein", gibt Abos zu bedenken.

220

„Also gut, wir treffen uns im Unterstand, Nepomuk geht mit mir", bestimmt Cerjoc.

Flox meldet sich zu Wort: „Ich bleibe bei dir, Cerjoc."

„Gut, sobald Fen und Ronan in der Höhle sind, komme ich zurück und begleite euch." Abos ist ganz begeistert von dem Plan: „Lasst uns aufbrechen."

Cerjoc steigt auf Sturmwind um, zu Flox sagt er: „Ich habe das Pferd gewechselt, Sturmwind konnte sich in den letzten Tagen ausruhen, so sind wir schneller und Amsel wird geschont. Du musst dich in deinem Beutel gut festhalten, es wird ein stürmischer Ritt."

„Ich bin es ja schon gewöhnt, dass niemand Rücksicht nimmt. Ich bin halt nur eine kleine Fledermaus."

Cerjoc rollt mit den Augen: „Ja, ja schon gut", Nörgelei ist etwas, dass er jetzt am wenigsten vertragen kann. Am liebsten würde er etwas Deftiges sagen, aber er schluckt die Worte hinunter. Alle sind sehr angespannt und was sie gar nicht brauchen können, ist Streit untereinander und sei er auch noch so belanglos. Er treibt Sturmwind an, es geht in wildem Ritt durch das Tal.

Nach kurzer Zeit kommt Abos zurück und ruft Cerjoc zu: „Ronan und Fen sind gut in der Höhle angekommen, Fen hält Wache, Ronan ruht sich aus."

Als auch sie in der Höhle ankommen, werden sie von Fen begrüßt: „Hallo, dieser Ort ist ideal, allerdings könnte es etwas geräumiger sein. Jagen wird Fen nur nachts, um unseren Standort nicht zu verraten."

„Hoffentlich bemerken wir rechtzeitig, wenn sich Thyros nähert", Angst schwingt unüberhörbar in Cerjocs Stimme mit.

Abos versucht ihn zu beruhigen: „Ich werde ihn im Auge behalten, so wissen wir jederzeit, wie nahe der Feind bereits ist."

Die Höhle befindet sich am Fusse eines nicht sehr hohen Berges, aber der Hang ist sehr steil, er kann nicht bezwungen werden und schützt daher hervorragend gegen Angriffe, diese sind nur von vorne durchführbar. Es gibt keine Vegetation im Tal, ein Anschleichen ist dadurch nicht möglich. Ronan muss keine Wache halten, er soll sich so gut wie möglich erholen. Warten und zur Untätigkeit verdammt sein, ist zermürbend für Cerjoc. Fen jagt nachts Fleisch, die Freunde versuchen so unsichtbar wie möglich zu sein.

Am nächsten Tag ist ihnen das Glück hold, es kommt starker Wind, dieser verwischt alle Spuren. Da die Höhle nicht sehr tief ist und Cerjoc keine Decke vor den Eingang hängen kann, die Gefahr sich dadurch zu verraten wäre einfach zu groß, wird es sehr ungemütlich. Der Wind treibt Staub und Sand vor sich her, man kann nichts essen oder trinken, ohne dass es knirscht, dass erinnert Cerjoc an die Wüste. Fen, die den Vorteil des Windes für die Freunde noch nicht erkannt hat, beklagt sich: „Dieser Wind ist schrecklich."

„Du solltest dich freuen", Cerjoc beruhigt sie, „wir können zwar keine Decke vor den Eingang hängen, um uns nicht zu verraten, dieser Wind verwischt jedoch alle Spuren und das ist ein Vorteil, es verschafft uns Zeit, also ertragen wir die Unbill." Murrend legt sich Fen in die Nähe des Eingangs, um den Wind wenigstens von Ronan abzuhalten. Da die Höhle so klein ist, liegt Ronan im Arm des Drachen.

Abos kehrt von einem seiner Erkundungsflüge zurück.

„Cerjoc, Fen, erinnert ihr euch noch an das ausgetrocknete Flusstal, dass wir kürzlich durchquert haben? Wenn es zu regnen beginnt, sollten wir den Regen, mit Hilfe des Kristalls verstärken, sobald genug Wasser durch das Flusstal schießt, kann Thyros zunächst nicht weiter. Ronan würde es guttun, noch etwas länger auszuruhen."

Cerjoc fragt:„Wann müsste der Regen deiner Meinung nach anfangen?"

„Möglichst bald, aber spätestens noch heute Nacht."

Flox meldet sich zu Wort: „Wenn das so ist, sollten wir einen Regentanz aufführen", der sarkastische Unterton ist nicht zu überhören.

Abos findet diese Bemerkung gar nicht witzig: „Verschone uns mit deinem Galgenhumor, ich bitte dich."

„Was ist ein Regentanz?", erkundigt sich Fen.

Cerjoc sieht Abos an, dieser sieht so aus als ob er gleich platzen würde, daher beeilt er sich zu sagen: „Ich erkläre es dir später, aber Abos liegt mit seiner Aussage ganz richtig, lasst uns hoffen, dass es zu regnen beginnt."

Tatsächlich fallen bald die ersten Tropfen, Abos führt einen Freudentanz auf: „Juhu, juhu, ich habe mich noch nie so über Regen gefreut, jetzt hilft uns der Stein endlich."

Cerjoc holt den Kristall: „Wir müssen den Regen verstärken. Fen kommst du mal bitte her."

Fen muss sich nur umdrehen, die Höhle ist ja klein. „Wie kann Fen helfen?"

„Ich muss den Kristall auf den Gipfel des Berges bringen, der Stein kann dann seine Wirkung besser entfalten. Es ist aber zu steil zum Klettern, kannst du mich hoch und auch wieder herunterbringen? Sobald der Stein wirkt, wird es sehr stark regnen, hoffentlich reicht das, um Thyros etwas aufzuhalten."

„In diesem Fall, starten Fen und Cerjoc sofort."

Cerjoc hängt sich den Beutel mit dem Kristall um.

„Ich glaube zwar nicht, dass der Kristall über eine so große Entfernung wirkt, aber es wäre einen Versuch wert, dem Ritter zu helfen. Wenn du das mit dem Regen erledigt hast, versuch es bitte", fleht Flox.

„Ich werde es versuchen, wer weiß, vielleicht brauchen wir noch seine Hilfe."

Dann verlassen Cerjoc und Fen eilig die Höhle, falls es nicht lange regnet, möchten sie die Chance auf jeden Fall nutzen.

Etwas später beginnt es sehr stark zu regnen, Ronan schaut nach draußen: „Offensichtlich war Cerjoc erfolgreich, zum Glück."

Die Wolken hätten normalerweise nur wenig Regen gebracht, der Kristall bewirkt allerdings, dass es schüttet. Dreck verschmutzt kehrt Cerjoc in die Höhle zurück: „Es hat geklappt, das verschafft uns hoffentlich etwas Zeit."

Ronan freut sich: „Ich danke dir, hoffentlich bin ich bald in der Lage, uns zu verteidigen."

Flox versucht ein heroisch, entschlossenes Gesicht zu machen: „Noch etwas Ruhe und du kannst wieder kämpfen, glaube mir, das wird schon. Wenn wir zusammenhalten, werden wir siegreich sein, ich glaube fest daran."

„Du solltest mich nicht zum Lachen bringen, das tut weh."

Fen pflichtet Flox bei: „Fen glaubt auch daran, aber lass uns jetzt ruhen."

Der Regen dauerte nicht lange an, so auch der mit Hilfe des Kristalls verursachte Starkregen nicht. Als es zu regnen aufhört, bittet Cerjoc: „Abos, kannst du mal zu dem Flusslauf fliegen und schauen ob eine Überquerung unmöglich ist und wie lange uns das wohl schützen wird."

Abos startet, nach einiger Zeit kommt er zurück.

„Der ausgetrocknete Flusslauf, ist zu einem reissenden Bach geworden, dessen Überquerung nicht möglich ist, lange wird dies allerdings nicht anhalten. Ich vermute, dass Thyros morgen oder spätestens übermorgen hier eintreffen wird, abhängig davon, wie schnell er uns findet."

Cerjoc atmet hörbar aus: „Das ist gut, wir haben wenigstens noch etwas Zeit gewonnen."

Die nächsten Stunden können die Freunde nur warten.

DIE DUNKLE MACHT

Als Abos später auf seinem Aussichtsposten sitzt, sieht er die Reiter kommen, es geht los. Plötzlich bricht Hektik aus: „Wo verstecken wir den Kristall, niemand wird Zeit haben ihn zu bewachen?" Cerjocs Sorge gilt besonders dem Stein, wenn Thyros ihn zurückerobert, wäre alles umsonst gewesen.

Flox flattert aufgeregt herum: „Das hättet ihr euch wirklich schon früher überlegen können, nicht zu fassen."

„Wir könnten ihn in Nepomuks Beutel tun", schlägt Ronan vor, ohne auf die berechtigte Kritik der Fledermaus einzugehen.

„Nein, das geht nicht, wenn Thyros den Beutel sieht, kann er sich denken, was sich darin befindet. Er würde nicht zimperlich sein, wenn er sich den Kristall holen will, das wäre viel zu gefährlich für Nepomuk."

Flox meldet sich wieder zu Wort, er zittert jetzt schon wie Espenlaub, ungeduldig mahnt er: „Schnell, wir müssen uns entscheiden, sie kommen!"

„Darf Fen etwas vorschlagen?"

„Nur zu, Vorschläge sind immer willkommen", Ronan sieht den Drachen erwartungsvoll an.

224

„Fen fliegt noch einmal auf den Berg und versteckt den Stein dort oben."

Cerjoc schüttelt den Kopf: „Wenn du gesehen wirst, hat Pino leichtes Spiel den Kristall zurück zu erobern."

„Fen ist viel stärker als ein Mensch, als ein Zwerg sowieso, Fen vergräbt den Stein und rollt dann einen großen Felsbrocken auf die Stelle. Eine Schwierigkeit wäre allerdings, wenn Thyros auch einen Drachen bei sich hat!"

„Nein, hat er nicht, dein Plan klingt gut, so machen wir es, komm mit, wir müssen uns beeilen."

Als Cerjoc und Fen zurückkommen, reibt sich Cerjoc die Hände: „Eine Sorge weniger, den Kristall stiehlt niemand, nur ein Drache kann diesen Fels wegrollen, aber jetzt sollten wir uns auf den Kampf vorbereiten."

Ronan und Cerjoc ziehen ihre Waffenröcke an, niemand spricht.

Ronan nimmt Sina und zieht sie aus der Scheide: „Du musst mir helfen, ich bitte dich", murmelt er leise vor sich hin. Cerjoc sieht den jungen Mann besorgt an: „Keine Angst, zusammen schaffen wir das." Ronan erwidert diesen Blick, großer Zweifel spiegelt sich in seinen Augen, glaubt Cerjoc das wirklich? Jede Bewegung schmerzt, Ronan ist sich nicht sicher, wie lange er durchhalten kann.

Abos hat das Gespräch mit angehört: „Cerjoc hat Recht, gemeinsam nehmen wir es mit diesen paar Mann auf. Thyros ist zum Glück sehr überheblich und hat daher auf mehr Kämpfer verzichtet, unser Vorteil." Sie wissen um ihre gefährliche Lage, niemand weiß über welche Kräfte Thyros verfügt, um sich selber Mut zu machen, reden sie den Gegner klein.

Der so geringschätzig beschriebene, baut sich wenig später vor der Höhle auf. Thyros ist abgestiegen, sein kleines Gefolge hält sich hinter ihm. Fen ist nicht zu sehen, sie ist auf den Berg geflogen, sie hofft so, den Überraschungsmoment nutzen zu können. Ronan, der ja wieder aufrecht stehen kann und Thyos stehen sich gegenüber, Ronans Waffenrock verbirgt seine Verletzung.

Thyros verhöhnt den jungen Mann: „Ich weiß, du bist verletzt, es hat keinen Sinn zu kämpfen, ich werde in jedem Fall gewinnen. Gib mir, was mir gehört und ich verspreche, ich lasse euch in Ruhe."

Cerjoc, der neben Ronan steht, erwidert an dessen stelle: „Das sollen wir dir glauben? Das ich nicht lache, du und dein Wort halten, das wäre ja ganz neu. Außerdem gehört der Stein niemandem, dir schon gar nicht, du hast ihn gestohlen."

„Ha, ha, der Kristall gehört natürlich mir, das steht wohl außer Frage, ich alleine bin in der Lage, ihn sinnvoll einzusetzen."

„In der Tat, zu deinem Nutzen, da machen wir auf keinen Fall mit, du wirst ihn dir schon mit Gewalt holen müssen."

„Das lässt sich machen."

Ronan schweigt, er fixiert den Gegner und versucht Schwachstellen zu erkennen, wie Gisbert es ihn gelehrt hat. Plötzlich greift Thyros an, er führt einige schnelle Schwerthiebe aus, jedoch ohne zu treffen.

Er kennt den flexiblen Kampfstil seines Gegners nicht. Ronan weicht trotz seiner Verletzung den groben Schwerthieben geschickt aus, Sina hilft ihm, diese zu parieren. Damit hat Thyros nicht gerechnet, er hat einen einfachen Kampf erwartet.

„Ihr könntet mir helfen, ihr Nichtsnutze", herrscht er seine Söldner an. Diese können aber nicht helfen, sie sind beschäftigt, Cerjoc hat sie zwischenzeitlich in einen Kampf verwickelt. Flox umschwirrt die kämpfenden ungeschickt mit seinen neu erworben Flugkünsten und hilft so Cerjoc, es mit mehreren Gegnern gleichzeitig aufzunehmen. Cerjoc kommt seine Kampfausbildung zugute, trotzdem hat er zunehmend Probleme, seine Behinderung macht ihm zu schaffen.

Thyros, noch immer ganz siegessicher, verhöhnt seine Gegner: „Ihr könnt nicht gewinnen, aber wenn ihr es so wollt, werdet ihr sterben." Seine gefährlichste Waffe ist sein Lähmungsstrahl, wird jemand von diesem Strahl getroffen, kann er sich nicht mehr bewegen und nicht reden, das Opfer hört aber alles. Thyros setzt den Lähmungsstrahl gegen Ronan nicht ein, einen wehrlosen Gegner zu besiegen empfindet er als unter seiner Würde. Er ist noch immer siegesgewiss und entsprechend überheblich und da Ronan verletzt ist, sieht sich Thyros zu Recht im Vorteil. Da stürzt sich Fen von der Bergspitze. Mit angelegten Flügeln greift sie in den Kampf ein. Thyros ist überrascht: „Wo kommst du her? Das erlaube ich nicht, du gehörst in deine Höhle, du Missgeburt!" Fen hat keine Zeit, auf diese Anfeindungen einzugehen. Sie bringt einen der Kämpfer zu Fall, wodurch Cerjoc die Möglichkeit erhält, einen gezielten Schwerthieb auszuführen. Er vernachlässigt deshalb für einen Moment seine Deckung und wird seinerseits von einem Schlag getroffen. Glücklicherweise fängt sein Waffenrock das Schlimmste ab, es entsteht daher keine blutende

Wunde, aber eine gehörige Prellung an der Brust. Der unerwartete Schmerz zwingt Cerjoc zu Boden und nimmt ihm die Luft, für einen Moment bleibt er benommen liegen. Fen bemerkt das, gekonnt speit sie zunächst einen Feuerstrahl gegen die, auf ihren Vögeln in einen Luftkampf mit Abos verwickelten Zwerge. Das verschafft Abos eine kurzfristige Verschnaufpause und lenkt Cerjocs Gegner ab. Danach greift Fen den Schwertkämpfer an, der Cerjoc verletzt hat und schlägt ihn in die Flucht, wenn auch nur vorübergehend.

Abos ruft außer Atem: Danke Fen." In diesem Moment trifft ein Energiestrahl den Drachen, er bleibt bewegungslos sitzen. Fen hört zwar alles, nur kann sie nicht eingreifen, sie ist vollkommen wehrlos. Thyros ist glücklicherweise noch mit Ronan beschäftigt, er kann mit dem Schwert nicht nachsetzen, so überlebt Fen den Angriff, wenn auch unbeweglich.

Flox' neu erlangte Flugkünste erlauben es ihm nicht, dem Energiestrahl schnell auszuweichen. Als auch er in der Luft getroffen wird, fällt er wie ein Stein zu Boden. Beim Aufprall verstaucht er sich die Schulter, bevor er regungslos liegen bleibt. Da er gelähmt ist und nicht sprechen kann, denkt er: „Au au, tut das weh", dann wird er gewahr, dass er mitten in der Kampfzone liegt: „Nein, hoffentlich tritt niemand auf mich drauf, so ein Mist, Fen ist nicht weit weg, bei ihr wäre es sicherer, aber ich komme nicht zu ihr hin."

Cerjoc wird in diesem Moment auf Flox und dessen missliche Lage aufmerksam, er hat aber keine Zeit zu helfen: „Es tut mir leid, Flox." Er gibt der Fledermaus einen Fusstritt und befördert Flox auf diese Weise in Richtung des Drachen. Flox rollt schmerzhaft über den Boden, bevor er an Fens Vorderlauf prallt und liegen bleibt.

„Puh, das hat ganz schön weh getan, aber hier fühle ich mich bedeutend wohler. Einen Drachen rennt wohl niemand so leicht über den Haufen."

Nepomuk springt derweil laut bellend herum und schnappt nach den Kämpfern, einige haben bereits Bisswunden, meist an den Beinen. Einem hat der Hund nicht nur die Beinkleider zerfetzt, sondern auch ein großes Stück aus dem Muskel herausgerissen. Schreiend wälzt sich der Mann am Boden: „Hilfe, diese Bestie hat mich verletzt."

Cerjoc und Thyros werden durch das Geschrei auf die Szene aufmerksam, allerdings mit verschiedenen Konsequenzen. Cerjoc hat keine Zeit darauf einzugehen, auch wenn die Gelegenheit günstig wäre diesen Gegner endgültig auszuschalten, aber er freut sich über den Erfolg des Hundes. Thyos dagegen ist erzürnt und lässt kurz von Ronan ab, was diesem eine Verschnaufpause verschafft und schleudert einen Lähmungsstrahl auf Nepomuk, der Hund erstarrt augenblicklich.

Fen, die zusehen muss, was vor sich geht, aber ja nicht eingreifen kann, denkt: „Gut, dass wir den Kristall versteckt haben, bei Nepomuk wäre er jetzt leichte Beute."

Thyros hat auch jetzt keine Zeit nach zu setzen, er glaubt sich sicher, sein Werk später noch vollenden zu können, seine Opfer werden da bleiben müssen. Jetzt aber greift ihn Ronan wieder an, er muss sich wehren. Thyros wird immer wütender, diesen Kampf hat er sich leichter vorgestellt, so viel Gegenwehr hat er nicht erwartet.

Sina hilft Ronan so gut es geht die Schwerthiebe abzuwehren. Plötzlich trifft ihn aber doch eine Attacke, genau an der Stelle, an der der Waffenrock seine Verletzung verbirgt. Durch den Schlag platzt die Wunde wieder auf. Ronan fühlt, wie das Blut feucht und klebrig an seinem Körper herunterläuft. Nach kürzester Zeit tropft es unten aus dem Waffenrock und versickert im Sand. In diesem Augenblick hat Abos den letzten Zwerg in die Flucht geschlagen und greift den Gegner, der Cerjoc beschäftigt aus der Luft an.

Der Greifvogel attackiert den Kämpfer mit seinen nach vorne ausgestreckten messerscharfen Krallen und schrillen, lauten Schreien. Als sich der Kämpfer diesem ungewöhnlichen Gegner gegenüber sieht, ruft er panisch: „Hau ab, du Mistvieh." Dadurch lenkt er Thyros ab, dieser hat sich an dem Anblick des getroffenen Ronan geweidet. Jetzt lässt er von ihm ab und dreht sich um, Ronan ist auf die Knie gesunken, er kann Sina kaum noch hochhalten. Thyros hat gesiegt, den finalen Schlag hebt er sich für später auf, er wendet sich zunächst Cerjoc zu.

Abos sieht in welchem besorgniserregenden Zustand Ronan ist, dieser kniet und stützt sich auf dem Schild auf. Er ist blass, sein Blick wirkt abwesend, Sina liegt kraftlos im Staub.

„Urks, das sieht überhaupt nicht gut aus. Ich hoffe die Irrlichter kommen bald, sonst können sie gleich die schlechte Kunde zurückbringen."

Im nächsten Augenblick ist die Luft erfüllt von Irrlichtern. Sie umschwirren die Kämpfer wie aggressive Insekten und verwirren sie dadurch, es entsteht ein wildes Getümmel. Thyros schlägt mit dem Schwert in der Luft herum, die Hiebe gehen ins Leere, die Irrlichter sind zu klein und zu schnell. Da plötzlich, durch einen Zufall trifft er doch eines, es wird in zwei Teile geschnitten, es erlischt augenblicklich und die Teile fallen zu Boden.

Ronan sieht, was geschieht, er brüllt und mobilisiert seine letzten Kräfte. Thyros dreht sich um, als er Ronan hört.

Dieser stürzt auf ihn zu: „Da nimm das, du Schurke!" Mit letzter Kraft hebt er Sina und führt einen letzten Hieb aus. Thyros ist überrascht, mit einem Angriff Ronans hat er nicht gerechnet und verteidigt sich daher nicht. Der Schlag ist gar nicht so fest, Ronan hat kaum noch die Kraft das Schwert zu halten. Sina jedoch entwickelt ein Eigenleben, sie trifft Thyros am rechten Unterarm, die Hand wird glatt abgetrennt. Das Schwert gleitet durch Fleisch und Knochen, als wenn alles aus Butter wäre. Thyros schreit auf, seine Waffe und die Hand liegen am Boden, das Blut sprudelt aus der Wunde. Augenblicklich verliert er seine Konzentration und kann den Lähmungsstrahl nicht mehr aufrecht erhalten. Fen, Flox und Nepomuk erwachen sofort und sind aus ihrer misslichen Lage befreit. Alle schütteln sich, Ronan ist gleich nach diesem Treffer zusammengebrochen. Thyros drückt seinen Mantel auf die Wunde, um die Blutung zu stoppen, der Stoff ist in kürzester Zeit blutdurchtränkt, schreiend läuft er davon, die überlebenden Kämpfer folgen ihm.

Ronan flüstert: „Danke Sina." Nepomuk kommt angelaufen und leckt Ronan die Hand. Cerjoc betrachtet die abgeschlagene Hand des Thyros, die im Dreck liegt. Er kann noch gar nicht glauben, dass es vorbei ist und sie gewonnen haben.

Die Irrlichter haben sich um ihren getöteten Freund versammelt, Flox flüstert den anderen ehrfurchtsvoll zu, was sie sagen: „Oh, welch' ein Unglück, wir müssen ihm die letzte Ehre erweisen, lasst uns den Totengesang anstimmen."

Flox schaut dann sehr erschrocken: „Melodisch ist das nicht gerade, hoffentlich dauert es nicht zu lange, ich bekomme jetzt schon Ohrenschmerzen. Freut euch, das ihr es nicht hört."

Cerjoc ist inzwischen zu Ronan gegangen: „Kannst du aufstehen, ich helfe dir, wir müssen in die Höhle. Deine Wunde ist wieder aufgebrochen, wir müssen sie neu verbinden."

Er hilft Ronan auf, aber nach wenigen Schritten sackt dieser wieder zusammen, Cerjoc kann ihn nicht halten, Ronan wird ohnmächtig.

„Fen, bitte hilf mir kurz, wir müssen ihn auf sein Lager im Unterstand legen." Fen hebt den Verletzten hoch und legt ihn vorsichtig auf sein Lager, wo Cerjoc sich sogleich um die Wunde kümmert.

Nachdem er die Verletzung versorgt hat, schaut sich Cerjoc um. Ronan schläft, Nepomuk liegt neben ihm, Flox jammert wegen seines Flügels.

„Zeig mal her", Cerjoc schaut sich den Flügel an: „Er ist zum Glück nicht gebrochen, aber er ist ausgerenkt. Ich muss ihn wieder einrenken, das wird sehr schmerzhaft." Flox macht ein ängstliches Gesicht.

„Flox kann sich an meiner Hand festklammern, drück' ruhig fest zu." Fen nimmt den zitternden Flox hoch: „Flox schafft das, Flox ist doch eine starke Fledermaus!"

„Na ja, wenn du meinst", antwortet der kleinlaut.

Cerjoc renkt den Flügel mit einem kräftigen Ruck und lautem Krachen wieder ein, Flox schreit auf und klammert sich in Fens Hand, Fen hält die Fledermaus sicher.

Abos dreht sich der Magen um. „Urks!" Flox hat offensichtlich auch einen, für Menschen, unhörbaren Schrei ausgestoßen, denn eines der Irrlichter kommt angeflogen, um zu sehen was los ist.

Cerjoc entschuldigt sich: „Es tut mir leid, aber das geht nicht anders."

„Bist du verrückt, du bringst mich um." Dann probiert Flox vorsichtig den Flügel: „Scheint wieder in Ordnung zu sein, tut nur noch etwas weh", dann besinnt er sich, „danke Cerjoc."

„Schon gut."

Cerjoc sieht sich zu den versammelten Irrlichtern um: „Wir sollten heraus finden, wie wir Ihnen helfen können, mit deren Bestattungsritualen kennen wir uns nicht aus. Flox, du musst das übernehmen, frage sie, wie wir uns verhalten sollen."

Flox flattert zu den Irrlichtern hinüber, die immer noch um ihren toten Kameraden herum sitzen.

Cerjoc schaut derweil auf die blutige, abgeschlagene Hand, dann wendet er sich an Fen: „Was machen wir nur mit dieser grausigen, abgeschlagenen Hand?"

„Fen könnte sie beerdigen, wenn Fen den Kristall ausgräbt."

230

„Das hört sich ziemlich endgültig an, aber ich will auch nicht das kleinste Risiko eingehen. Nicht, das die Zwerge sie doch ausgraben und Thyros einen Weg findet, sie sich wieder anzuhexen." Er schüttelt sich: „Nein, sicher ist sicher, wir verbrennen sie."

Fen nickt zustimmend, dann holt sie Feuerholz und legt es in einiger Entfernung ab. Anschließend entfacht es der Drache mit einem Feuerstoß, sobald es lichterloh brennt, wirft Fen angewidert die Hand und das Schwert ins Feuer.

„Was machst du? Das Schwert hätte uns noch nützlich sein können."

„Fen weiß nicht, ob dieses Schwert nicht besondere Fähigkeiten hatte, immerhin hat es einem Zauberer gehört."

„Du hast Recht, es wird zwar im Feuer nicht zerstört, aber in jedem Fall unbrauchbar, ist schon irgendwie grausig, die ganze Sache."

Flox kommt angeflattert, Fen fängt ihn auf: „Die Irrlichter begraben ihre Toten nicht, nach einiger Zeit löst sich der Körper auf, solange singen sie. Hoffentlich dauert das nicht zu lange, seid froh, das ihr es nicht hören könnt."

„Stopf' dir einfach etwas in die Ohren", schlägt Cerjoc vor und wendet sich ab.

Fen fliegt auf den Berg, um den Kristall zurückzuholen, anschließend übergibt sie ihn Cerjoc: „Wie Bewahren wir den Stein, der so viel Ärger macht am besten auf?"

Noch ehe Cerjoc antworten kann, wacht Ronan auf: „Was ist geschehen?"

Cerjoc eilt zu ihm hin: „Du solltest dich nicht bewegen, alles ist gut, wir haben den Kristall und du hast Thyros in die Flucht geschlagen, jetzt ruh' dich aus."

Cerjoc verstaut den Stein gerade in Amsels Satteltasche, als Abos neben ihm landet.

„Ich habe gar nicht mitbekommen, das du weg warst."

„Dieses Lager ist nicht mehr gut, außerdem hat es jetzt keine gute Energie mehr. Ich habe nicht weit von hier, abseits des Weges und gut versteckt, eine Höhle gefunden. Sie ist etwas tiefer, ihr solltet umziehen, Ronan muss sich einige Tage erholen."

„Halt, wir müssen noch warten, bis die Irrlichter fertig sind, soviel Anstand sollten wir haben."

„Das stimmt, warten wir."

Cerjoc nutzt die Zeit, um mit Hilfe des Kristalls, das von Thyros verursachte Unheil zu mildern. Nach einiger Zeit sagt er: „ich hoffe das schlimmste Leid ist überstanden, mehr können wir nicht tun", dann verstaut er den Stein wieder in seinem Beutel.

Es wird Abend, die Irrlichter haben sich noch nicht vom Fleck gerührt, etwas später ist das tote Irrlicht dann verschwunden.

Flox entfernt die Stöpsel aus seinen Ohren: „Puh, sie sind fertig."

„Urks", Abos ärgert sich, „jetzt können wir nicht mehr umziehen, heute Nacht müssen wir wohl noch hierbleiben." Cerjoc stimmt zu und alle legen sich so gut es geht zur Ruhe.

Am nächsten Morgen hat sich Ronan wieder etwas erholt, er kann reiten, zumindest dieses kurze Stück bis zur anderen Höhle. Diese liegt in einem Seitental, die Vegetation ist hier, am Fuße des Gebirges, schon wieder üppiger. Ronan sitzt mit Cerjoc im Schatten unter einem Baum: „Was ist eigentlich gestern genau geschehen?"

„Du hast aufopferungsvoll gekämpft und am Ende gewonnen."

„Irgendetwas verschweigst du, ihr habt alle gekämpft und dunkel erinnere ich mich daran, dass ich Thyros angegriffen habe, es war alles voll Blut. Habe ich ihn getötet?"

„Nein, aber du hast ihm die Hand abgeschlagen und ihn damit vertrieben, das war richtig. Thyros hätte uns, um sein Ziel zu erreichen, ohne Mitleid alle abgeschlachtet."

„Das mag stimmen, aber ich hätte es beenden müssen, durch meine Unfähigkeit habe ich ein Monster geschaffen, wir werden dafür irgendwann bezahlen müssen."

„Das ist vermutlich richtig, aber du darfst nicht so hart zu dr sein, du warst verletzt." Cerjoc steht auf und geht hinüber zu Amsel.

Ronan bleibt zurück, nachdenklich sitzt er unter dem Baum und schaut hinauf in das Blätterdach. So hat alles angefangen, kaum zu glauben was seither alles passiert ist. Er hatte kaum Zeit an seine Familie zu denken, auch jetzt denkt er nur an Dana. Sturmwind weidet in der Sonne das spärliche Gras und schnaubt wohlig, ein prächtiger Anblick. Einige Schmetterlinge tanzen im Sonnenlicht. Die Luft ist erfüllt vom lieblichen G esang der Vögel. Es ist hier nicht mehr so heiß, Nepomuk liegt neben Ronan im Schatten und döst. Cerjoc und Abos sind ebenfalls im Freien, Cerjoc kümmert sich um Amsel, alle genießen die Ruhe. Insgesamt ist die Stimmung friedlich und wohltuend, wenn auch vermutlich nur vorübergehend. Was wird noch

232

alles geschehen, bis sie den Kristall wieder dem Zwergenkönig übergeben können. Wird Thyros noch einmal angreifen, wenn auch vielleicht nicht er selber?

Die Ereignisse des vergangenen Tages belasten Ronan schwer, hat er richtig gehandelt?

Er spricht mit Nepomuk: „Meinst du, das aggressive, eigennützige Verhalten von Thyros macht meine Handlungsweise vertretbar? Wahrscheinlich schon, es war Selbstschutz, hätte ich die Welt endgültig von diesem Tyrannen befreit, wäre es in jedem Fall etwas anderes. Aber so - ich habe für niemanden wirklich etwas erreicht, nur einen noch gefährlicheren Gegner geschaffen."

Nepomuk antwortet naturgemäß nicht, aber er hat zugehört und dass ist wichtig.

Es bleibt die alte Frage, welcher Zweck rechtfertigt welche Mittel, auch Ronan hat darauf keine Antwort.

Um auf andere Gedanken zu kommen, denkt Ronan an Dana. Nachdem er eine Weile geträumt und in Gedanken an dem Amulett herumgespielt hat, entschließt er sich noch einen Brief zu schreiben. Abos hat zwar den letzten noch nicht zugestellt, aber vielleicht lenkt ihn das ab.

Da Dana nichts über die Mission erfahren darf, er hat es schließlich versprochen, schiebt er diese Gedanken beiseite und schreibt von seinem Verlangen.

LIEBE DANA,

DIE LETZTEN WOCHEN WAREN SEHR TURBULENT, EINES TAGES ERZÄHLE ICH DIR ALLES, DU WIRST STAUNEN. TROTZDEM HABE ICH DAUERND AN DICH GEDACHT. EIN BISHER NICHT GEKANNTES VERLANGEN HAT MICH BEFALLEN. BITTE VERZEIH' DIE OFFENHEIT ABER ICH SEHNE MICH DANACH DICH IN DIE ARME ZU NEHMEN, DEINE WÄRME ZU SPÜREN UND AUCH DEM DUFT DEINES HAARES. ICH MÖCHTE EINFACH BEI DIR SEIN, DICH BESCHÜTZEN UND LIEBEN MIT JEDER FASER MEINES KÖRPERS UND MEINER SEELE. DANA ICH BITTE DICH, WARTE AUF MICH,

ICH WERDE SCHON BALD KOMMEN. RETTE MICH AUS MEINER EINSAMKEIT.
RONAN

Fen kommt indes mit ihrer leicht angekohlten Beute zum Lager zurück, Ronan will deshalb aufstehen. Da fährt ihm ein heftiger Schmerz in die Seite. Er hält sich die Flanke und verzieht das Gesicht. Cerjoc beobachtet es mit Sorge, Ronan wird nicht zugeben, dass er Schmerzen hat, Cerjoc weiß das. Er beschließt vorzugeben, selber Schmerzen zu haben und einige Tage Ruhe zu brauchen.

Zunächst genießen alle das Essen, Cerjoc kocht ein leckeres Gemüse, über dem Feuer wird das Fleisch gegrillt, auf einem Stein wird ein Fladenbrot gebacken und im Topf kocht als Nachtisch süßer Brei, das wird ein Festmahl. Die Freunde sitzen im Kreis und warten geduldig, bis das Essen fertig ist, sie genießen den köstlichen Duft. Endlich können sie wieder in Ruhe essen, nachdem alle satt sind, kehrt zunächst Ruhe ein.

Nach einiger Zeit ergreift Cerjoc das Wort: „Freunde ich bitte euch, ich brauche einige Tage Ruhe, meine Verletzung macht mir mehr zu schaffen, als gedacht."

Ronan stimmt sofort zu, das käme ihm sehr zupass, ohne das er Schwäche zeigt: „Ich finde wir sollten Cerjoc einige Tage Ruhe gönnen, wir haben den Stein, die Aufgabe ist zunächst erfüllt. Wir können uns sicher erlauben, uns etwas auszukurieren."

Flox holt Luft, um etwas zu sagen, da erntet er einen eindeutigen Blick von Cerjoc: „Ähm, ich wollte sagen äh, meiner Schulter würde das auch guttun."

Abos ergreift das Wort: „Die Irrlichter sollen sich aufteilen, eine Gruppe soll der Feenkönigin Bericht erstatten, die andere Klamour, beide haben seit längerem nichts gehört und sind sicher krank vor Sorge. Ich werde zunächst den Rückweg auskundschaften, nach eurer Beschreibung ist der Weg durch die Schattenberge ja nicht mehr passierbar."

„Das ist gut gesagt", Flox kichert, „eher nicht mehr vorhanden."

„Schon gut, wie auch immer, wir brauchen einen neuen Rückweg, ich werde mal schauen. Danach komme ich zurück und berichte euch, dann bringe ich den Brief zu Dana."

234

Er startet, begleitet von guten Wünschen, gleichzeitig brechen die Irrlichter auf.

Ronan, Cerjoc und der Rest der Gruppe kurieren für kurze Zeit ihre Verletzungen aus. Einige Tage später kommt Abos zurück: „Wenn ihr weiter nach Westen reitet, erreicht ihr einen großen Fluss, diesen könnt ihr mit einem Floß befahren. Flussabwärts seht ihr nach einigen Tagen eine Felswand, oberhalb dieser Wand kann man zu Pferd zu Klamours Hütte gelangen."

„Dieser Weg hört sich zwar gut an", Ronan ist misstrauisch, „aber wo ist da der Haken."

„Na ja, auf der Ebene herrscht Krieg, ihr braucht einen Passierschein, den gibt es aber nur beim Fürsten."

Cerjoc gibt zu bedenken: „Das ist die eine Schwierigkeit, dann ist da noch die Felswand."

„Richtig, wie sollen wir die überwinden?"

„Vermutlich müsst ihr sie umgehen, das ist möglich, es dauert aber."

„In diesem Fall könnten wir auch den Weg durch die Schattenberge wählen, eine Umgehung der Schlucht finden wir bestimmt auch dort."

Ronan wäre es recht, das Kriegsgebiet zu meiden.

„Nein", Cerjoc schüttelt den Kopf, „du weißt wie groß der Abbruch war, dass wäre weit und unsicher, wir müssten auch wieder durch die Wüste"

Abos ist auch nicht begeistert von einem Ritt durch die Schattenberge: „Ich finde, wir sollten den neuen Weg wählen. Der herrschende Fürst heißt übrigens Ismold. Da müsst ihr vorsprechen, denn ohne Passierschein werdet ihr es kaum schaffen."

Cerjoc schaut den Zwerg entgeistert an: „Sagtest du Ismold?"

„Kennst du ihn?"

„Nein, aber ich habe von ihm gehört. Ronan, wie es aussieht, muss du jetzt beweisen, was du gelernt hast." Cerjoc freut sich.

Ronan schaut irritiert: „Wie meinst du das?"

„Du hast, was das gute Benehmen anbelangt, mit deiner Ausbildung gehadert, gib es zu. Für eine Drachenhöhle oder die Wüste braucht man kein tadelloses Benehmen, zugegeben, aber jetzt brauchst du es sehr wohl."

„Oh nein, wer ist dieser Ismold?"

„Der Fürst Ismold ist der Onkel der Mutter des Ritters, Talea war seine Nichte, aber keine Angst, er und der Ritter haben sich nie getroffen.

Ich kenne ihn auch nicht persönlich, habe aber einiges über ihn gehört. Du musst dein bestes Benehmen aufbieten, um den gestrengen Herren zu überzeugen. Ich werde als dein Knappe auftreten."

„Auch das noch, dann sollten wir aber die Unterweisung des Zwergenkönigs wiederholen, es ist ja schon eine Ewigkeit her."

Gesagt, getan, sie üben noch einmal das vornehme Schreiten usw., Fen und Flox amüsieren sich und sparen nicht mit Spott.

Außerdem rasiert sich Ronan und Cerjoc schneidet ihm die Haare, er sieht auch wieder aus wie ein Ritter.

Die Ruhe hat Ronan gut getan: „Meine Verletzung tut kaum noch weh, wir können aufbrechen. Du Fen solltest aber unsichtbar bleiben, sonst erschreckst du die Menschen und unsere Aufgabe wird nicht leichter.

Ronan bittet inständig: „Abos, könntest du schnell zu Dana fliegen, ich bin ihretwegen unruhig."

„Ist gut, auf dem direkten Weg ist es ja nicht so weit."

DURCH DAS KRIEGSGEBIET

Am nächsten Morgen starten sie recht früh. Auf dem Weg zur Burg nutzt Cerjoc die Gelegenheit um Ronans Kenntnisse über die Familie des Ritters aufzufrischen.

„Ismold ist der Großonkel des Ritters, Talea, Ismolds Nichte, war eine Waise und lebte auf der Burg ihres Onkels. Talea war sehr hübsch, eine richtige Schönheit, Ismold war über die Wahl seiner Nichte gar nicht erfreut, er hatte andere Pläne bezüglich einer gewinnbringenden Heirat. Talea ist deshalb mit dem Vater des Ritters davongelaufen, Ismold hat sie daraufhin verstoßen und sie nie wieder getroffen."

„Das ist ja grossartig, ausgerechnet dieser Mann soll uns helfen."

236

„Ja, und zusätzlich musst du erreichen, dass eine schnelle Weiterreise möglich ist, wie aber rechtfertigen wir diesen Wunsch? Wenn Ismold dich mag und das ist das Ziel, wird er einen längeren Aufenthalt wünschen, dass geht aber nicht. Wir dürfen ihn aber auf keinen Fall kränken."

„Du sagst, nachdem Talea durchgebrannt ist, hat er sie nie wiedergesehen. Hatten sie Kontakt?"

„So weit mir bekannt ist nicht, wieso?"

„Dann weiß er nichts von ihrem Tod, ich könnte behaupten, sie wäre krank und hätte nach mir geschickt."

„Das ist riskant, aber es könnte klappen."

„In Ordnung du musst aber auch bei dieser Geschichte bleiben. Bleibe immer bei den Pferden, was auch geschieht, das ist die einzige Möglichkeit, den Kristall zu schützen."

„Richtig, niemand darf etwas über den Stein erfahren."

„Ich nehme Flox und Nepomuk mit, der Hund fällt nicht auf und Flox tarnt sich wieder als Schmuck. Zur Not kann er Fen holen, die entstehende Verwirrung nutzen wir dann zur Flucht."

„So weit wird es hoffentlich nicht kommen, du wirst den alten Ismold schon überzeugen,"

schweigend reiten sie zügig weiter Richtung Burg.

„Fen verschwindet, Fen will ja niemanden erschrecken." Sie startet und fliegt im Tiefflug davon.

Ronan sieht ihr nach: „Sieh nur Cerjoc, die Bäume hätten mir im Kampf gegen sie nichts genützt, der Drache legt kurz die Flügel an und kann so durch den Wald fliegen". Cerjoc stimmt Ronan zu: „Zum Glück kämpft der Drache jetzt auf unserer Seite. Sie wird bestimmt noch sehr nützlich für uns sein."

Etwas später hält eine Wache die beiden Männer an: „Wer seid Ihr und was wollt Ihr?"

Ronan sitzt stolz auf dem herausgeputzten Sturmwind: „Kennst du mich nicht? Das ist ja allerhand."

Der selbstbewusste Auftritt Ronans schüchtert den jungen Soldaten, fast noch ein Kind, sichtlich ein, ehrfürchtig geben die Soldaten den Weg frei, so leicht wird es nicht immer sein. Als sich die beiden Männer der Burg nähern, steigt Cerjoc ab, würdevoll läuft er neben Ronan her. Gemeinsam gehen sie langsam über die Zugbrücke zur Burg, die Pferdehufe klappern auf den Holzbohlen. Ronan schaut sich das Bauwerk an, es ist nicht sehr groß, die Fassade ist hellbeige gekalkt. Die kleinen Fenster haben Rundbögen, es gibt einen runden Turm, der von Zinnen abgeschlossen wird. Auf dem Turm weht eine Fahne im frischen Wind, Ronan kann das Wappen nicht genau erkennen. Sie betreten den Innenhof durch einen grossen Rundbogen, das schwere Eisengitter, mit dem man ihn verschließen kann, ist nur halb nach oben gezogen. Ronan muss sich beim Durchreiten bücken, im Torbogen hallt der Hufschlag der Pferde wieder. Im Hof der Burg herrscht geschäftiges Treiben, Pferde werden gesattelt, Bedienstete eilen mit Körben, geschäftig hin und her.

Einer der Bediensteten kommt aus der Burg direkt auf Ronan und Cerjoc zu und macht eine tiefe Verbeugung vor Ronan: „Was wünscht Ihr edler Herr?"

„Ich bin Ronan von Orland, bringt mich zu dem Fürsten."

„Gewiss mein Herr, folgt mir."

Ronan steigt ab und wirft Cerjoc die Zügel zu: „Kümmere dich gut um ihn."

Cerjoc macht eine Verbeugung: „Jawohl, Herr."

Um nicht lachen zu müssen, dreht sich Ronan schnell um und folgt dem Diener in die Burg. Cerjoc tritt als Knappe auf und bleibt daher bei den Pferden, Ronan zur Audienz begleiten darf er nicht. Die Burg wird über eine sehr breite Treppe betreten, unten an der Treppe sitzen ein Adler und eine Eule, beide aus Stein gehauen und überlebensgross.

Als sie emporgestiegen sind, wird die große Tür von zwei weiteren Dienern geöffnet. sie halten den Blick gesenkt.

Ronan betritt eine Eingangshalle, der Bedienstete wendet sich ihm wieder zu: „Wartet hier, ich ersuche beim Fürst um eine Audienz." Rückwärts entfernt er sich, noch immer gebückt und verschwindet dann durch eine weitere Tür. Ronan bleibt mit Nepomuk alleine zurück, er sieht sich um. An den Wänden sind Fackeln in entsprechenden Haltern befestigt und erhellen den Raum. Einige schwere Sessel stehen im Raum, mehrere schwarz-weiße Doggen schlafen friedlich auf dem Boden. Als sich eine schmale Tür öffnet, betritt ein junges Mädchen den Raum, verstohlen und scheu schaut sie zu Ronan hinüber, bevor sie schnell wieder verschwindet.

238

Etwas später kommt Ronans Führer zurück: „Folgt mir bitte, der verehrte Herr ist bereit Euch zu empfangen."

Sie betreten den Thronsaal, es handelt sich um einen großen, hohen Raum. Schwere Holzbalken tragen die Decke, die Wände sind hell gekalkt. Gegenüber der breiten Tür befindet der Thron, zu beiden Seiten stehen jeweils zwei der gleichen Fahnen. Ein Ausdruck, sowohl von Wohlstand, ebenso wie von großem Selbstbewusstsein. Überall in der Burg herrschen die Farben grün und violett vor, offensichtlich die Landesfarben. Uniformierte Soldaten stehen mit unbeweglichem Gesichtsausdruck zu beiden Seiten des Fürsten, sie blicken ernst. Ronan sieht sich um, Nepomuk hält sich dicht an seiner Seite. Der Fürst ist ein weißhaariger, gebrechlicher Mann, aber sein Gesichtsausdruck ist noch immer streng und Ehrfurcht gebietend.

Minutenlang mustert er Ronan wortlos, bevor er ihn huldvoll anspricht: „Ihr seid also Ronan, der Sohn der Verräterin."

„Seid gegrüßt, Großonkel", Ronan verbeugt sich ehrfürchtig.

„Was führt Euch zu mir, nach all den Jahren?"

„Meine Mutter Talea ist sehr krank und hat nach mir geschickt, um schnell zu ihr zu gelangen, muss ich Euer Land durchqueren und bitte Euch deshalb, mir einen Passierschein auszustellen."

„Du wagst es, ihren Namen in meinem Haus auszusprechen", brüllt er aufgebracht, funkelt Ronan böse mit den Augen an und stemmt sich etwas aus seinem Thron hoch. Die anwesenden Diener und Soldaten zucken zusammen, niemand will offensichtlich den Zorn des Herrschers auf sich ziehen.

Ronan lässt sich nicht einschüchtern, er hat keine Angst vor Ismold. Die letzten Monate haben ihn nicht nur körperlich gestärkt, weshalb er die Situation sofort erfasst. Ismold weiß offenbar nicht, das Talea schon vor Jahren gestorben ist, dies ist sehr positiv für Ronan.

„Es tut mir leid zu hören, dass Ihr einer alten, kranken Frau noch immer nicht verzeihen könnt. Ich werde Euren Wunsch achten und ihren Namen nicht mehr erwähnen. Trotzdem weiß ich, dass Ihr im Grunde Eures Herzens hilfsbereit seid und bitte noch einmal höflichst um den Passierschein, ich möchte sie noch einmal sehen." Ronan verbeugt sich wieder leicht und wartet dann auf die Antwort des Fürsten. Dieser blickt an Ronan vorbei, es vergeht einige Zeit in absoluter Stille, als er sich dem jungen Mann wieder zuwendet, verrät sein Ausdruck nichts über seine Entscheidung.

„Ich bin müde, kommt später noch einmal wieder." Er macht eine abwinkende Handbewegung, die ausdrückt, Ronan möge sich zurückziehen. Dieser findet sich wenig später unschlüssig in der Eingangshalle wieder, als die junge Frau von vorhin eintritt. Der Diener macht eine tiefe Verbeugung: „Seid gegrüßt Prinzessin Kihra." Sie lächelt ihn an und wendet sich dann Ronan zu, ihr brünettes Haar ist zu einer kunstvollen Frisur geflochten. Sie ist etwas kleiner als Ronan, hat einen wohlproportionierten, schlanken Körper und trägt ein aufwendig gearbeitetes Kleid aus feinem Leinen.

„Ich hörte Ihr seid Taleas Sohn."

„Seid gegrüßt", er verbeugt sich, „ja, ich bin Ronan von Orland."

„Ihr habt um einen Passierschein ersucht, es kann etwas dauern, bis der Fürst sich entscheidet. Das er überhaupt darüber nachdenkt und Euch nicht sofort, nachdem Ihr Taleas Namen erwähnt habt, verhaften ließ, ist sehr erstaunlich."

„Meint Ihr, ich bekomme diesen Passierschein?"

„Ich weiß es nicht, aber ich könnte ein gutes Wort für Euch einlegen, vorausgesetzt ...", sie mustert Ronan, es scheint ihr zu gefallen, was sie sieht, „Ihr leistet uns doch noch etwas Gesellschaft."

Ronan bemerkt Ihren Blick, es ist ihm unangenehm, wie sie ihn ansieht. Eigentlich möchte er so schnell als möglich zu Dana, aber er muss mitspielen, um zu erreichen, was er will.

„Ich bin übrigens Kihra, die Enkeltochter des Fürsten, jetzt kommt mit, ich zeige Euch Eure Gemächer."

Widerwillig folgt er ihr, zunächst führt sie ihn eine Treppe hinauf, dann einen langen Gang entlang, alles ist mit Fackeln gut ausgeleuchtet, da die kleinen Fenster in den dicken Mauern kaum Licht hereinlassen. Das Gemäuer ist kühl und es riecht modrig. Schließlich betritt Kihra ein geräumiges Zimmer und bittet Ronan hinein. Der Raum ist nur spärlich, aber sehr gediegen eingerichtet, mit einem großen Bett und einem schweren Tisch. Es steht ein schöner, reichhaltig verzierter Schreibtisch vor dem Fenster, der Blick schweift über die Ebene und verliert sich in der Ferne. Schwere Samtvorhänge, zusammengehalten von reich verzierten Ketten, schmücken die kleinen Fenster. Nachdem Kihra gegangen ist, sucht Ronan Cerjoc auf, er findet ihn im Stall bei den Pferden. Ronan zieht Cerjoc hinter einige Heuballen, damit sie ungestört reden können, Nepomuk passt auf, dass sie nicht belauscht werden.

240

„Was hat der Fürst gesagt?", fragt Cerjoc neugierig.

„Er lässt mich warten, er ist ein cholerischer, alter Mann, auf Talea ist er noch immer nicht gut zu sprechen. Als ich ihren Namen erwähnte, hat er sofort zu brüllen angefangen."

„Das stimmt offenbar, die anderen Pferdeknechte haben angedeutet, dass der Fürst ein verbitterter Mann ist, mit dessen Launen nicht zu spaßen ist, nimm dich in Acht."

„Das Gefühl hatte ich auch, aber ich habe eine Verbündete gefunden, Kihra, die hübsche Enkeltochter des Fürsten, sie hat mir auch ein Zimmer zugewiesen."

Cerjoc schaut Ronan mit gemischten Gefühlen an: „Sei bloß vorsichtig, sie kann hilfreich sein, wenn du aber ihre Erwartungen nicht erfüllen kannst oder willst, kann eine Frau, insbesondere in ihrer Stellung sehr gefährlich werden."

Mit dieser Warnung kehrt Ronan wieder auf sein Zimmer zurück, Cerjoc bleibt, seiner Stellung entsprechend, bei den Pferden. Später wird Ronan von einem Diener abgeholt und in den großen Saal begleitet, während des Essens sitzt er neben Ismold und erheitert diesen mit Geschichten über die Abenteuer des Ritters, die er als eigene ausgibt. Der Fürst scheint sich offenkundig gut zu unterhalten, über den Passierschein spricht er aber nicht. Nach dem Mahl spielen Musikanten zum Tanz auf. Kihra wirft Ronan eindeutige Blicke zu, was auch dem Fürst nicht verborgen bleibt. Ronan fordert sie galant zum Tanz auf, er fühlt sich unwohl, die neue erlernte Fähigkeit ist ungewohnt. Darüber hinaus weiß er nicht, was Kihra von ihm erwartet, wie hoch wird der Preis für ihre Hilfe sein?

Während Ronan tanzt, zieht sich Ismold in sein Gemach zurück, noch bevor Ronan die Bitte nach dem Passierschein wiederholen konnte. Ronan hat reichlich Wein getrunken und ist leicht beschwipst. Kurze Zeit später zieht sich auch Kirah zurück, nicht ohne Ronan noch einen verheissungsvollen Blick zu zuwerfen. Ohne ein Wort zu sprechen geht sie aufreizend dicht an ihm vorüber, der Duft ihres Parfüms weht ihm leicht in die Nase. Ronan bleibt endgültig verwirrt zurück. Den ganzen Abend hat Kirah mit ihm geflirtet, er dachte, dass wäre der Preis für den Passierschein und jetzt serviert sie ihn eiskalt ab. Nachdem der Fürst selbst und nach ihm auch die Prinzessin das Fest verlassen haben, löst sich die Gesellschaft rasch auf. Ronan kehrt noch immer verwirrt auf sein Zimmer zurück: „Habe ich Kirah falsch verstanden?"

Flox, der die ganze Zeit regungslos da hängen musste, reckt sich: „Puh, so ein Schmuckstück zu spielen ist anstrengend." Dann geht er auf Ronans Frage ein: „Frauen zu verstehen ist schwierig bis unmöglich, ich hatte es auch so empfunden das Kirah großes Interesse an dir hat, aber wer weiß schon, was in ihren Kopf vorgeht." Er zuckt mit den Schultern, anschließend flattert er einige Runden im Zimmer.

Ronan beobachtet ihn: „Der Flugunterricht zahlt sich aus."

„Ja, bewegen tut gut und es macht Spaß, ich werde Cerjoc besuchen."

„Findest du, das ist eine gute Idee, es ist dunkel und niemand kann dich zur Not auffangen."

Ob Flox diese Warnung gehört hat? Ronan weiß es nicht, jedenfalls fliegt Flox durch das geöffnete Fenster hinaus in die Nacht.

Da ansonsten niemand anwesend ist, spricht Ronan mit Nepomuk: „Wir sind noch keinen Schritt weitergekommen. Was soll ich tun?"

Da er keine Antwort weiß und der Wein sich bemerkbar macht, legt sich Ronan angezogen auf das Bett. Etwas später wird die Tür leise geöffnet, Kirah tritt ein, Ronan ist zunächst wie erstarrt. Sie setzt sich auf die Bettkante, er möchte höflich aufstehen, aber sie drückt ihn heftig in die Kissen zurück: „Psssst ...., ganz ruhig, ich habe den Passierschein, den Ihr begehrt, aber das hat einen Preis. Ich werde heute Nacht so nett sein, dass Ihr in jedem Fall zurückkehrt. Ihr braucht es nicht zu versprechen, ich bin mir auch so sicher." Ihre Augen halten ihn gefangen, Ronan verharrt in atemlosen Schweigen, er kann seinen Blick nicht abwenden. Der Konflikt in ihm immer größer. Einerseits wäre es ein Betrug an Dana, anderseits brauchen sie den Passierschein. Auch klingen ihm Cerjoc Worte im Ohr ... wenn du ihre Erwartungen nicht erfüllen kannst oder willst.. .

Der Wein hat Ronan die Sinne vernebelt, so dass er der Verheißung ihres sinnlichen Körpers erliegt und sich der Versuchung hingibt. Er wehrt sich nicht mehr und wird von einem Strudel der Gefühle mitgerissen. Kihra nimmt langsam die Spange aus ihrem Haar. Sie schüttelt das Haar auf, es verbreitet einen angenehmen Duft nach Rosen. Dann beginnt sie ihr Gewand zu öffnen und entkleidet sich,

242

wobei sie den Blick von seinen Augen nicht abwendet. Die Kerze auf dem Tisch taucht alles in ein zartes Licht.

Kihras süßer Geruch, die zärtlichen Worte, die sie flüstert verwirren ihm endgültig die Sinne, er verbringt eine wilde Nacht in ihren Armen. Ronan trinkt den süßen Atem von ihren Lippen, verliert sich zwischen ihren festen, kleinen Brüsten und den schlanken Schenkeln.

Nachdem die Hitze der Nacht verflogen ist, streichelt Kihra vorsichtig über seine frischen Narben: „Anscheinend sind die Geschichten wahr, die du vorhin meinem Großvater erzählt hast", „flüstert sie zärtlich. Schließlich schläft sie in seinen Armen ein, auch Ronan fällt in einen unruhigen Schlaf. Die Kerze auf dem Tisch brennt herunter, schließlich verlöscht sie.

Als er am nächsten Morgen erwacht, ist Kihra nicht mehr da, aber auf dem Tisch liegt das erwünschte Dokument. Ronan fühlt sich erbärmlich, er hat einen Kater, aber noch viel schlimmer ist das schlechte Gewissen, wie soll er Dana jemals wieder in die Augen schauen. Betrübt sitzt er auf der Bettkante, als Flox mit einem fröhlichen „Guten Morgen", ins Zimmer geflattert kommt, die Fledermaus hatte er ganz vergessen.

„Was soll daran gut sein?", brummt Ronan missmutig.

„Oh ha", Flox flattert vor dem Gesicht herum und sieht dem jungen Mann ins Gesicht, „was ist geschehen?"

„Lass' mich in Ruhe."

„Oh."

Flox landet auf dem Tisch: „Was haben wir denn da."

Noch bevor Ronan antworten kann, klopft es und eine Dienerin tritt ein. Flox hat sich auf den Tisch geschmissen und liegt regungslos da.

„Guten Morgen werter Herr, Prinzessin Kihra hat mir befohlen, Euch ein Frühstück auf Euer Gemach zu bringen."

Sie stellt das Tablett auf dem Tisch ab, dabei schiebt sie Flox und das Papier achtlos zur Seite. Flox fällt vom Tisch und landet unsanft auf dem Boden, sofort springt Ronan auf und hebt die Fledermaus auf: „Pass doch auf, du tolpatschiges Weib, dass ist ein Geschenk, hoffentlich ist es noch heil."

„Verzeihung, mein Herr, verzeiht." Die Frau macht einen Knicks, ängstlich schaut sie zu Ronan hoch.

„Geh mir aus den Augen."

Die Dienerin verlässt eilig den Raum, während Ronan Flox auf das Bett legt: „Alles in Ordnung?"

Die Fledermaus nickt, aber Ronans harte Reaktion verwundert ihn: „Was ist eigentlich heute Nacht geschehen?"

„Ich möchte nicht darüber reden, komm lass uns möglichst schnell verschwinden."

„Ganz meine Meinung, hier wird man von Tischen gestoßen, nicht zu fassen, aber was ist mit dem Frühstück?"

„Vergiss das Frühstück, das Brot, den Kuchen und den Käse werde ich mitnehmen."

Eilig packt Ronan alle Sachen zusammen, er möchte schnell wegkommen, als wollte er vor dem weglaufen, was geschehen ist.

Als Ronan aus der Burg in den Vorhof tritt, ruft er ungewohnt harsch: „Wo bleiben die Pferde?"

Cerjoc beeilt sich, die Pferde zu satteln, im Galopp reitet er zur Treppe und stoppt dort aus vollem Lauf. Der Kies spritzt auf, die Pferde, die eine solche Behandlung nicht gewöhnt sind, schnauben verwirrt und tänzeln. Cerjoc springt aus dem Sattel und verbeugt sich, der Schein muss gewahrt werden. Ronan herrscht ihn an, viel schärfer als es notwendig wäre: „Du kommst spät und das Pferd ist nicht korrekt gesattelt, soll ich mir den Hals brechen?"

Cerjoc beeilt sich den Sattelgurt anzuziehen, dann steigt Ronan auf. Währenddessen wurde Prinzessin Kihra über den übereilten Aufbruch Ronans unterrichtet. Eigentlich hätte es sich gehört, wenn er ihr seine Aufwartung gemacht hätte. Sie übersieht diesen Affront, schließlich ist sie heute Morgen einfach verschwunden. Selbst erschrocken über ihr Verhalten in der vergangenen Nacht, wollte sie sich einer Aussprache nicht stellen.

Alles ging so schnell, sie denkt bei sich, während sie ihre Räume verlässt: „Er ist der Mann meiner Träume, auch wenn ich kaum ein Wort mit ihm gesprochen habe, ach könnte er nur länger bleiben."

Sie eilt zur Treppe vor der Burg, wo Ronan sie sogleich erblickt. Ismold ist auf der Jagd, Prinzessin Kihra vertritt ihn als Burgherrin, sie steht vollkommen gefasst oben an der steinernen Brüstung, nichts lässt erahnen wie aufgewühlt sie innerlich ist: „Nehmt Euch in Acht, der Weg ist sehr gefährlich, möchtet Ihr nicht lieber eine Eskorte mitnehmen?"

244

„Ich danke, aber dass ist nicht notwendig, Ihr wisst ja, ich habe es sehr eilig. Richtet Eurem Großvater meinen ergebensten Dank für seine Gastfreundschaft und die besten Grüße aus."

„Vergesst nicht, was Ihr versprochen habt", sagt sie scheu, aber mit einem eindeutigen Lächeln.

„Ich habe überhaupt nichts versprochen", denkt er missmutig.

Dann grüßt Ronan und treibt Sturmwind an, sie verlassen die Burg in vollem Galopp, erst außer Sicht pariert er das Pferd durch und reitet in langsamen Trab weiter.

Die letzte Nacht war schön, gerade darum hasst er sich, Kihra ist nett, und hübsch ist sie obendrein, er macht sich selber schwere Vorwürfe, wegen dieses Betrugs an Dana.

Obwohl Cerjoc nichts gesagt hat, meint Ronan mürrisch: „Frag' nicht, ich will nicht darüber reden."

Cerjoc geht darauf nicht ein: „Ich nehme an, du hast den Passierschein und das ist das Wichtigste."

Ronan antwortet nicht, aber er wirft dem Freund einen bösen Blick zu, als hätte dieser die Geschehnisse der vergangenen Nacht zu verantworten. Schweigend reitet er eine Pferdelänge voraus. Flox stößt Cerjoc mit dem Flügel an und schaut fragend, dieser zuckt mit den Achseln, besorgt schaut er zu Ronan hin. Diese Art kennt er von seinem Schützling nicht, Cerjoc fühlt sich verantwortlich, was mag wohl geschehen sein? Was quält den jungen Mann? Er hat sich nicht einmal nach dem Kristall erkundigt, Cerjoc tastet in Floxs Beutel, beruhigt streicht er über den Stein.

Cerjoc lässt sich etwas zurückfallen, sobald ihn Ronan nicht mehr hören kann, sagt er leise zu Flox: „Wir wissen nicht was vorgefallen ist, ich würde Ronan gerne helfen. Aber bis der von sich aus erzählt, was ihn quält, können wir nichts tun."

Dann sendet er das Irrlicht aus, um Fen zu suchen. Das Irrlicht hatte sich während des Aufenthaltes auf der Burg in Floxs Beutel versteckt, nach einiger Zeit kehrt es zurück.

Flox übersetzt: „Der Drache hält sich, nicht weit von hier, im Wald auf." Nach kurzer Zeit haben sie Fen erreicht, diese begrüßt die Reiter: „Hat alles geklappt?, Fen hat sich Sorgen gemacht."

„Wir haben den Passierschein, wir können weiter." Ronan ist so kurz angebunden und mürrisch, dass sogar Fen auffällt, dass etwas nicht stimmt.

Cerjoc zuckt mit den Schultern, er hofft, der Drache wird nichts weiter dazu sagen, Fen versteht den Blick und fragt nicht nach. Ronan braucht offensichtlich noch Zeit. Die Gruppe bricht in Richtung Fluss auf, wobei sich Fen weiterhin im Verborgenen hält.

DIE NÄCHSTE HERAUSFORDERUNG

Auf dem Weg zum Fluss passieren sie zweimal schwer bewaffnete Kontrollposten. Wenn sie den Passierschein vorzeigen, werden sie jeweils ohne Schwierigkeiten durchgelassen.
Nachdem sie auf kürzester Strecke an dem zweiten Posten, bestehend aus einer größeren Anzahl Soldaten, vorbeigeritten sind, schaut sich Cerjoc um: „Die sind deutlich in Alarmbereitschaft und sehr nervös, wir sollten sehen, dass wir schnell weiterkommen."
Ronan schaut sich nicht zu Cerjoc um, aber er murmelt: „In einen Krieg möchte ich auf keinen Fall hineingezogen werden."
Einige Zeit später erreichen sie, ohne Zwischenfälle eine kleine Ansiedlung am Fluss. Geschäftiges Treiben empfängt die Freunde, aber die bedrückt wirkenden Menschen, sind blass und ausgemergelt. Der Duft nach frisch gebackenem Brot und Räucherfisch, der in der Luft liegt, steht dazu in krassem Widerspruch. Ronan ruft eine einfach gekleidete Frau, die eilig den unbefestigten Weg entlang hetzt: „Guten Tag, gute Frau!"
Die Frau bleibt stehen und dreht sich unsicher zu den Reitern um, ehrfürchtig verbeugt sie sich. Ronan spricht sie mit ernster Miene an: „Ich möchte ein Floß mieten, an wen muss ich mich wenden?"
„Möchtet Ihr die Pferde mitnehmen?"
„Ja, das ist notwendig."
„In diesem Fall kommt nur ein Floß in Frage, mein Herr, fragt in dem Pfahlhaus, direkt am Fluss, nach Franut."

„Noch eine Frage, hier riecht es verführerisch, wo kann man diese Leckereien kaufen?"

„Man kann sie überhaupt nicht kaufen, die Nahrungsmittel sind für die Armee, es stehen schwere Strafen darauf, etwas abzuzweigen."

Unsicher und scheu blickt sie zu Ronan hinüber, der nickt und entlässt sie damit.

Sie verbeugt sich noch einmal und geht dann eilig weiter.

„Ist dir aufgefallen, wie ängstlich sie war? ", Cerjoc ist schockiert.

„Hier herrscht eindeutig ein Klima der Angst, das wundert mich nicht, nachdem ich das Vergnügen mit Ismold hatte. Ich verstehe nur nicht wie es Kirah geschafft hat, den Passierschein zu bekommen."

„Du hast sie anscheinend sehr beeindruckt."

„Der Preis war auch hoch genug", ist sein bissiger Kommentar.

Sie reiten eilig zum Fluss, als wollten sie der allgemeinen Niedergeschlagenheit entkommen. Das Haus, das sie am Fluss erblicken, ist sehr klein, es steht auf Stelzen, wie die Magd gesagt hat, teilweise ist es in den Fluss gebaut. Ein breiter Holzsteg führt von der unbefestigten Straße zu der kleinen Hütte, dort angekommen steigt Cerjoc ab und klopft an die Tür. Als nach mehrmaligem Klopfen und lautem Rufen keine Antwort erfolgt, tritt er ein. Das Haus besteht nur aus einem Raum, der sehr einfach eingerichtet ist. Es ist niemand anwesend, aber an der gegenüberliegenden Seite steht eine Tür offen. Cerjoc tritt auf den Holzbalkon hinaus, dort sitzt ein Mann auf einem wackeligen Stuhl und angelt: „Seid Ihr Franut?"

„Wer will das wissen?"

„Ich bin Cerjoc, der Knappe des Ritters Ronan von Orland, mein Herr möchte ein Floß mieten."

„Selbst wenn ich wollte, ich kann Euch nicht helfen, die Soldaten des Fürsten kontrollieren alles und mit denen wollt Ihr Euch sicher nicht anlegen."

„Wir haben einen Passierschein des Fürsten."

Franut zieht ungläubig die Augenbrauen hoch: „Zeig mal her."

Prüfend begutachtet er das Papier, dann murmelt er in seinen Bart: „Wie habt Ihr das geschafft, so etwas habe ich noch nie gesehen, trotzdem, es ist zu gefährlich."

„Mein Herr bezahlt Euch in Goldstücken."

Bei dem Wort Gold kehrt die Aufmerksamkeit des Mannes, der Cerjoc das Papier bereits zurückgegeben und sich schon wieder abgewendet hatte, zurück.

„Ich werde es überlegen, kommt heute Abend wieder."

„Das geht nicht, mein Herr hat es eilig, wir starten sofort."

Cerjoc lässt in diesem Punkt nicht mit sich reden, Franut sieht an Cerjocs Gesichtsausdruck, dass hier keine Verhandlung möglich ist.

„Wo wollt Ihr hin und was bezahlt Ihr?", fragt er, nun doch wegen des Goldes neugierig geworden.

„Wir müssen flussabwärts bis zu dem Bergmassiv, zwei Männer, zwei Pferde und ein Hund, wann können wir aufbrechen?" Cerjoc hat bemerkt, dass die Aussicht auf Gold Franuts Interesse geweckt hat, die Gier ist erwacht. Das bedeutet allerdings auch, Vorsicht ist geboten, die Sucht des Flößers nach Gold, könnte für die Passagiere gefährlich werden.

„Das wird Euch teuer kommen", verschlagen und gierig schaut er Cerjoc an, dieser fühlt sich unwohl, aber er hat ja keine Wahl. Franut besitzt das einzige Floß, dass groß genug ist.

Franut schaut Cerjoc an und sagt dreist: „Drei Goldstücke."

Das kann Cerjoc nicht akzeptieren, das ist Wucher.

„Wir zahlen höchstens ein Goldstück."

„Zwei"

„Ein halbes vorab und noch einmal ein halbes, sobald wir sicher angekommen sind, schlagt ein, oder aus dem Geschäft wird nichts", sagt Cerjoc bestimmt.

„Wie wollt Ihr anders vorankommen, die Wege sind schlecht und gefährlich, da braucht Ihr ewig, wenn Ihr überhaupt ankommt." Franut versucht seine Verhandlungsposition zu verbessern.

Cerjoc winkt ab: „Da haben wir auf unseren Reisen schon anderes gemeistert."

Er steht aufrecht, mit selbstbewusstem Gesichtsausdruck, seine Augen fixieren Franut. Wie wird dieser reagieren? Franut schaut sein Gegenüber an, intensiv durchforscht er Cerjocs Gesicht. Gibt es noch Spielraum weiter zu pokern? Franut kommt zu dem Schluss, hier ist nichts möglich, also stimmt er zu, ein Goldstück ist besser als keines und wer weiß: „Also gut, wir starten in einer Stunde."

Er streckt Cerjoc die Hand entgegen, dieser schlägt ein, das Geschäft ist geschlossen. Cerjoc verlässt das Haus um Ronan zu berichten, er

248

schließt seinen Bericht mit den Worten: „Wir müssen sehr auf der Hut sein, dürfen niemals zur gleichen Zeit schlafen. Ich traue diesem Franut nicht, aber uns bleibt keine Wahl, er besitzt das einzige geeignete Floß. Allerdings weiß er jetzt, dass wir Goldstücke bei uns haben, die Versuchung ist also durchaus gegeben, ich würde die Fahrt aber gerne überleben."

„Ich auch, da wir nichts weiter zu tun haben werden, außer die Pferde zu versorgen, ist es kein Problem, stets wachsam zu sein.

„Jetzt etwas anderes, obwohl die Magd eben wenig Hoffnung gemacht hat, sollten wir versuchen, noch ein paar Nahrungsmittel zu kaufen." Cerjoc steigt wieder auf und sie reiten zurück, in den Ort.

„Fleisch nehmen wir nicht mit, wir haben genug Zeit zu angeln. Wir brauchen Getreide oder Mehl und Gemüse."

Der Einkauf gestaltet sich als sehr schwierig, die Leute haben so viel Angst vor den Truppen, dass auch Gold nicht locken kann.

Nachdem die Zeit fast um ist, haben sie eine klägliche Ausbeute: „Das wird wohl kaum reichen", Ronan schaut die Lebensmittel bestürzt an.

„Es muss, wir haben ja noch etwas gegrilltes Fleisch, ich werde mir etwas einfallen lassen, keine Angst, wir werden schon satt. Ich hoffe, die Fische beißen wenigstens, die kann Ismold ja nicht auch noch eingeschüchtert haben." Cerjoc fügt diesen Kommentar mit einem süß-sauren Lächeln an. Als sie zum Pfahlhaus zurückkommen, hat Franut das Floß an einer flachen Uferstelle festgebunden, sie verladen die Pferde und starten. Während er angelt, betrachtet Ronan die Landschaft, auf beiden Seiten des Flusses wurden Felder angelegt. Vermutlich der Bereich, der jährlich im Frühjahr überflutet wird, der Wald auf der rechten Flussseite, wurde dafür ein Stück abgeholzt. Fen ist daher gezwungen sich weit vom Fluss entfernt im Waldbereich zu verbergen, um nicht gesehen zu werden. Auf der linken Seite gibt es gar keinen Wald, die Landschaft geht sofort in eine flache Grasebene über. Nach einiger Zeit tauchen hinter dem Waldsaum Berge auf, die Fahrt verläuft ruhig. Gegen Abend legt Franut im Fluss an einer Sandbank an und erklärt ungefragt: „Es ist zu gefährlich direkt am Ufer zu übernachten, wir fahren morgen bei Sonnenaufgang weiter." Obwohl der Tonfall harsch und unfreundlich ist, lädt Cerjoc den Flößer ein: „Wollt Ihr nicht mit uns essen?"

Franut und Ronan schauen beide verständnislos.

Franut brummt: „Ich muss mir die Hände waschen", dann dreht er sich um und lässt beide Männer stehen.

Ronan schaut fragend zu Cerjoc.

„Keine Angst, ich mag ihn auch nicht, aber wir sollten uns gut mit ihm stellen, wer weiß was noch kommt."

„Gut, aber müssen wir gleich Freundschaft schließen?"

„Wir werden es überstehen, so lange dauert es ja nicht."

In der Nacht schleicht sich Abos auf das Floß.

„Hallo Cerjoc", flüstert er, „können wir dem Bootsführer trauen?"

„Nein, komm mit." Sie treten zwei Schritte hinter die Pferde und setzen sich auf einen Heuballen. Sie flüstern sehr leise, der Wind trägt die Worte fort, sie können sich kaum gegenseitig verstehen.

„Ich habe Fen und Flox heute Nachmittag getroffen, es geht ihnen gut. Leider bringe ich schlechte Nachrichten von Dana, sie ist sehr krank, offensichtlich kann sich das keiner erklären, niemand weiß Rat. Der Kristall hat nicht geholfen, ich weiß nicht warum. Die Frage ist jetzt, was erzählen wir Ronan?"

„Hmm", Cerjoc wiegt nachdenklich den Kopf: „Vielleicht sollten wir zunächst noch einmal den Kristall einsetzen. Die Entfernung war möglicherweise zu groß."

Abos schaut ihn skeptisch an: „Warum hat der Stein dann nicht geleuchtet? Als du dem Ritter geholfen hast, tat er es und der Abstand ist noch größer."

„Schon, aber der Ritter ist der Hüter des Kristalls, der Einsatz für Dana ist nicht vorgesehen."

„Du vergisst, das diese Regel sich von den Zwergen selbst auferlegt wurde, mit dem Stein hat das nichts zu tun."

„Du regst mich mit deiner Besserwisserei auf, wahrscheinlich habe ich es falsch gemacht. Ich versuche es noch einmal, wenn Dana gesund wird, bevor wir den Hof erreichen, ersparen wir Ronan die Sorgen."

„Also gut, außerdem besteht sonst die Gefahr, dass Ronan unvorsichtig wird. Ich werde zu Fen zurückkehren, sag' ihm morgen beste Grüße, Dana hat geschlafen, als ich die Briefe gebracht habe." Abos fühlt sich gar nicht wohl bei dem Gedanken, dem Freund einen Teil der Tatsachen zu unterschlagen. „Stimmt ja auch, irgendwie", dann verschwindet er in der Dunkelheit der mondlosen Nacht.

Am Morgen richtet Cerjoc die Grüße aus und auch, dass Abos die Botschaften auftragsgemäß überbracht hat. Zu seinem Erstaunen

250

reagiert Ronan sehr abweisend, fast ärgerlich, deshalb fragt er ihn: „Willst du mir nicht sagen, was dich bedrückt?"

Anstatt auf die Frage einzugehen, sagt Ronan: „Du solltest schlafen, ich werde angeln", dann lässt er Cerjoc stehen.

Cerjoc liegt auf seinem Lager, den Beutel mit dem Stein hat er um sein Handgelenk gebunden. Er wälzt sich hin und her, aber er findet keine Ruhe. Ronan sitzt nur wenige Schritte entfernt mit dem Rücken zu ihm und angelt. Was beschäftigt den Freund?

Franut steht am Heck des Floßes, mit bloßem Oberkörper, stakt er das Gefährt über den ruhigen Fluss. Die Sonne tanzt auf den Wellen, der Wind säuselt leise, Nepomuk liegt neben seinem Herrn und schläft. Cerjoc steht auf, er zieht seine Schuhe aus, krempelt die Hosenbeine hoch und und setzt sich schweigend neben Ronan, an den Rand des Floßes. Sie sitzen eine lange Zeit nebeneinander, Cerjoc spielt mit den nackten Füßen im Wasser. Unvermittelt brummt Ronan: „Ich habe Dana betrogen, wie soll ich ihr jemals wieder unter die Augen treten." Er schweigt kurz, dann fährt er lauter fort, während er mit den Tränen kämpft: „Natürlich, ich könnte sagen, dass wir den Passierschein brauchten und ich deshalb eine Nacht mit Kirah verbrachte, aber das wäre feige. Ich hätte standhaft bleiben müssen, es hätte sicher auch noch einen anderen Weg gegeben. Ich bin schwach, ich verdiene Dana nicht, dieses Verhalten war eines Edelmannes unwürdig. Ich habe den Namen des Ritters beschmutzt und sein Vertrauen missbraucht, schließlich bin ich in seinem Namen aufgetreten." Er schweigt wieder, Cerjoc fällt es wie Schuppen von den Augen, natürlich, Ronan benimmt sich seltsam seit sie die Burg verlassen haben. Kirah hat Ronan verführt, sie hat ihn mit dem Passierschein erpresst. Cerjoc ahnt in welchem schweren Konflikt sich der junge Mann befindet.

„Glaube mir, um den Ritter brauchst du dir in dieser Beziehung keine Gedanken zu machen, er war nie ein Kind von Traurigkeit. Wegen Dana, du musst damit leben, ich glaube aber, sie wird dir verzeihen, schließlich hast du dich Kirah nicht leichtfertig hingegeben, sie hat dich erpresst."

„Ich glaube auch, dass sie mir verzeihen kann, darum verdiene ich sie ja nicht."

„Ich beneide dich nicht", entgegnet Cerjoc noch, dann steht er auf und geht zu seinem Lager. Endlich weiß er, was Ronan bedrückt, leider kann er dem Freund nicht helfen, er weiß nicht, was er sagen soll.

Offensichtlich hat sich die Sache mit dem Passierschein herumgesprochen, jedenfalls kommt das Floß nach wenigen Tagen unbehelligt an dem Felsen an.

EIN MÄCHTIGES HINDERNIS

Nachdem sie ausgestiegen sind, Franut bezahlt und sich verabschiedet haben, reiten sie auf die Felswand zu. Nach kurzer Zeit stoßen Fen, Abos und Flox zu ihnen: „Bei uns ist alles in Ordnung, bei euch auch?"
Cerjoc begrüßt die Freunde sichtlich erleichtert: „Ja, danke der Nachfrage, schauen wir uns den Felsen näher an."
Nach kurzem schnellen Ritt durch den Wald erreichen sie das Ziel. Vor ihnen erhebt sich die Wand steil und nahezu glatt aus der Ebene. Sie besteht aus hellbraunem Gestein, weithin sichtbar, was sich oben befindet, kann man allerdings nicht einsehen.
Sturmwind tänzelt, erhitzt von dem scharfen Ritt, Ronan betrachtet nachdenklich die Wand: „Wir können diese Steilwand nicht bezwingen, nicht einmal ohne Pferde. Könnte einer von euch hochfliegen und sehen wie es dort aussieht?"
„Das mache besser ich, am Ende sieht noch jemand den Drachen vor der hellen Felswand." Abos startet, nach kürzester Zeit ist er den Blicken entschwunden, als er nach einiger Zeit wiederkommt, landet er auf einem umgestürzten Baum: „Oben ist eine Waldlandschaft, entfernt konnte ich den Gipfel des Berges sehen, an dessen Hang Klamours Hütte liegt. Wie es aussieht, ist das der direkte Weg, wenn nur diese Felswand nicht wäre. Der Umweg, den wir machen müssen, um sie zu umgehen ist erheblich, leider."
„Es sei denn, du könntest ...", Cerjoc schaut Fen an, „ich traue mich kaum zu fragen."

252

„Was meinst du?", Ronan lenkt seinen Hengst näher an Amsel heran. „Ich hatte den Gedanken, was wäre wenn uns Fen nach oben fliegt?" „Wie soll Fen das machen?", Ronan ist skeptisch.

„Na ja, wir müssten vier Löcher für die Pferdebeine in die Zeltplane schneiden, damit Fen die Pferde hochbringen kann. Das Risiko, dasS sie jemand sieht ist gering, die Gegend ist sehr einsam, und falls doch, wird der Person hoffentlich niemand glauben."

„Die Gefahr können wir eingehen, dieser Plan ist allgemein sehr gewagt, aber wir sollten es versuchen, falls du einverstanden bist, Fen."

„Fen möchte es versuchen."

Als das geklärt ist, bereiten sie die Zeltplane vor: „Wir versuchen es zuerst mit Amsel, wir ziehen ihr einen Sack über den Kopf, wenn sie nichts sieht, ist sie vielleicht ruhiger."

Cerjoc führt Amsel über die Löcher und zieht die Plane nach oben, so dass das Pferd mit dem Bauch in dem Stoff hängt und reicht Fen die Ecken der Zeltplane, dann befiehlt er:

„Abos, du musst sie oben in Empfang nehmen und beruhigen." Jetzt stülpt er der Stute einen Sack über den Kopf: „Ganz ruhig, mein Mädchen, ich bin gleich wieder bei dir", flüstert er ihr beruhigend zu. Nun startet Fen, Amsel ist erstaunlich ruhig. Der Drache bringt das Pferd ohne Schwierigkeiten nach oben, wo es von Abos in Empfang genommen wird.

Ronan schaut dem Drachen nach: „Das geht viel besser, als ich gedacht hatte, hoffentlich ist Sturmwind auch so brav."

Abos beruhigt derweil die Stute: „Ganz ruhig, ruhig, bitte senk den Kopf." Er nimmt Amsel den Sack vom Kopf und führt das Pferd von der Felswand weg: „Ich binde dich hier an den Baum, du bist wirklich ein braves Mädchen", er dreht sich zu Fen um und nickt dieser zu: „Nimm' den Sack mit, hoffen wir, dass es weiterhin so gut klappt."

Fen nickt, nimmt den Sack und startet um Cerjoc abzuholen, dann kommt sie zurück, Sturmwind ist an der Reihe, Ronan macht ihn transportfertig und streichelt dem, schon jetzt sehr nervösen, Hengst beruhigend über den Hals. Sturmwind steigt und wehrt sich zunächst dagegen, den Sack über den Kopf gezogen zu bekommen,

„Ob das wohl gut geht?", denkt Ronan besorgt, als Fen startet. Obwohl auch Sturmwind nichts sieht, strampelt der Hengst panisch, dadurch entgleitet Fen eine Ecke des Tuches. Das Pferd kippt zur

Seite, Sturmwind rutscht fast aus der Hängevorrichtung, dadurch gerät er noch mehr in Panik. Ronan beobachtet entsetzt, was sich abspielt. Er kann nicht eingreifen, er sieht wie Fen darum kämpft noch die restliche Höhe zu gewinnen. Ronan hält entsetzt den Atem an, er kann nicht sehen, was sich oben abspielt, das Herz bleibt ihm fast stehen. Fen gelingt es gerade noch, das Pferd über die Kante zu heben, dann knallen beide auf den Boden, eine Bruchlandung, wobei sich Fen und Sturmwind nicht auf den Beinen halten können, es entsteht ein Wirrwarr aus Beinen und Schwänzen. Cerjoc steht hilflos daneben, entsetzt beobachtet er was vorgeht, kann aber nicht helfen. Fen und Sturmwind liegen gefährlich nahe am Abgrund, Erde und Steine stürzen polternd in die Tiefe und geben eine Ahnung davon, was passieren würde, wenn Sturmwind über die Kante fällt. Das Pferd kann nichts sehen, das macht die Sache noch schlimmer. Deshalb fasst sich Cerjoc ein Herz, kurz entschlossen springt er hinzu und reisst dem Hengst beherzt den Sack vom Kopf. Dazu muss er ihm sehr nahekommen, Sturmwind streift ihn mit den schlagenden Vorderhufen, schmerzhaft am Bein. Zum Glück hat er Cerjoc nicht voll getroffen, dann wäre das Bein sicherlich gebrochen. Eine klaffende Wunde trägt Cerjoc aber doch davon, um die er sich jetzt aber nicht kümmern kann, denn plötzlich zerreisst das Leinentuch und gibt die Beine des Pferdes frei. Der Hengst springt auf, er wiehert aufgeregt, Schaum steht ihm vor dem Maul.

„Urks, das könnte schief gehen." Abos startet mit seinem Vogel, schwebt über dem Abgrund um mit lautem Rufen das in Panik befindliche Pferd zum umdrehen zu bewegen, sollte es Richtung Abgrund laufen. Tatsächlich wendet sich Sturmwind in seine Richtung, Abos fuchtelt wie wild mit den Armen und schreit laut. Zum Glück erschrickt sich Sturmwind, steigt und wendet sich dann ab. Als er zurückstürmt, bekommt Cerjoc die Zügel zu fassen, er hängt sich mit seinem vollen Gewicht an den Lederriemen. Der Hengst steigt und hebt dabei Cerjoc mühelos hoch, Fen kommt dem Freund zu Hilfe, sie schnappt sich die Zügel mit dem Maul. Mit aller Kraft versucht sie das Pferd zu halten, Sturmwind wehrt sich heftig, er steigt und schlägt mit den Vorderhufen, schließlich reisst der Zügel. Der plötzliche Wegfall der Kraft holt den Drachen von den Beinen, sie setzt sich auf ihr Hinterteil, mit dem Schwanz stützt sie sich ab, um nicht nach hinten umzufallen. Mit dem abgerissenen Zügel im Maul und mit einem verdutzten Gesicht, sitzt sie auf dem Boden und sieht mit Cerjoc, wie das Pferd erneut Richtung Abgrund galoppiert. Abos bemüht sich redlich und hat abermals Erfolg, erneut dreht der Hengst ab. Sturmwind stürmt an Fen und Cerjoc vorbei und verschwindet im Wald. Es sind nur noch das Knacken im Unterholz und der dumpfe Hufschlag auf dem Waldboden zu hören, beides immer leiser werdend bevor es ganz verstummt - Ruhe.

Fen atmet laut aus: „Das war knapp."

„Das kannst du laut sagen, das hast du gut gemacht, du hast wirklich schnell gehandelt", lobt Cerjoc Abos, der gelandet ist und dem der Schreck noch im Gesicht steht.

Flox und das Irrlicht umschwirren aufgeregt die Szene, Flox empört sich: „Seid ihr verrückt, wisst ihr was hätte passieren können? Sturmwind hätte abstürzen können und mich hätte beinahe der Schlag getroffen." Um die Dramatik zu unterstreichen, lässt er sich abstürzen, in immer enger werden Kreisen taumelt er zu Boden und bleibt regungslos liegen. Verstohlen blinzelt er mit einem Auge, um die Wirkung seiner kleinen Demonstration zu überprüfen.

Fen lacht: „Flox kann schon richtig gut fliegen."

Cerjoc schüttelt den Kopf: „Hinterher ist man immer schlauer, freuen wir uns lieber, dass es gut gegangen ist."

Flox rappelt sich wieder auf: „Ihr seid verrückt, ich will nach Hause."

Cerjoc beachtet ihn nicht mehr, er hebt das Leinentuch auf, bestürzt sagt er zu Fen: „Damit kannst du niemanden mehr transportieren."

„Stimmt, Fen findet einen anderen Weg, aber Fen startet gleich, Ronan ist bestimmt schon krank vor Sorge." Sie fliegt die Steilwand hinunter und landet neben Ronan, der unruhig hin und her läuft.

„Was ist geschehen? Geht es allen gut? Was ist mit Sturmwind?", bestürmt Ronan sie sofort mit Fragen.

„Abos hat schnell reagiert, deshalb ist es gerade noch mal gut gegangen, Cerjoc wurde am Bein verletzt und Fen hat einen großen Schreck bekommen."

„Gut, gut, aber wie geht es Sturmwind?"

„Keine Ahnung, Fen denkt, es geht ihm gut, er ist im Wald verschwunden, außerdem hat er das Tuch zerrissen."

„Dann reite ich auf dir, Nepomuk werde ich in den Arm nehmen, wir müssen uns beeilen und Sturmwind suchen."

Er steigt auf, Nepomuk springt auf seinen Schoß, dann startet Fen. Mit kräftigem Flügelschlag bringt sie Ronan und seinen Hund sicher nach oben.

Noch bevor er abgestiegen ist ruft er: „Wo ist mein Pferd? Wie geht es ihm?

„Abos ist losgeflogen, ihn zu suchen."

Da kommt Abos auch schon zurück: „Keine Sorge alles ist in Ordnung, Sturmwind ist ein Stück gelaufen, jetzt grast er friedlich auf einer Lichtung, als wäre nichts gewesen."

„Kommt lasst uns gehen", Ronan hat es eilig, er möchte schnell zu seinem Pferd, seinem Freund.

„Gut aber ich muss zuerst meine Wunde verbinden."

„Entschuldige, ich vergaß, das sieht aber gar nicht gut aus, es tut mir leid", Ronan sieht sich das Bein an.

„Du kannst doch nichts dafür, schließlich war es meine Idee, diesen Weg zu wählen. Zum Glück konnten wir verhindert, dass Sturmwind abstürzt."

Abos mischt sich ein: „Urks, das sieht schlimm aus, aber das ist nur eine Fleischwunde. Wenn Sturmwind den Knochen getroffen hätte, wäre das Bein mit Sicherheit gebrochen. Ich glaube wir haben noch einen Rest von den Blättern, sollen wir den Brei schnell stampfen?"

„Das können wir später in Ruhe machen, jetzt suchen wir erst einmal das Pferd."

„Bei dem Verbrauch, den ihr an diesen Blättern habt, sollten die Zwerge über einen Anbau nachdenken." Abos steigt auf seinen Greif und fliegt voraus.

Die anderen gehen gemeinsam durch den Wald, es ist nicht schwer der Spur des Hengstes auf dem weichen Waldboden zu folgen. Nach einiger Zeit treten die Freunde auf eine sonnendurchflutete Lichtung, der Hengst steht ruhig in der Sonne und grast. Es bietet sich ein friedliches Bild, das stolze schöne Tier friedlich und ganz entspannt, der Wind spielt sanft mit Mähne und Schweif.

Das ist typisch für das Fluchttier Pferd, sobald die akute Gefahr vorüber ist, beruhigen sie sich sofort.

Cerjoc bleibt überrascht stehen: „Schaut euch das an", er schüttelt den Kopf, „als wäre nichts geschehen, der einzige, der ein Andenken behält, bin wohl ich."

Ronan stürmt auf die Lichtung, er umarmt den Hengst, der verwundert den Kopf hebt und sich schüttelt. Das Pferd schnaubt wohlig und reibt sich an Ronan, die ganze Gruppe versammelt sich auf der Wiese.

Cerjoc schaut sich um: „Was haltet ihr davon, wenn wir heute hier übernachten, wir hatten für heute genug Aufregung."

„Da hast du recht, Abos." Dann wendet sich Ronan, der noch immer bei seinem Pferd steht, an Cerjoc: „Hast du eigentlich noch den Kristall?"

„Natürlich, was für eine Frage? Ich bewache ihn wie meinen Augapfel, weißt du eigentlich, dass du dich seit wir Ismolds Burg verlassen haben, jetzt das erste Mal nach dem Stein erkundigt hast?"

„Entschuldige, nach den Erlebnissen der vergangen Tage, war ich nicht ich selbst."

Cerjoc klopft ihm auf die Schulter, dann wendet er sich wortlos ab und beginnt das Lager vorzubereiten.

Abos gesellt sich zu Cerjoc: „Morgen fliege ich voraus zu Klamour, schließlich müssen wir ihn vorwarnen, dass uns ein Drache begleitet. Wir wissen ja nicht, was ihm seine Kugel gezeigt hat. Dann fliege ich weiter zu Dana, Ronan hat ja schon wieder einen Brief geschrieben."

„Du hast Recht, für uns ist Fens Anwesenheit schon ganz normal, bei Klamour könnte ein Drache jedoch zu einer heftigen Reaktion führen." Dann entfernt sich der Zwerg, um sich um seinen Vogel zu kümmern. Als Abos außer Hörweite ist, wendet sich Cerjoc an Ronan: „Hast du in dem Brief Kirah erwähnt?"

„Nein, ich konnte es nicht."

„Du wirst dich den Tatsachen bald stellen müssen."

„Ich weiß, mir graut davor."

„Das wird schon gehen, sie wird spüren, dass deine Gefühle für sie ehrlich sind."

Er schaut Ronan nach, als dieser zu den Pferden geht und denkt bei sich: „Hoffentlich konnte der Kristall helfen und Dana hat sich wieder erholt."

Am nächsten Morgen bricht Abos auf, er spart sich das Auf und Ab der Berge und ist daher deutlich schneller als die Reiter. Nill erspäht ihn schon von Weitem, als Abos sich, nach einigen Tagen, der Hütte nähert. Aufgeregt sucht Nill Klamour: „Abos kommt", ruft er so laut er kann. Klamour und Nuk kommen angelaufen: „Wirklich, wo?"

Nill zeigt mit dem Arm, nach einer Weile sieht Klamour den Zwerg auch.

„Alle Achtung, du hast wirklich gute Augen."

Gemeinsam gehen sie zu dem Aussichtsstein: „Hoffentlich bringt Abos gute Nachrichten, der Winter kommt bald, wenn die Stürme losbrechen, wüsste ich gern alle in Sicherheit."

„Das klingt aber sehr zuversichtlich, als wenn das die einzige offene Frage wäre. Haben sie es geschafft, die Welt vor dem Schlimmsten zu bewahren und wie reagiert Thyros?"

Klamour schaut Nuk trotzig an: „Ich gebe es ja zu, die Sache mit den Winterstürmen ist eine billige Ausrede, aber ich halte diese Ungewissheit über das, was uns alle erwartet, nicht mehr aus."

„Na ja, immerhin zeigt die Kugel, dass sie den Stein zurückhaben."

„Schon, aber Ronan ist verletzt und verschwommen haben wir einen Drachen gesehen, was ist geschehen, die Kugel zeigt uns nichts mehr, ich mache mir große Sorgen."

„Das muss nichts heißen, es liegt vermutlich daran, dass du die falschen Fragen stellst," erwidert Nuk achselzuckend.

„Du machst mich noch wahnsinnig mit deinem Gleichmut."

Nill landet auf Klamours Schulter: „Beruhigt euch, wir werden bald erfahren, was geschehen ist."

Ungeduldigt warten alle auf die Ankunft des Zwerges, als Abos näherkommt, fliegt Nill ihm entgegen.

Abos winkt ihm schon von weitem zu: „Hallo, mein Freund!"

Als sie bei Klamour und Nuk ankommen und gelandet sind, wird Abos mit Fragen bestürmt: „Wenn ihr nichts dagegen habt, möchte ich gerne zuerst etwas trinken."

„Entschuldige, kommt wir gehen hinein, es gibt warme Milch mit Honig." Klamour zügelt seine Neugier und geht zusammen mit den anderen hinein.

Am Tisch erzählt Abos ausführlich was geschehen ist, seine Zuhörer hängen förmlich an seinen Lippen. Sie durchleben die Strapazen der Wüste, erschrecken über den Felssturz, regen sich über die Niedertracht Pinos auf, gruseln sich bei dem Drachenkampf, wundern sich über die Erzählung zu Fen, leiden mit Ronan, freuen sich über den Sieg über Thyros und bangen bei Sturmwinds und Fens Unfall um den Hengst.

258

Klamour fragt zweifelnd nochmal nach: „Ihr habt auch wirklich den Kristall und Thyros hat noch keinen Versuch unternommen, ihn zurück zu bekommen?"

„Nein, er hat die Verletzung zwar überlebt, aber momentan hat er wohl andere Sorgen. Über welche Zauberkräfte Thyros abgesehen von dem Lähmungsstrahl noch verfügt und wann er sich erholen wird, wissen wir nicht. Wir sind aber sicher, er wird über kurz oder lang wieder angreifen und dann wird er uns sicher nicht noch einmal unterschätzen. Wir haben alle Angst vor diesem Tag, auch wenn niemand darüber spricht. Ronan hat uns durch sein notwendiges und zweifelsohne richtiges Handeln Zeit verschafft. Er macht sich Vorwürfe, weil er die Angelegenheit nicht endgültig beenden konnte, er glaubt ein gefährliches Monster geschaffen zu haben."

„Damit hat er sicherlich Recht, wir können erst beruhigt sein, wenn der Kristall wieder sicher in der Obhut des Zwergenkönigs ist."

„Das ist richtig, aber auch dann wird die Gefahr nicht vorbei sein, Klamour Der Ritter muss auch wieder gesund sein, um den Stein verteidigen zu können."

„Nun gut, es war nett von euch die Irrlichter her zu schicken, aber ihr Bericht war doch sehr lückenhaft. Wir müssen alles auf uns zukommen lassen, jedenfalls freuen wir uns darauf, Fen kennen zu lernen."

„Da dürft ihr gespannt sein, sie ist sehr nett und lustig. Insbesondere, weil Cerjoc und Ronan es sich in den Kopf gesetzt haben, ihr Tischmanieren beizubringen."

„Einem Drachen?", Klamour macht ein ungläubiges Gesicht.

„Ja, allerdings, aber Fen ist ja auch ein besonderer Drache, ihr werdet ja sehen. Jedenfalls fliege ich morgen weiter zu Dana." Abos entscheidet sich, Danas Krankheit auch hier zu verschweigen, er hofft dieses Thema hat sich inzwischen erledigt, also warum darüber reden. Nill ist ganz aufgeregt: „Ich freue mich schon sehr darauf, Cerjoc, Ronan und auch Fen kennen zu lernen. Vermutlich bin ich die erste Fee, die jemals einen leibhaftigen Drachen getroffen hat."

Die genannten folgen derweil der Richtung, die ihnen der schneebedeckte Gipfel des Berges weist, an dessen Flanke Klamours Hütte steht. Sie müssen sich auf den Berg als Wegweiser verlassen, da sie ja den Kristall mit sich führen, ist Floxs Instinkt wertlos. Die Aussicht darauf, bald die Hütte zu erreichen spornt die Reiter an.

Jetzt, da Klamour weiß, dass eine sehr hungrige Drachendame bei der Gruppe ist, bereitet er zusammen mit den Soms viel Essen vor.

Als die Gruppe bei der Hütte ankommt, ist Klamour froh, dass er vorgewarnt wurde. Fen fliegt auf den Berghang zu, ein überwältigender Anblick, bedrohlich und majestätisch zugleich. Das Wiedersehen, gibt ein großes Hallo, alle sprechen durcheinander. Fen steht etwas abseits und seufzt: „Fen ist nicht mehr alleine."

„Abos ist schon vor Tagen gestartet, er müsste bald zurück sein", berichtet Klamour Ronan.

„Er hat uns bereits viel von euren Abenteuern erzählt, aber ich für meinen Teil möchte alles noch einmal hören. Kommt mit nach drinnen, die Soms versorgen die Pferde."

Tatsächlich, noch am Abend kommt Abos zurück. Ein Blick in das Gesicht des Zwerges verrät Cerjoc, es gibt neue Schwierigkeiten. Aber welcher Art? Thyros, Dana, etwas ganz anderes?

Alle sind noch immer in eine angeregte Unterhaltung vertieft. Fen passt nicht durch die Tür, aber über einen zweiten Eingang der Höhle, den die Soms kennen, ist sie in die Hütte gelangt. Jetzt genießt sie sichtlich das gesellige Zusammensein, auch wenn sie sich in dem Raum nicht richtig aufrichten kann.

Cerjoc geht nach draußen, um Abos Gelegenheit zu geben, ihn zunächst alleine zu sprechen. Er setzt sich auf den Felsen, auf dem er einst mit Ronan saß. Heute hat er den Beutel mit dem Kristall um sein Handgelenk gebunden, in diesem Punkt vertraut er niemandem. Er schaut über das Tal, die Blätter sind gefallen, die Wiesen sind gelblich braun, Nebelschwaden ziehen den Berghang hinauf, es ist kalt. Drinnen knistert ein warmes Feuer im Kamin, Cerjoc friert, aber er will Abos die Gelegenheit geben, mit ihm zu sprechen, so wartet er. Nach einiger Zeit, tritt Abos nach draußen, er hat bemerkt, dass Cerjoc nicht mehr anwesend ist, die Gelegenheit will er nutzen. Cerjoc kann den Zwerg noch nicht sehen, aber er hört wie die Tür mit einem lauten Knall zufällt. Sobald Abos um die Hausecke kommt, winkt ihm Cerjoc.

„Was ist geschehen? Ich sehe dir an, dass etwas nicht stimmt."

„Du hast Recht, unsere Hoffnung, Dana betreffend, hat sich nicht erfüllt. Der Kristall hatte keine Wirkung, ich weiß nicht warum, aber es geht ihr schlechter."

„Bei allen betrunkenen Kobolden, ich hatte wirklich gehofft... ", Cerjoc ist geschockt, er spürt die Kälte nicht mehr.

260

Abos pflichtet ihm bei: „Ich hatte es auch gehofft, aber es hilft nichts, wir müssen es Ronan sagen, er wird wütend sein, dass wir es bis jetzt für uns behalten haben."

„Richtig, komm mit, bringen wir es hinter uns."

„Du tust ja gerade so, als wäre es unsere Schuld, dass Dana krank ist."

„Komm jetzt, lass uns gehen."

Wieder in der Hütte ist eine lebhafte Unterhaltung im Gange. Cerjoc setzt sich hin, er schweigt zunächst, fühlt sich aber so unwohl, dass es den anderen Anwesenden nach kürzester Zeit auffällt.

Klamour spricht ihn an: „Was beschäftigt dich?"

Cerjoc druckst herum, da fasst sich Abos ein Herz: „Ronan, was Cerjoc sagen will, Dana ist schwer erkrankt."

Ronan springt erschrocken auf:„Wie das? Warum weiß ich nichts davon? Sag' schon!"

Aufgeregt schaut er von einem zum anderen.

„Wir können ihr doch mit dem Kristall helfen? In diesem Fall können wir den Kristall doch einsetzen."

Cerjoc macht ein verzweifeltes Gesicht, deshalb fügt Ronan hinzu: „Oder etwa nicht?"

„Natürlich, aber auch wieder nicht, wir haben es bereits versucht, der Stein hat keine Wirkung, wir wissen nicht warum."

„Heißt das etwa, ihr wusstet schon länger von ihrer Erkrankung?"

Kleinlaut gibt es Cerjoc zu: „Ja, wir haben gehofft der Kristall hilft ihr und wir könnten dir die Sorgen ersparen." Ronan steht noch immer, wutentbrannt funkelt er Cerjoc an, der ringt nach Worten, findet aber keine, er macht nur ein verzweifeltes Gesicht. Alle schweigen betreten, da räuspert sich Abos: „Das war bestimmt nicht böse gemeint, wir hatten wirklich die Hoffnung, der Stein würde wirken und sie erholt sich bis wir ankommen wieder", er verstummt.

„Ihr hättet es mir sagen müssen, ich hätte ihr helfen können, ich dachte, wir wären Freunde."

Cerjoc fleht ihn an: „Das sind wir auch, deine Freundschaft bedeutet mir sehr viel. Aber sei ehrlich, du hättest ihr nicht helfen können, und schneller wären wir auch nicht hier gewesen." Cerjoc bittet richtig gehend: „Wir hatten Angst, du würdest vor Sorge abgelenkt sein und wir wussten ja nicht, ob Thyros uns noch einmal angreift. Auf welche Weise auch immer und wir uns verteidigen müssen, wir brauchen dich, Ronan", Cerjoc ringt bittend die Hände.

„Trotzdem, ich bin sehr enttäuscht," dann wendet er sich ab und verlässt den Raum. Die Tür fällt mit einem lauten Knall zu, die Anwesenden zucken zusammen.

Nach einer Weile flüstert Cerjoc: „Ich fürchte, dieses Mal musst du mit Ronan reden, Klamour. Glaube mir, es war keine böse Absicht, wir haben wirklich gehofft, Ronan diesen Schmerz ersparen zu können."

„Das weiß ich, ich werde mein bestes geben. Morgen werden wir noch vor Sonnenaufgang aufbrechen und zu Dana reiten, ich begleite euch."

Ronan ist zu dem Felsen gegangen, vor Monaten saß er hier, weil er aufgeben wollte. Hätte er es nur getan, hätte er die Krankheit dann verhindern können? Was wäre geschehen, wenn sie Thyros den Kristall überlassen hätten? Diese Gedanken führen im Kreis herum, was wäre wenn? Ronan schaut sich um, heute scheint der Mond hell und taucht das Tal in eine seltsame Stimmung, er ist aufgewühlt. Sein schlechtes Gewissen wegen der Nacht mit Kirah, die plötzlich aufgetretene Angst um Dana. Ronan spürt plötzlich ganz deutlich, sein Herz schlägt ausschließlich nur für Dana, es tut fast weh. Es schnürt ihm die Kehle zu, Tränen laufen ihm über die Wangen. Er versucht seine Gefühle zu sortieren und spricht mit Nepomuk: „War ich zu hart zu Cerjoc? Er hat es sicherlich nicht böse gemeint, aber trotzdem." Als Klamour sich nähert, verstummt er. Klamour setzt sich, er übersieht die Tränen rücksichtsvoll.

„Du darfst den beiden nicht böse sein, sie wollten dir das alles ersparen. Du hättest doch sowieso nicht helfen können. Ich schlage vor, ihr vertragt euch wieder und wir brechen morgen noch vor Sonnenaufgang auf. Ich begleite euch und wir werden sehen, wie wir helfen können."

Ronan sieht ihn an, mit Tränen in den Augen nickt er. Klamour reicht ihm die Hand und hilft ihm beim Aufstehen, dann gehen sie gemeinsam zurück zur Hütte. Als sie eintreten, hat sich Ronan wieder beruhigt und die Tränen abgewischt, er geht zum Tisch und sieht Abos und Cerjoc abwechselnd lange an: „Ich glaube euch, dass ihr in bester Absicht gehandelt habt, aber wir reiten morgen auf dem schnellsten Weg zu Dana. Wir können den Kristall nicht zuerst zum Zwergenkönig bringen, wie wir es eigentlich vorhatten, wir brauchen ihn noch."

262

„Einverstanden, wir brechen zeitig auf", Abos nickt zustimmend, alle sind froh die Angelegenheit überstanden zu haben.

Nill meldet sich mit leiser piepsiger Stimme zu Wort: „Darf ich mitkommen, es gibt doch sicher ein gutes Ende und das liebe ich."

Ronan nickt abwesend, er ist in Gedanken bei Dana.

Am nächsten Morgen, als die Sterne noch am Himmelszelt funkeln, satteln sie die Pferde. Klamour holt seine Schimmelstute Lysana: „Sie ist sicherlich nicht mehr die schnellste, aber zäh wie ein Esel."

Dann verabschiedet sich Klamour von den Soms: „Ich werde eine Weile fort sein, passt bitte auf die Hütte auf bis ich zurück bin."

Nuk macht ein wichtiges Gesicht: „Du kannst dich auf uns verlassen, passt lieber gut auf euch auf."

Klamour gibt dem Soms die Hand und nickt, dann brechen die Reiter auf, Fen läuft nebenher.

ZAUBERHAFTE MUSE

Auf dem Weg zum Ummenhof treibt Ronan die Freunde immer wieder an, die Sorgen lassen ihm keine Ruhe. Cerjoc und Klamour haben Mühe dafür zu sorgen, dass die Pferde nicht überlastet werden.

Cerjoc lässt sich nach einer heftigen Unterhaltung mit Ronan zu Klamour zurückfallen: „Ich habe mich mit Selbstvorwürfen gequält, ob ich Ronan früher von Danas Erkrankung hätte erzählen müssen. Was sich jetzt abspielt, rechtfertigt mein Verhalten nachträglich, die Pferde hätten dieses Tempo nicht durchgehalten. "

„Da gebe ich dir Recht, aber ich verstehe ihn, die Belastung ist enorm."

Sie reiten zügig weiter, nach einiger Zeit erreichen sie spätnachmittags den Abzweig am Wald, an dem Ronan einst Dana absteigen ließ.

Ronan hält Sturmwind an, der Hengst tänzelt: „Dies ist doch der richtige Abzweig, Cerjoc?"

„Ja,du hast Recht, lass uns weiter reiten."

Ronan beschleicht ein mulmiges Gefühl: „Ich habe plötzlich Angst vor dem, was mich erwartet." Ronan sieht den väterlichen Freund an, als würde er sich Hilfe erhoffen.

„Das verstehe ich, wir sind da, wenn du uns brauchst."

Ronan atmet tief durch, dann richtet er sich stolz im Sattel auf und lässt Sturmwind antraben.

Sie biegen ab, der Weg führt durch den Wald zum Ummenhof. Ronan reitet mit seinem Gefolge in den Hof ein, Fen und Flox sind im Wald zurückgeblieben, um niemanden zu erschrecken, Abos und Nill haben sich in Klamours Tasche versteckt. Vor dem Eingang zum Haupthaus hält Ronan an, die Angestellten laufen zusammen. Staunend betrachten sie, aus gebührendem Abstand heraus, die Ankömmlinge.

Farah steht verborgen hinter dem Vorhang am Küchenfenster, zu der Katze, die auf der Bank schläft, sagt sie: „Was da gesprochen wird, muss ich hören", die Katze hebt nicht einmal den Kopf, sie blinzelt nur verschlafen, als Farah an ihr vorbei zur Tür eilt.

Farah schleicht in den Flur und verbirgt sich hinter der geöffneten Tür. Sie kommt gerade, als Ronan sein Pferd vor der Eingangstreppe zügelt und Eiric höflich grüßt. Sturmwind ist von dem scharfen Ritt erhitzt, das Lederzeug knirscht auf dem schweißnassen Fell, Eiric erwidert den Gruß: „Seid gegrüßt, edler Herr, was ist Euer Begehr?"

„Ich bin Ronan von Orland und ich wünsche Eure Tochter Dana zu sprechen."

„Woher kennt Ihr meine Tochter?"

„Ich traf sie vor vielen Monden, bei diesem kurzen Zusammentreffen hat sie mich verzaubert, ich versprach zurück zu kommen, früher war es leider nicht möglich."

Eiric sieht den gut aussehenden, stolzen Ritter, schlagartig wird ihm klar, warum sich seine Tochter in den letzten Monaten so verhalten hat. Der oftmals verklärte Blick, ihre geistige Abwesenheit, oft schien sie weit weg zu sein. Das Ablehnen selbst der lukrativsten Heiratsanträge, dieser junge Mann war der Grund für all das.

264

„Jetzt wird mir einiges klar, bitte beehrt mein Haus mit Eurer Anwesenheit."

Als Ronan sich anschickt abzusteigen, muss Farah verschwinden, es soll niemand wissen, dass sie gelauscht hat. Eiric geht mit seinen Gästen in die gute Stube, eine Magd bringt Getränke. Ronan hält die Spannung nicht mehr aus: „Ich hörte, Eure Tochter sei sehr krank."

Eiric sinkt auf seinem Stuhl regelrecht zusammen, sein Gesicht wirkt plötzlich blass und grau, wie abwesend blickt er an Ronan vorbei. Als dieser ihn erneut anspricht, zuckt er regelrecht zusammen: „Steht es sehr schlimm um sie, kann ich Eure Tochter sehen?"

Für einen Augenblick sieht Eiric Ronan verständnislos an: „Ja, leider, ich verlor meine geliebte Frau vor einigen Jahren an dieselbe rätselhafte Krankheit und jetzt Dana, mein ein und alles."

Mühsam steht er auf, „kommt mit."

Zusammen gehen sie eine enge Treppe hinauf, am Ende des Gangs, vor der letzten Zimmertür bleibt Eiric stehen: „Wartet hier einen Augenblick." Dann klopft er, nachdem ein leises herein ertönt, tritt er ein: „Du hast Besuch, mein Kind", hört Ronan ihn sagen.

„Wer sollte mich besuchen?"

Als Ronan ihre Stimme hört, ist es mit der Beherrschung vorbei, er tritt ein.

„Entschuldigt bitte, Fräulein Dana, es war mir nicht möglich, früher zu kommen."

Dana schlägt die Hand vor den Mund und schaut Ronan ungläubig an. Dann blickt sie ihren Vater strafend an und sagt weinerlich: „Wie konntest du mir das antun, ich sehe furchtbar aus."

Ronan tritt an ihr Bett, er kniet nieder und verbeugt sich leicht: „Ihr seid wunderschön, wäre ich nur früher gekommen. Darf ich so verwegen sein zu hoffen, dass ihr mir zugetan seid?"

Sie nickt, Tränen laufen über ihre Wangen und sie drückt seine Hand. „Ich habe Eure Briefe erhalten, ich weiß zwar nicht wie, aber vielen Dank", sie wischt sich die Tränen aus dem Gesicht. Nachdem er eine Ewigkeit wortlos ihre Hand gehalten hat, nimmt er das Amulett in die Hand, das immer um seinen Hals hängt: „Ich hatte es immer bei mir, es hat mich beschützt." Ihre Augen leuchten, sie lächelt ihn an, dann entzieht sie ihm ihre Hände und flüstert: „Könntet Ihr mich kurz alleine lassen, damit ich mich frisch machen kann?"

Ronan nickt, widerwillig steht er auf und folgt Eiric auf den Flur, dort warten Cerjoc und Klamour: „Darf ich den Herren Ihre Zimmer zeigen."

Auf dem Weg entschuldigt er sich: „Leider sind die Kammern sehr einfach, die Herren sind bestimmt Besseres gewöhnt. Wir werden uns bemühen, den Aufenthalt so angenehm wie möglich zu gestalten."

Cerjoc beruhigt ihn: „Bemüht Euch nicht."

Als sie alleine sind, steigen Abos und Nill aus Klamours Beutel, Cerjoc schüttelt nachdenklich den Kopf: „Warum hat der Kristall nicht geholfen?"

„Wir versuchen es gleich noch einmal." Klamour wirft Ronan einen besorgten Blick zu.

Dieser drängt: „Vermutlich hast du es falsch gemacht."

Cerjoc holt den Stein, dieser beginnt aber nicht zu funkeln: „Das letzte Mal, als ich es versuchte, war es genauso", wundert sich Cerjoc ratlos.

„Könnte es sein, das Thyros den Kristall beschädigt hat?"

„Nein, das glaube ich nicht, zum Einen wüsste ich nicht wie", Cerjoc dreht den Stein in den Händen, „zum Anderen hat es geklappt, als ich dem Ritter geholfen habe, der Kristall hat so stark gefunkelt, dass man gar nicht hinsehen konnte."

„Wie geht das eigentlich?"

„Ich nehme den Stein in beide Hände, dann denke ich fest an die Person oder das Ereignis, dass ich beeinflussen möchte. Normalerweise beginnt er dann zu leuchten und wird sehr warm, es ist dann nicht einfach den Kristall zu halten, es ist anstrengend."

Klamour mischt sich ein: „Es muss einen Grund haben, warum er nicht wirkt, den müssen wir herausfinden, damit wir Dana helfen können."

Cerjoc schaut Abos an: „Ich glaube du kannst dich am leichtesten unauffällig umsehen. Nimm Nepomuk mit, solltest du überrascht werden, gibst du dich als sein Spielzeug aus."

„Urks", er fasst sich an den Hals, „hoffentlich kommt es nicht dazu, es ist sicher nicht angenehm, von ihm in der Schnauze herumgetragen zu werden."

Klamour entscheidet: „Gut, Ronan, nach dem Essen kehrst du wieder zu Dana zurück, wir beschäftigen Eiric, Abos kann sich dann etwas umsehen."

266

„Damit fange ich schon an, während alle beim Essen zusammensitzen."

So geschieht es, Ronan und Dana sitzen später noch lange auf Danas Zimmer zusammen und unterhalten sich. Klamour und Cerjoc sind bei Eiric, gemeinsam trinken sie Wein, in der Stube.

„Nicht zu glauben", Eiric schüttelt den Kopf: „Ich habe nichts von Ronan gewusst, Dana hat nichts erwähnt, nur ihr Verhalten war zuweilen sonderbar, das ist mir schon aufgefallen."

„Ronan hat sie darum gebeten, zu niemandem zu sprechen." Cerjoc sieht Eiric an, „wir waren der Meinung das wäre sicherer für sie", fährt er dann fort.

„Ronan hat Amors Pfeil mitten ins Herz getroffen, ich konnte es nicht verhindern, ist auch gut zu verstehen. Wir waren gemeinsam unterwegs, Ihre Tochter sah bezaubernd aus." Cerjoc hat einen ganz verklärten Gesichtsausdruck.

Derweil schleicht Abos mit Nepomuk durchs Haus, später kommt er wieder zurück ins Zimmer: „Ich konnte bisher nichts entdecken, was uns weiterhilft, leider."

Als sich alle zur Ruhe begeben haben, sitzt Farah in ihrer Kammer auf dem Bett und denkt nach: „Ronan ist jung und stark, Dana hat mit ihrem Liebreiz und ihrer Schönheit einen gutaussehenden Edelmann angelockt, den ich niemals für mich hätte gewinnen können. Aber sie verdient ihn nicht, ich muss sie schnell loswerden und einen Weg finden, Ronan zu umgarnen. Als seine Frau werde ich in den feinsten Kreisen verkehren, teure Kleider tragen und werde nie wieder arbeiten müssen", sie seufzt.

Sie muss ihn ja nur einmal in ihrer Kammer ertragen: „Ronan ist ein Ehrenmann und wird sich dann verpflichtet fühlen, mich zu heiraten, besonders wenn ich vorgebe, schwanger zu sein. Leider hat man Lucinda verjagt, sonst könnte ich einen Trank benutzen, der ihn gefügig macht." Wütend haut sie mit der Faust auf die Bettdecke. „Morgen muss ich handeln, wenn Dana stirbt braucht Ronan Trost und ich werde da sein. Diese Gelegenheit werde ich mir nicht entgehen lassen, Eiric, der alte Mann und sein ärmlicher Hof, interessieren mich nicht mehr", mit einem boshaften Lachen schläft sie ein.

Am nächsten Morgen ist Abos in der Küche und sieht sich um, die Katze, die träge auf der Küchenbank gelegen hat als er eintrat, will ihn sofort jagen. Nepomuk macht ihr unmissverständlich klar, dass das keine Option ist. Jetzt liegt die Katze wieder zusammengerollt und unbeteiligt auf der Bank. Farah betritt die Küche, Abos liegt am Boden, getarnt als Hundespielzeug. Abos wollte, dass Nill mitkommt und ihm hilft, aber der Fee zog es vor auf dem Zimmer zu bleiben. Farah möchte, wie jeden Morgen, das Gift in Danas Hirsebrei geben, da erinnert sie sich an ihre Gedanken von gestern Abend. Zu der Katze agt sie: „Das ist die Gelegenheit, Lucinda hat ausdrücklich gesagt, wenn ich die Menge erhöhe, geht es zu schnell. Die Lage hat sich verändert, genau das brauche ich jetzt", verschlagen lacht sie. Sie will nach den Flaschen auf dem Regal greifen, doch in diesem Augenblick ruft Eiric nach ihr.

„So ein Mist, ausgerechnet jetzt." Sie wischt sich die Hände an der Schürze ab und verlässt den Raum. Schon im Flur antwortet sie: „Ihr habt gerufen Herr, ich komme." Was ihr entgangen ist, Abos hat, getarnt als Hundespielzeug, alles gehört. Außerdem wurde seine Aufmerksamkeit auf die Fläschchen auf der Küchenanrichte gelenkt.

„Also so ist das, nicht zu glauben, eigentlich wollte Farah Eiric bezirzen, um Bäuerin zu werden, dabei war ihr Dana im Weg. Nun da Ronan aufgetaucht ist, hat sie ihre Pläne geändert, jetzt ist er das Opfer ihrer Begierde. Um ihr Ziel zu erreichen, ist ihr jedes Mittel recht, ich muss handeln." So ein Mist, jetzt hätte ich Nill gut brauchen können, er sieht sich um, da fällt sein Blick auf die Katze.

„Schnell, du musst mir helfen, ich muss da hoch", ruft er ihr zu und zeigt auf die Flaschen. Die Katze reckt sie faul und gähnt, macht aber keine Anstalten, dem Wunsch des Zwerges nachzukommen. Da baut sich Nepomuk vor ihr auf und knurrt böse, erschrocken steht sie auf und springt auf den Boden. Abos klettert auf ihren Rücken und die Katze bringt ihn behände auf die Anrichte. Abos kann lesen, er entziffert, was auf den Flaschen steht und versteht plötzlich die Ursache von Danas Erkrankung. Während er noch darüber nachdenkt, was zu tun ist, hört er Schritte im Flur, Farah kommt zurück. Er muss sich beeilen, was soll er unternehmen? Es fällt ihm auf die Schnelle nichts anderes ein, als die Schilder, die um die Flaschenhälse gehängt sind, zu vertauschen. Dann klettert er wieder auf den Rücken der Katze, diese springt mit Abos von der Anrichte herunter. Da Farah in diesem Moment die Küche wieder betritt, lässt sich Abos schnell vor Nepomuks Pfoten fallen. Regungslos und leicht verdreht, wie eine Puppe, liegt er da. Die Katze sitzt wieder auf der Eckbank, sie leckt sich die Pfoten, als wäre nichts gewesen. Farah ist schlecht gelaunt: „Was bildet sich dieser Eiric eigentlich ein, er greift mir an das Hinterteil, als würde er mich noch interessieren. Ich war nur nett zu ihm, weil ich Bäuerin werden wollte, jetzt wo Ronan im Haus ist, ist das Vergangenheit."

Sie weiß nicht, dass der Zwerg lebendig ist und sie verstehen kann, deshalb schimpft sie laut vor sich hin. Als sie sich wieder dem Frühstück zuwendet, fällt ihr Blick auf Abos. „Was ist das für eine hässliche Puppe." Wütend will sie nach der vermeintlichen Puppe greifen, da reagiert Nepomuk sofort, er steht auf, Abos wird unsanft angestoßen. Abos muss sich verhalten als wäre er leblos , hoffentlich bemerkt Farah nicht, das er vor Angst schwitzt.

Nepomuk bellt sie wütend an und fletscht die Zähne, Farah zieht erschrocken die Hand zurück: „Schon gut, behalte die hässliche Puppe, vorerst zumindest. Wenn Dana endlich tot ist, werde ich deinen Herrn verführen. Sobald ich seine Frau bin, fällt mir schon etwas ein, wie ich dich loswerde. Du wirst schon sehen, du störst mich, du verlauste Töle." Wutendbrand stemmt sie die Hände in die Hüfte und macht ein empörtes Gesicht, dann dreht sie sich um. Abos atmet erleichtert aus, sich zu bewegen traut er sich nicht. Farah hat sich zum Glück ganz auf den Hund konzentriert und so nicht bemerkt, dass er schwitzt. Daher hat sie auch keinen Verdacht geschöpft.

Sie nimmt die Flasche mit dem roten Schild vom Bord und will, wie jeden Tag einen Tropfen in den Hirsebrei geben, sie zögert einen Moment. Abos bleibt das Herz stehen, hat Farah gemerkt, das er die Schilder vertauscht hat? Dann sagt sie nur: „Ach ich hätte beinahe vergessen, das sich meine Pläne geändert haben, sonst heiratet Dana noch schnell, zutrauen würde ich es ihr." Entschlossen schüttet sie den gesamten Inhalt der Flasche in den Hirsebrei und rührt um. Dann nimmt sie die andere Flasche auch noch vom Bord und steckt sie in ihre Schürzentasche. Mit dem Tablett in den Händen verlässt, sie den Raum. Abos wartet noch bis ihre Schritte im Flur verklungen sind und klettert dann flugs auf Nepomuks Rücken: „Schnell, wir müssen zu Cerjoc und Klamour."

Währenddessen bringt Farah den vergifteten Brei zu Dana, Ronan hat den Stuhl ans Bett gezogen.

Farah wirft Ihm nur einen kurzen Blick zu: „Guten Morgen, die Herrschaften."

„Guten Morgen Farah." Farah stellt das Tablett ab und wendet sich zum Gehen. Sie hat es eilig auf ihre Kammer zu kommen und das Stärkungsmittel einzunehmen.

„Vielen Dank, Farah, ich mache solche Umstände."

Farah winkt ab, ohne ein Lächeln erwidert sie verlogen: „Ihr habt Euch diese Krankheit ja nicht ausgesucht. Wir wüssten gerne, wie wir Euch helfen könnten." Sie ist bereits fast aus der Tür und verschwindet eilig.

Zeitgleich läuft der Hund durch den Gang, dort sieht ihn Eiric. Verwundert reibt sich der Bauer die Augen: „Ich sollte wirklich weniger trinken, ich sehe schon Zwerge, die auf Hunden reiten."

In diesem Moment betritt Klamour den Flur, er sieht Abos und Nepomuk, die schnell in die, von ihm gerade geöffnete Tür verschwinden. Klamour bemerk tEirics verwirrten Gesichtsausdruck, Eiric deutet auf die Tür durch die Nepomuk soeben gerannt ist: „Haben Sie das gesehen?"

„Ja, das ist Ronans Hund, was ist mit ihm?"

„Auf seinem Rücken saß ein Zwerg."

„Ein Zwerg? Ich bitte Sie, wissen Sie, was Sie da sagen? Behalten Sie das lieber für sich."

Klamour schüttelt den Kopf, dann geht er in sein Zimmer. Eiric murmelt: „Ich trinke noch einen Kräutertee."

Abos bemerkt als er in das Zimmer kommt, dass niemand hier ist, er hat sich in der Tür geirrt, das hier ist Ronans Zimmer.

„Es hilft nichts Nepomuk, Cerjoc ist nicht hier, wir müssen ihn, aber möglichst schnell finden." Der Hund dreht um und läuft zurück auf den Flur. Eiric will gerade in die Küche gehen, als Nepomuk zum zweiten Mal an ihm vorbeiläuft, wieder sitzt Abos auf seinem Rücken. Eiric stößt einen kurzen Laut der Verwunderung aus, schlägt aber sofort die Hand vor den Mund: „Schon wieder, Klamour sehen Sie das nicht?" Aber dieser ist schon nicht mehr da.

„Ich werde verrückt, da besteht jetzt kein Zweifel mehr."

Klamour denkt ebenfalls über die Szene nach, was hat Abos bewogen sich zu verraten? „Das muss etwas sehr Wichtiges sein. ich muss zu

270

Cerjoc." Eilig verlässt er sein Zimmer wieder, als er zu Cerjoc kommt, hört er gerade noch wie Abos sagt: „...so brauchen wir uns nicht zu wundern:"

„Warum brauchen wir uns nicht zu wundern?"

Cerjoc antwortet aufgebracht: „Der Kristall konnte nicht helfen, diese hinterhältige Magd hat Dana vergiftet, Abos hat sie beobachtet."

„Das ist nicht zu glauben, da fragt man sich, was die Menschheit wirklich wert ist."

Cerjoc winkt angewidert ab.

„Schön und gut, aber was unternehmen wir jetzt? Wo ist Ronan, weiß er schon Bescheid?" mahnt Klamour nochmals eindringlich.

„Ronan ist bei Dana und nein er weiß noch nicht Bescheid. Abos hatte kaum Zeit zum Handeln, er hat kurzerhand die Schilder an den Flaschen vertauscht, Farah kann offensichtlich nicht lesen, so hat sie es nicht bemerkt."

„Das heisst...," Klamour schaut Cerjoc fragend an.

„Ja, Dana hat einen guten Schluck von dem Stärkungsmittel in ihrem Hirsebrei. Das Gift hat Farah in ihrer Schürzentasche mitgenommen, wie sich das auswirkt, weiß ich nicht."

„Ich schlage vor, wir berichten zunächst Dana und Ronan davon, sie haben ein Recht alles zu erfahren."

„Ich stimme dem zu, aber wir sollten Eiric auch sagen, was los ist."

„Gut, ich hole Eiric, dann treffen wir uns bei Dana."

Wenig später treffen sich alle in Danas Zimmer, erwartungsvoll schauen Ronan und Dana Cerjoc an.

Ungeduldig steht Ronan auf, packt Cerjoc an den Schultern und schüttelt ihn leicht: „Sag' schon, was ist los? Was hat dieser Auftrieb zu bedeuten?"

„Was ich euch jetzt zu sagen habe, ist kaum zu glauben, Abos hat Farah beobachtet."

Dana unterbricht ihn verwirrt: „Wer ist Abos?"

„Darf ich es erklären?" Ronan schaut den Freund erwartungsvoll an.

Dieser nickt, Ronan setzt sich wieder, er nimmt Danas Hände und beginnt: „Abos ist ein Zwerg."

„Ein Zwerg?", Dana zieht die Augenbrauen hoch.

„Ja, er hat dir auch heimlich die Briefe gebracht."

„Lea, ich entschuldige mich, du hattest doch Recht." Dana streichelt die junge Hündin über den Kopf, das gibt ihr die Möglichkeit sich zu

271

sammeln. „Sie hat immer angezeigt, dass jemand im Zimmer war, ich habe ihr nie geglaubt."

„Sie hatte immer Recht, jedenfalls hat sich Abos in eurer Küche umgeschaut, er hat sich als Hundespielzeug getarnt."

„Also doch, ich habe doch einen Zwerg gesehen, der auf dem Hund geritten ist, ich bin nicht verrückt", freut sich Eiric.

Cerjoc fährt mit seiner Erzählung fort, als er geendet hat, fasst Ronan das Gehörte zusammen: „Das bedeutet, Dana hat das Stärkungsmittel bekommen und Farah hat jetzt das Gift. Obwohl ich zutiefst verabscheue, was sie getan hat, müssen wir sie doch warnen. Ich bin gleich wieder zurück Dana, Eiric komm' mit."

Dana nickt, bewundernd schaut sie Ronan nach, als die Männer den Raum verlassen. Dana bleibt in ihrer Verwirrung zurück, sie ruft Lea, der Hund springt auf das Bett und leckt ihr die Hand. Sie lehnt sich zurück und zieht den Hund in ihre Arme, Tränen laufen über ihre Wangen.

Auf dem Flur ruft Eiric laut nach Farah, sie antwortet nicht. Einen alten Knecht, der vorbeikommt, spricht Eiric an: „Ich suche Farah, hast du sie gesehen?"

Jeder auf dem Hof wusste von der besonderen Beziehung des Bauern zu der Magd, es wurde viel getuschelt. Der Knecht beeilt sich zu sagen: „Sie sagte, es gehe ihr nicht gut, sie sah sehr blass aus und wollte auf ihre Kammer."

Die Männer ahnen, was geschehen ist: „Zeigt uns, wo ihre Kammer ist", fordert Klamour Eiric auf.

Als Ronan und seine Freunde an ihrem Zimmer vorbeikommen, öffnet Cerjoc die Tür und ruft hinein: „Du kannst mit Nepomuk herauskommen, Abos, Eiric weiß Bescheid."

Der Zwerg kommt auf dem Rücken des Hundes aus dem Zimmer: „Ich hoffe, ich habe Euch vorhin nicht zu sehr erschreckt", sagt er zu Eiric.

„Ich gebe zu, ich habe an meinem Verstand gezweifelt, aber ich bin Euch zu großen Dank verpflichtet. Ihr habt die Machenschaften dieser hinterlistigen Person aufgedeckt, ich hoffe nur für Dana ist es noch nicht zu spät."

Ronan ruft vom Ende des Flures: „Kommt ihr?"

Gemeinsam eilen sie zu Farahs Kammer, auf dem kurzen Weg dahin, redet Eiric sich in Rage: „Dieses hinterlistige Weib werde ich sofort

272

vom Hof jagen, spielt mir Liebe vor und tut meiner Tochter so etwas an."

Bei der Kammer, unter dem Dach angekommen, hämmert er an die Tür: „Aufmachen!"

Als keine Reaktion erfolgt, reißt er die Tür auf. Der Anblick, der sich den Männern bietet, verschlägt ihnen zunächst die Sprache. Farah liegt angekleidet auf ihrem Bett, sie ist grün im Gesicht und atmet schwer, Schweiß steht ihr auf der Stirn.

Cerjoc findet die Worte zuerst wieder: „Sie hat wohl den ganzen Inhalt der Flasche genommen, um für dich bereit zu sein, Ronan."

Farah funkelt Ronan an, mühsam bringt sie hervor: „Warum ist mein Plan nicht aufgegangen? Sicher bist du schuld daran". Böse fügt sie hinzu.: „Bei Danas Mutter hat es auch geklappt, sie musste weg, damit ich überhaupt die Möglichkeit hatte Bäuerin zu werden, damals warst du nicht da."

Als Eiric das hört, will er sich mit schmerzverzerrtem Gesicht auf die Magd stürzen. Cerjoc hält ihn zurück, er hat bemerkt, dass bereits ein dünner Blutfaden aus Farahs Mundwinkel tropft: „Lasst, sie erhält ihre Strafe."

Abos lenkt Nepomuk an das Bett heran, flink klettert er nach oben: „Ich habe in der Küche die Schilder an den Flaschen vertauscht, mit einem Zwerg spaßt man nicht!" Wütend stemmt er die Hände in die Hüften: „Du wolltest meinem Freund Ronan schaden, da musste ich handeln und glaube mir du hinterhältiges Weibsstück, ich bereue es nicht."

Farah möchte etwas sagen, aber nur noch ein leises Röcheln kommt aus ihrer Kehle. Abos klettert schnell wieder auf Nepomuks Rücken. Dann wird Farah von Krämpfen geschüttelt, die Anwesenden sehen ihrem Todeskampf angewidert zu.

Als es vorbei ist, verlassen die Männer den Raum, ohne sich noch einmal umzublicken.

Im Flur ballt Eiric die Hände zu Fäusten: „Wie konnte ich nur darauf hereinfallen?"

„Niemand maßt sich ein Urteil an", Klamour legt beruhigend die Hand auf die Schulter Eirics.

Ronan wird nun schlagartig klar, dass ihr Verhalten zu dieser Entwicklung geführt hat: „Wenn Dana über mich hätte reden dürfen, hätte Farah keine Notwendigkeit gesehen, ihr etwas anzutun."

273

Cerjoc nickt bestürzt: „Du hast Recht, wir waren der Meinung das Wissen um unsere Aufgabe wäre gefährlich für sie. Ich dachte dabei an Thyros, so etwas konnte niemand ahnen."

Eiric sieht Ronan lange an, sogar in seinem Schmerz denkt er noch an andere: „Macht Euch keine Vorwürfe, ich hätte Dana vermutlich sowieso nicht geglaubt. Viel schlimmer ist, Dana hat Farah nicht getraut, aber ich wollte es nicht wahrhaben. Habe geglaubt, sie gönnt mir die Zärtlichkeit nicht." Die Tränen der Verzweiflung übermannen ihn: „Wie konnte ich nur so blind sein? Was habe ich getan?", schluchzt er verzweifelt.

Klamour legt den Arm um den Mann, den er gestern überhaupt noch nicht kannte. Hier spielt sich ein menschliches Drama ab, Standesunterschiede spielen keine Rolle mehr.

„Kommt, ich bringe Euch auf Euer Zimmer und lasse Euch eine warme Milch bringen."

„Nein", wert er sich zunächst, „ich muss zu Dana, mich bei ihr entschuldigen."

„Das bewundere ich, aber zunächst solltet ihr Euch beruhigen, lasst uns gehen."

Klamour zieht den anderen leicht am Arm, dann folgt ihm Eiric ohne weiteren Widerstand,

Als die beiden in Eirics Zimmer verschwunden sind, kehrt Ronan bedrückt zu Dana zurück.

Sie schaut ihn an: „Was ist geschehen?"

„Es ist kaum zu glauben, Farah hat eine hohe Dosis von dem Gift genommen. Sie hielt es ja für das Stärkungsmittel, aber das war zuviel, es ist vorbei. In ihrem Todeskampf hat sie gestanden, dass sie auch deine Mutter auf diese Weise getötet hat, es tut mir unendlich leid."

Dana schlägt entsetzt die Hände vor das Gesicht, sie sieht Ronan tränenüberströmt an: „Oh nein, mein armer Vater."

„Er ist zusammengebrochen, Klamour hat ihn auf sein Zimmer gebracht. Hätten wir uns nur niemals getroffen, alles hätte nicht so enden müssen."

Dana schaut ihn aufgebracht an: „Es ist nicht eure, sondern Farahs Schuld, sie war nicht zufrieden mit ihrer Stellung und hat die falschen Mittel gewählt. Sie war eine undankbare Person, meine Eltern haben sie als Waisenkind aufgenommen."

274

Schluchzend fügt sie leise hinzu: „Ich bin sehr froh, dass wir uns getroffen haben, ich liebe dich, Ronan von Orland."

Ronan, der zum Fenster hinausgesehen hat, hat ihre letzte Bemerkung nicht beachtet er ist gedanklich ganz woanders, jetzt dreht er sich ruckartig um: „Genau dasselbe habe ich schon einmal gehört."

„Was meinst du?"

„Das mit der Unzufriedenheit und dem falschen Mittel, abtrünnige Zwerge haben deshalb den Kristall gestohlen und ihn an Thyros übergeben."

Sie schaut ihn verständnislos an: „Das musst du mir erklären."

„Das will ich gerne, all das, was geschehen ist, belastet mich, es würde mir helfen, wenn ich es dir erzählen könnte. Ich glaube, ich bin dem nicht gewachsen, ich brauche dich."

„Erzähle mir alles, komm her zu mir."

„Nein, ich halte es hier drinnen nicht mehr aus, ich brauche Luft. Können wir woanders hingehen?"

Dana nickt: „Ich würde gerne meinen Rosengarten sehen, bringst du mich dorthin?"

Er nickt, nimmt Dana auf den Arm, sie ist leicht wie eine Feder. Gemeinsam sitzen sie später auf einer Bank in der Sonne, die letzten Rosen des Jahres sind in den schönsten Farben erblüht und verströmen einen betörenden Duft. Nepomuk und Lea dösen friedlich in der Herbstsonne. Ronan erzählt Dana die ganze Geschichte, seit seinem Aufbruch aus Tolnar. Jetzt versteht sie seine Art, den Widerspruch zwischen seinem Stand und dem Verhalten. Gerade das hat sie so gefesselt, sie fiebert mit seiner Erzählung mit. Jetzt versteht sie auch, wie die Briefe auf ihre Kommode kamen. Endlich kann er ihr alles erzählen, seine Gewissensbisse wegen seines Handelns beim Kampf mit Thyros und seine Angst in der neuen Rolle zu versagen.

Als er dann zum Aufenthalt auf Ismolds Burg kommt, wird er sehr verlegen.

„Was ist, was hast du plötzlich?"

Ronan steht auf und läuft auf und ab, er ringt mit den Händen. Schließlich setzt er sich wieder auf die Bank: „Dana, bitte glaube mir, es gibt nur dich für mich."

Sie spürt seine Qual, sie nimmt seine schweißnassen Hände in die ihren: „Ronan, ich liebe dich, was auch immer geschehen ist, du hattest sicher deine Gründe."

„Ich verdiene dich nicht, ich schäme mich, um den Passierschein zu erhalten, musste ich eine Nacht mit Kirah, der Enkeltochter des Fürsten verbringen. Ich würde lügen, wenn ich sagte, es hätte mir nicht gefallen, das macht es ja so schlimm. Aber ich verspreche dir, von jetzt ab gehöre ich nur noch dir alleine."

Es ist raus, unsicher schaut er sie an.

Sie hält noch immer seine Hände in den ihren und sieht ihn lange an: „Ich danke dir."

„Wofür?", fragt er verwundert, Ronan hat erwartet, dass Dana enttäuscht ist und weint oder zornig wird und jetzt das?

„Für deine Ehrlichkeit und dein Vertrauen, du hättest es auch einfach verschweigen können. Ich hätte es vermutlich niemals erfahren."

Ronan schaut sie voller Bewunderung an: „Danke, ich liebe dich", flüstert er.

Sie reden noch lange weiter, die Zeit verfliegt und die Schatten der Nacht senken sich sanft auf den Rosengarten. Als der Mond aufgeht und es kühl wird, bringt Ronan Dana auf ihr Zimmer. Er lässt sie kurz alleine, damit sie sich frisch machen kann, dann kommt er zurück: „Ich habe uns etwas zu essen mitgebracht."

Gemeinsam essen sie und lachen: „Ich möchte alle kennenlernen, Fen, Flox und später auch Farib."

Ronan verspricht es, dann kuscheln sie sich im Bett aneinander und genießen schweigend die Zweisamkeit.

Als Eiric später anklopft, will Ronan schnell aufstehen, aber Dana hält ihn zurück: „Herein!"

Eiric tritt ein, als er Ronan erblickt, ist er verlegen, aber nicht ärgerlich.

„Ich wollte nur Gute Nacht sagen", er räuspert sich.

„Hast du etwas dagegen Vater, dass Ronan heute Nacht bei mir bleibt?"

„Ich denke durch das, was geschehen ist, habe ich jedes Recht verloren, mich in dein Leben einzumischen. Ich hoffe, du kannst mir eines Tages verzeihen."

Er fällt vor dem Bett auf die Knie und schlägt die Hände vor das Gesicht: „Verzeih mir", stammelt er."

Dana legt ihm die Hand sanft auf den Kopf: „Was geschehen ist, kann man nicht mehr ändern. Niemand konnte wissen, wie durchtrieben Farah war. Ich bin mir ganz sicher, auch Mutter würde das so sehen. Ich verzeihe dir, gib mir die Hand."

Eiric steht auf, mit Tränen in den Augen steht er am Bett seiner Tochter, drückt ihre Hand fest und flüstert: „Danke!", dann beugt er sich herunter und gibt ihr einen Kuss auf die Wange.

Nachdem Eiric das Zimmer verlassen hat, schaut Ronan Dana zärtlich an, er zwingt sich zu sagen: „Willst du wirklich, dass ich bleibe, ich möchte dich nicht drängen, wir haben noch das ganze Leben Zeit?"

„Ja, aber das Leben kann kurz sein, wir wissen nicht was kommt. Ich will es so, ich habe etwas Angst, aber ich möchte alles erleben."

Da schmilzt sein Widerstand dahin, es durchflutet ihn eine wohlige Wärme und er beginnt ihren zierlichen Körper zu streicheln. Seine Hand tastet sich vorsichtig unter ihr Nachthemd, er zieht sie aus, seine Küsse bedecken Ihren Körper wie ein zärtlicher Schleier. Er verliert sich in ihren blauen Augen, leidenschaftlich und zärtlich, bestimmend und stark liebt er sie. Sie hatten bisher nicht viel Zeit zusammen, aber es besteht eine selbstverständliche Vertrautheit. Es gibt keine Scheu und keine Tabus in dieser Nacht. Als ihn Dana stark und fordernd zwischen ihren Schenkeln spürt, erfüllt sich das Sehnen der Liebenden.

Draußen frischt der Wind auf, er verweht die Rosenblüten, die vorhin noch in der Sonne geleuchtet haben, es wird kalt. Ronan nimmt Dana fest in die Arme und zieht die Decke fest über sie. Dana kuschelt sich zufrieden an, warm und geborgen schläft sie ein.

Am nächsten Morgen steht Ronan leise auf, um Frühstück zu holen. Er deckt Dana wieder vorsichtig zu, zieht sich an, gibt Dana noch einen zärtlichen Kuss auf die Wange und betrachtet die Schlafende einige Zeit liebevoll. Dann verlässt er den Raum, auf dem Weg zur Küche trifft er Cerjoc. Dieser schaut dem Freund ins Gesicht: „Alles scheint mir in bester Ordnung zu sein."

Ronan strahlt ihn an: „Das Leben ist schön, alles findet sich."

„Hast du es ihr erzählt?"

„Ja, stellt dir vor, sie war nicht böse, keine Vorwürfe. Im Gegenteil, sie hat sich für meine Ehrlichkeit und Offenheit bedankt."

„Sie ist etwas ganz Besonderes, du darfst sie nie wieder loslassen."

„Das habe ich auch nicht vor, wir werden heiraten bevor wir aufbrechen. Dann nehme ich sie mit. Ich hoffe, du hast nichts dagegen?"

„Nein, ich freue mich für dich." Cerjoc umarmt den jüngeren Mann, dann gehen sie zusammen in die Küche, auf der Suche nach etwas Essbarem.

Später kehrt Ronan in Danas Zimmer zurück, sie liegt noch immer im Bett, so wie er sie verlassen hat.

„Aufwachen, du Murmeltier", spricht er sie an, während er das Tablett auf der Kommode abstellt. Als sie nicht reagiert, dreht er sich zu ihr um und tritt an das Bett heran. Dana hat die Augen geöffnet, doch ihr Blick geht ins Leere, sie ist tot. Die hohe Dosis des Stärkungsmittels hat ihr noch Kraft für einen letzten, erfüllten Tag geschenkt, konnte das Unabwendbare aber nicht verhindern. Ronan braucht eine Weile um zu realisieren was geschehen ist, dann sackt er neben dem Bett zusammen. Er stößt einen markerschütternden Schrei aus, der einem das Blut in den Adern gefrieren lässt und seine ganze Qual ausdrückt. Die Angestellten verharren, wie erstarrt, in ihren Bewegungen. Teilweise lassen sie vor Schreck fallen, was sie gerade in den Händen gehalten haben. Die Freunde fahren zusammen, Cerjoc schaut Klamour, der ihm gegenübersitzt und frühstückt, entsetzt an: „Es ist etwas Furchtbares geschehen."

„Lass' uns nachsehen."

Zeitgleich springen sie auf und laufen zu Danas Zimmer, innerhalb kürzester Zeit sind alle zusammengelaufen. Sie finden Ronan vor dem Bett kniend, die Tränen laufen ihm über die Wangen, gespenstisch geräuschlos. Dana liegt tot in ihrem Bett, wunderschön. Niemand findet Worte, Cerjoc kommt unweigerlich ein Bild in den Sinn. Er sieht Dana vor seinem geistigen Auge, wie sie im Sonnenschein über die Wiese läuft, die bunten Bänder ihres Hutes wehen leicht im Wind.

Niemand weiß etwas zu sagen, Cerjoc tritt an Ronan heran, schweigend legt er dem jungen Mann die Hand auf die Schulter. Jedes Wort ist hier zu viel. Mit hängenden Köpfen verlassen die Freunde den Raum, Ronan braucht Zeit für sich, niemand kann ihm helfen.

Betrübt sitzt die Runde in der Stube zusammen, Ronan ist nicht anwesend.

Klamour ergreift das Wort: „Wir werden uns Gedanken machen müssen, über die Beerdigung." Fragend schaut er Eiric an, dieser blickt abwesend ins Nichts, er regiert nicht. Anstelle einer Antwort auf die Frage Klamours flüstert er mit gebrochener Stimme: „Wie viel Leid kann ein Mensch ertragen?"

„Ich weiss es nicht."

Danach sitzt Eiric wieder abwesend am Tisch, plötzlich scheint er zu sich zu kommen. Er schaut Klamour an: „Was sagtet Ihr?, ach die Beerdigung, richtig."

„Hatte Dana einen Lieblingsplatz?"

„Ja, in ihrem Rosengarten, kommt mit, wir sehen es uns an."

Gemeinsam gehen sie in den Garten, zunächst stehen sie schweigend dort zusammen.

„Hier ist nicht genug Platz, können wir den Garten noch etwas erweitern?", stellt Klamour schließlich fest.

„Ja, ich lasse den Zaun nach draußen versetzen."

Er ruft einen vorbeikommenden Knecht: „Komm mal her."

Der Knecht kommt schnell angerannt: „Was wünscht Ihr, Herr?"

„Hole einige Helfer zusammen, der Zaun wird gut 3 Schritte hinaus auf die Wiese versetzt, noch heute. Bevor das nicht erledigt ist und auch alles aufgeräumt ist, gibt es keinen Feierabend."

Der Knecht entfernt sich schnell, um Helfer zu holen. Der Tod der allseits beliebten Dana lähmt den ganzen Hof. Alle sitzen irgendwo herum und wissen nicht recht, was sie tun sollen. So findet er schnell genügend Männer, die froh sind, etwas helfen zu können.

Nach und nach verziehen sich alle, um mit ihren Gedanken alleine zu sein. Klamour wird so unfreiwillig zum Organisator der Beerdigung und erklärt, was zu tun ist.

Cerjoc geht später wieder ins Haus, er will sehen, wie es Ronan geht. Als er vor Danas Zimmertur steht, klopft er an, er erhält keine Antwort, Ronan ist dazu offensichtlich nicht in der Lage. Vorsichtig öffnet er die Tür, unsicher was er vorfinden wird, Ronan ist nicht hier. Dana liegt auf dem Bett aufgebahrt, in die, auf der Brust gefalteten Hände, wurde eine Blüte der Kletterrose gesteckt. Cerjoc verharrt kurz, dann verlässt er eilig das Zimmer. Wo kann Ronan sein? Er beschließt im Pferdestall zu suchen, wenn er raten sollte, ist Ronan vermutlich dort. Sturmwind ist ein guter Freund, besser als jeder Mensch kann er Kraft geben ohne besserwisserisch zu sein. Als er im Pferdestall ankommt, stehen dort Amsel und Lysana, Sturmwinds Box ist leer. Er ruft einen Pferdeknecht heran: „Wo ist der schwarze Hengst, der hier stand?"

„Der junge Herr kam herein und ist wortlos gegangen, das Pferd und die Hunde hat er mitgenommen."

„Wo wollte er hin?"

Der Knecht zuckt mit den Schultern: „Wie gesagt, er hat nicht gesprochen, zu überhaupt niemandem."

Cerjoc nickt dem Mann zu, er sattelt Amsel. Als er sie auf den Hof führt, hält er inne, wo will er überhaupt hin? Wünscht Ronan sich Gesellschaft? Während er so unentschlossen dasteht, sieht er Klamour vom Rosengarten kommen. Dieser hat die notwendigen Anweisungen zur Vorbereitung der Beerdigung erteilt, jetzt ist er auf der Suche nach Cerjoc.

„Wo willst du hin?"

„Ich kann es dir nicht sagen."

„Wollen wir zusammen durch die Obstgärten reiten?"

„Sehr gerne, ich fühle mich ausgelaugt, komm, ich helfe dir Lysana zu satteln."

Wenig später reiten beide langsam nebeneinander her.

„Was meinst du, wird Ronan diese Enttäuschung verkraften?", Klamour schaut den anderen fragend an, „gestern haben sich seine Wünsche erfüllt, heute wurde er brutal in die Realität zurückgeworfen."

„Ich hoffe, dass er alles verkraftet, bisher hat stets der Gedanke an Dana dafür gesorgt, dass Ronan alles durchgestanden hat. Er hat aber schon immer mit seinem Hund gesprochen, hoffentlich helfen ihm Nepomuk und Sturmwind im Gleichgewicht zu bleiben."

„Wenn man bedenkt, was Ronan in den vergangenen Monaten alles erlebt hat. Nicht nur, dass ihr sein gesamtes Weltbild auf den Kopf gestellt habt, sondern in allen anderen Bereichen seines Lebens. Das war mit Sicherheit nicht einfach und es ist deiner klugen und bedachten Führung zu verdanken, dass er alles so gut verkraftet hat. Er hat eine bemerkenswert gute Entwicklung durchgemacht, mit deiner Hilfe wird er auch diesen Verlust ertragen."

280

„Hmmm, hoffen wir es."

Schweigend reiten die beiden weiter, sie kommen erst zurück als es bereits dämmert. Als sie in den Stall eintreten, steht Sturmwind, abgesattelt und geputzt, im Stall und kaut seinen Hafer. Die beiden wollen vorbeigehen, um ihre Pferde zu versorgen, da stößt Cerjoc seinen Begleiter an und deutet wortlos in die Box des Hengstes. Dort liegt Ronan im Heu und schläft, Nepomuk und Lea liegen auch dort. Der Hund ist verteidigungsbereit, als er die Männer erkennt, legt er den Kopf wieder ab und schließt die Augen. Sie übergeben die Pferde dem herbeigeeilten Knecht und verlassen den Stall.

„Sollen wir ihn nicht wecken?", fragt Klamour als sie wieder auf dem Hof sind.

„Nein, lass ihn schlafen, Nepomuk passt auf. Wir werden aber einen Korb mit etwas zum Essen und Trinken hinbringen."

„Ronan ist ein bemerkenswerter junger Mann", kopfschüttelnd geht Klamour zum Haus.

Sie bringen einen Korb in den Stall, anschließend essen sie eine Kleinigkeit. Dann gehen sie auf ihr Zimmer, wo Abos und Nill zusammen sitzen, Abos springt auf: „Endlich, kommt ihr, aber wo ist Ronan?"

„Der liegt bei Sturmwind im Stroh und schläft."

„Das wird ihm guttun, das waren heftige Tage. Sturmwind ist jetzt der richtige Freund, er hört geduldig zu, stellt aber keine Fragen."

Am nächsten Vormittag, treffen sich alle am Rosengarten, es regnet. Man hatte gewartet, in der Hoffnung das Wetter würde besser, schliesslich hat man entschieden die Beerdigung durchzuführen. Cerjoc meinte irgendwann: „Das Wetter will nicht besser werden, wir sollten die Angelegenheit hinter uns bringen, ich möchte endlich die Verantwortung für den Kristall loswerden."

„Ich bin auch dafür", Ronan spricht das erste Mal, seit er die Tote gefunden hat. „Ich bin nur noch hier aus Respekt vor Dana, ich schulde es ihr einfach, eigentlich wäre ich lieber weg."

Gedankenverloren blickt er zu der Bank, auf der er gestern mit Dsna sass. Ein Blütenblatt einer Rose liegt dort im Regen. Ein Windhauch kommt und weht es fort: „Das ist von fast unerträglicher Symbolkraft", schießt es Ronan durch den Koppf.

„Also gut, bringen wir es hinter uns und dann brechen wir auf."

„Eiric veranlasst bitte, dass unsere Pferde gesattelt werden", Ronan hat es wirklich eilig.

Die Beerdigung ist kurz, auch dem Wetter geschuldet, beeilen sich alle.

„Wollt ihr nicht noch bis morgen bleiben? Das Wetter ist dann bestimmt besser", schlägt Eiric vor.

„Nein danke, ich möchte weg."

„Dann nehmt aber bitte Danas Hündin mit, Dana würde es so wollen."

„Aber Lea ist alles, was Euch von ihr bleibt."

„Bitte, ich möchte es so, das Tier mag Euch und auch Nepomuk. Ich habe immer zu stark nach Farah gerochen, deshalb hatte sie schon immer Scheu vor mir, verständlicherweise. Ich verdiene ihre Liebe deshalb auch nicht."

„Das hört sich aber sehr nach Selbstbestrafung an", Klamour runzelt die Stirn: „Können wir Euch auch unbesorgt alleine lassen?"

„Natürlich, ich werde nicht noch einen Fehler machen, außerdem habe ich mich um den Hof zu kümmern, die Menschen zählen auf mich. Einen Wunsch habe ich aber noch, es würde mich sehr freuen, wenn Nepomuk und Lea Welpen haben, wenn ihr mir einen schickt."

Ronan nickt: „Das machen wir, es werden bestimmt sehr schöne Hunde."

Dann grüßen die Reiter und sind bald im Nebelgrau verschwunden.

IM WALD VON ORK

Nach einiger Zeit treffen sie Fen und Flox, das Irrlicht hat diese informiert, dass die Reiter kommen und was geschehen ist.

Flox flattert sofort zu Ronan und heftet sich an dessen Brust, er findet aber keine Worte, deshalb schluchzt er nur. Ronan bleibt es so erspart, über die schmerzvollen Vorgänge zu berichten. Später sitzen sie zusammen, Ronan hat sich abgesondert, er möchte alleine sein. Es ist wolkenverhangen und es nieselt, die Stimmung passt zu Ronans Gemütslage.

Cerjoc stellt Überlegungen zur weiteren Vorgehensweise an: „Abos könntest du vorausfliegen und unsere Ankunft ankündigen, wir müssen ja vorwarnen wegen Fen."

„Meint Cerjoc Fen ist willkommen?"

„Ich bin mir sicher, aber es ist besser, wenn sie wissen, dass du kommst, um Missverständnissen vorzubeugen."

„Sind sie eigentlich noch im Lager im Wald, oder bereits wieder auf der Burg?", stellt Abos eine berechtigte Frage.

„Ich weiß es nicht, wir hätten daran denken und deine Kugel befragen sollen, Klamour. Was soll's, wir werden es ja bald erfahren. Hoffen wir einfach, dass es dem Ritter besser geht und sie in die Burg zurückkehren konnten. Das Wetter wird schon unfreundlich, in der Burg wäre es angenehmer."

„Also gut, ich starte sehr früh, reitet weiter in Richtung Lager im Wald von Ork."

Nill niest: „Dieses Wetter ist schrecklich, ich sollte der Königin Bericht erstatten, aber bei dem Regen kann ich nicht so weit fliegen."

Klamour nimmt Nill von seiner Schulter: „Verkriech' dich in meiner Jacke, sonst erkältest du dich noch mehr, die Irrlichter können die Königin informieren."

Nill nickt und verzieht sich ins Warme. Cerjoc tastet immer wieder in dem Beutel, erst wenn seine Hand den Kristall berührt, ist er beruhigt. Er nickt Klamour zu, der besorgt zu ihm herüber schaut.

Am nächsten Morgen startet Abos zeitig, während sich die Reiter etwas später auf den Weg zum Lager im Wald machen.

Sie reiten schnell, sie haben es eilig, die alleinige Verantwortung für den Kristall abzugeben. Auch möchte Ronan den Ummenhof und die damit verbundenen Ereignisse so weit wie möglich hinter sich lassen. Cerjocs und Klamours Gedanken drehen sich derweil mehr um die Rache des Thyros, die sehr wahrscheinlich zu erwarten ist.

Flox schaut oben aus seinem Beutel, er zieht seinen kleinen Mantel fest um die Schultern: „Weißt du eigentlich schon, was du in der nächsten Zeit vorhast, Klamour?"

„Ja, ich würde gerne wieder eine zeitlang auf der Burg bleiben. Ich freue mich schon sehr darauf den Ritter und alle anderen wieder zu sehen und mich in der Bibliothek zu verkriechen. Außerdem müssen wir in der nächsten Zeit verstärkt die Sicherheit des Steins im Auge behalten. Von den Soms habe ich mich entsprechend verabschiedet, sie kommen gut alleine zurecht. Ich habe ihnen die Kugel dagelassen, so können sie jederzeit sehen, wie es mir geht."

Nach einigen Tagen kommen sie im Lager an, es ist verlassen. Sie beziehen die Hütten, Ronan sitzt auf einem umgestürzten Baum, Nepomuk und Lea spielen in der Abendsonne. Da stürmen einige Reiter auf die Lichtung, angeführt von einem stolzen Ritter auf einem prachtvollen Apfelschimmel mit teilweise dunkler Mähne und dunklem Schweif. Die Reiter stoppen in einiger Entfernung aus vollem Lauf und sehen zu Ronan herüber. Dieser ist aufgesprungen und hält Sina abwehrbereit in der Hand, da löst sich einer der Reiter aus der Gruppe. Es ist Farib, Ronan erkennt ihn sofort an seinem verbeulten Hut. Farib galoppiert mit seinem, kleinen gescheckten Pferd auf Ronan zu.

Schon von weitem ruft er und winkt: „Hallo, ich habe dir doch gesagt, dass wir uns wiedersehen."

Ronan geht ihm entgegen und fängt Farib auf, als dieser vom Pferd springt, er wirbelt ihn in der Luft herum, bevor er ihn absetzt.

„Hallo, mein Freund."

Nepomuk umkreist beide laut bellend und ruft damit Cerjoc und Klamour auf den Plan. Während der Begrüßung reden alle durcheinander, der Ritter ist nach der halben Entfernung abgestiegen, er beschäftigt sich mit dem Zaumzeug seines Pferdes, um den Freunden Zeit für eine ausführliche Begrüßung zu lassen.

Cerjoc wird seiner als erster gewahr, leise geht er zu ihm hinüber: „Hallo, mein Freund, schön Euch wieder genesen zu sehen."

Der Ritter dreht sich um, wortlos fällt er Cerjoc in die Arme. „Ich danke Euch, Ihr habt mir das Leben gerettet und ganz besonders danke ich Euch dafür, dass ihr Ronan immer ein zuverlässiger Freund wart."

Ronan hat sich von den anderen abgewandt, er geht einige Schritte auf den Ritter und Cerjoc zu, dann bleibt er unsicher stehen. Die letzten Monate hat er sich als Ronan von Orland ausgegeben, richtig, das alles war nicht seine Idee, aber trotzdem verunsichert ihn die Begegnung. Was wird geschehen? Muss er in sein altes Leben zurückkehren? Den Namen Ronan, Sturmwind und seinen neuen

Stand wieder aufgeben? Sein altes Leben und der Name Josh, dass alles kommt ihm so unwirklich vor. Der Ritter bemerkt ihn, er löst sich aus der Umarmung seines Freundes und kommt auf Ronan zu.

Der Ritter streckt diesem die Hand entgegen und lächelt ihn an „Ich freue mich Euch wieder zu sehen, ich kann Euch nicht genug danken."

Ronan verbeugt sich, als der Ritter an ihn herantritt. Dieser schüttelt den Kopf: „Was soll das? Wenn überhaupt, habe ich mich vor Euch zu verbeugen." Er schüttelt Ronan kräftig die Hand, dann zieht er ihn in seine Arme: „Danke, ich stehe tief in Eurer Schuld." Es entsteht ein Augenblick der Verunsicherung, niemand weiß etwas zu sagen.

Da baut sich Abos neben ihnen auf, er stemmt die Hände in die Hüften und macht ein ernstes Gesicht: „Das ist ja alles ganz rührend, aber wie immer werden wir die Dummen sein. Wir werden stets durcheinanderkommen, wenn wir nur Euch so steif anreden müssen. Alle pflegen einen freundschaftlichen Umgangston, das hat die Aufgabe erleichtert. Was sagt Ihr?"

Der Ritter lacht, das Verklemmte an dieser Situation ist wie fortgeblasen: „Du bist wie immer sehr direkt, aber du hast Recht, ich bin einverstanden, nein ich fühle mich geehrt. Wer hat schon solche Freunde?"

Flox kommt angeflattert. „Du kannst ja fliegen?"

Die Fledermaus landet auf Sturmwinds Sattel, Flox stellt sich in Pose, zieht seinen Umhang zurecht und schaut den Ritter voller Stolz an: „Ja, ich hatte auch einen guten Lehrer, es ist an der Zeit, dass Ihr", er reißt die Augen auf, „Verzeihung, du sie kennen lernst."

„Natürlich, wo ist sie?"

Farib hüpft von einem Bein auf das andere: „Wie aufregend, als Nom kannte ich Drachen, aber dass ich jetzt einen persönlich begegne, wo es doch nur noch so wenige gibt."

Flox ist im Begriff zu starten: „Ich fliege schnell hin und sage ihr Bescheid, sie versteckt sich, wir wollten euch ja nicht gleich erschrecken."

„Es ist nicht weit, sie kommen gleich", Cerjoc setzt sich trotzdem auf den Baumstamm.

„Wir wussten doch von Abos, das Fen euch begleitet, warum hat sie sich versteckt?"

Ronan schmunzelt: „Sie hat nicht die besten Erfahrungen mit Menschen, dass beruht allerdings auf Gegenseitigkeit, deshalb wollte sie kein Risiko eingehen."

„Etwas anderes", Cerjoc schaut den Ritter fragend an, „wo ist eigentlich Gisbert, wollte er nicht mit?"

Der Ritter und Farib sehen einander an, sie machen betroffene Gesichter.

„Farib hat Gisbert wie mit euch vereinbart ins Lager der Zwerge gebracht, aber die Verletzung war zu schwer. Selbst wenn wir den Kristall schon gehabt hätten, hätten wir ihm leider nicht helfen können, ihr wisst ja, die natürliche Ursache... ", er verstummt.

Farib tritt an Ronan heran und nimmt seine Hand: „Wir sollen dir ausrichten, er war froh dein Lehrer gewesen sein zu dürfen. Er vertraut dich dem Ritter und Cerjoc an, verlasse nie den Weg der Rechtschaffenheit."

Alle hängen ihren Gedanken an Gisbert nach, in diesem Moment schwebt der Drache über dem Wald und landet etwas entfernt auf der Wiese. Der Wind rauscht in den Schwingen und der Schatten streicht über die Gruppe. Das Pferd des Ritters, Taruk und Faribs Stute erschrecken und scheuen, die anderen Tiere kennen Fen, ihr Erscheinen beeindruckt sie nicht. Der Ritter und Farib sind deshalb erst einmal mit den Pferden beschäftigt.

„Ihr hattet Recht, das ist ein beeindruckender Anblick, Da kann man leicht nervös werden." Seinen Hengst am Zügel führend, tritt der Ritter dann an Fen heran: „Ich begrüße dich und heiße dich schon jetzt auf meiner Burg willkommen."

Fen nimmt zögerlich die Hand des Ritters: „Heißt das, ich darf bleiben?"

„Ja, ich weiß zwar noch nicht genau, wie wir dich unterbringen, aber das werden wir sehen."

Fen schluckt: „Fen schwört beim Drachenvater Fens Treue, Fen ist sehr froh, dass sie Ronan damals nicht getötet hat."

„Da bin ich auch froh", lacht der Ritter und zu Flox gewandt, der wie ein Herrscher auf dem Drachen thront, sagt er: „Ein imposantes Reittier hast du da. Jetzt, da du fliegen kannst, müssen wir da Sorge haben, dass du uns verlässt."

„Fen verlassen, nicht in hundert Jahren, sie ist meine Freundin", stolz richtet sich die Fledermaus auf und zieht ihren Umhang zurecht. Alle

286

lachen, das Eis ist endgültig gebrochen, alle reden wirr durcheinander. Fen ist voll akzeptiert, auch Ronan ist dabei seine Vorbehalte gegenüber dem Ritter zu überwinden. Es wird sich zeigen wie sich alles entwickelt, die vergangenen Monate haben ihn gelehrt, seine neuen Freunde werden ihn nicht im Stich lassen, drauf verlässt er sich.

Cerjoc steht auf und geht zu Taruk hinüber, er streichelt den Hengst: „Wo hast du dieses prächtige Tier gefunden."

„Ein Pferdehändler hat ihn mitgebracht, ich habe mich sofort verliebt."

„Du hast ihn bereits hervorragend ausgebildet."

„Er lernt besonders gut."

„Stell' dein Licht nicht unter den Scheffel, du hast schon Sturmwind verständnisvoll ausgebildet. Seine herausragenden Eigenschaften haben uns mehr als einmal gerettet."

„Na ja, nun übertreib´ mal nicht."

Cerjoc erkennt an Ronans Blick, dass sich dieser grosse Sorgen darüber macht, ob er Sturmwind behalten darf, deshalb spricht er den Ritter direkt darauf an: „Wenn du ein neues Pferd hast, was wird aus Sturmwind? Er hat es nicht verdient, ausrangiert zu werden."

Der Ritter zeigt sich verwundert: „Ich dachte, Sturmwind gehört jetzt dir, Ronan, willst du ihn nicht behalten?"

Ronan springt auf, er stottert: „Natürlich, gerne", er stürmt erleichtert auf den Ritter zu, „ich hatte gehofft, dass du das sagst", erleichtert umarmt er den Älteren.

„Wir werden über deine Zukunft reden müssen, du passt nicht mehr nach Tolnar, mit Sturmwind schon gar nicht. In den nächsten Tagen haben wir genug Zeit, ich habe aber nie erwartet, Sturmwind wieder zu übernehmen, Taruk ist jetzt mein Pferd."

„Ich möchte aber erst nach Hause, bevor wir zur Burg weiter reiten."

Alle hatten sich schon aufgemacht zu einem der Unterstände zu gehen. Bei dieser Aussage Ronans bleibt der Ritter abrupt stehen: „Das würde ich dir nicht empfehlen."

„Warum?"

„Weil das eine Enttäuschung wird, sie werden nichts verstehen."

„Sie werden sich sicher freuen, dass ich doch noch lebe,... Cerjoc sage du doch auch mal etwas." Ronan sieht Cerjoc erwartungsvoll an.

„Waren sie nicht schockiert als du damals behauptet hast, ich sei tot?"

„Na ja, sagen wir es so, ihr Schreck hielt sich sehr in Grenzen."

„Du wolltest es damals so sehen, ich glaube das nicht. Morgen früh reite ich ins Dorf."

Cerjoc und der Ritter erkennen, dass sich Ronan davon nicht abbringen lässt, sie sagen nichts mehr, aber die Stimmung ist fortan irgendwie gedrückt.

Ronan verabschiedet sich wenig später: „Ich begebe mich zur Ruhe, gute Nacht." Zusammen mit den Hunden verlässt er den Unterstand.

Abos schaut die anderen fragend an: „Ihr scheint fest damit zu rechnen, dass Ronan enttäuscht wird, warum? Ich habe eher Bedenken, dass wir ihn verlieren, zeigen können wir uns ja nicht und für den Trank des Vergessens ist es zu spät, der funktioniert höchstens für zwei Tage. Dahin gehend kann das Wiedersehen zum Problem werden."

Cerjoc antwortet an Stelle des Ritters: „Darüber brauchst du dir keine Gedanken machen, Ronan wird uns nicht verraten. Allerdings hast du dich doch oft genug heimlich in Tolnar umgesehen, glaubst du ernsthaft Ronans Vater wird erfreut sein?"

„Hmm, ein komischer Kautz ist der schon."

Der Ritter meint nachdenklich: „Wir können es nicht verhindern Ronan glaubt uns nicht, vielleicht ist es notwendig, dass er diese Erfahrung macht."

„Leider, er hat seelisch so einiges mitgemacht, erst haben wir ihm eine komplett neue Identität verpasst und ihn im Eiltempo in ein neues Leben gehoben, dann Kirah und Dana mit allem was damit zusammenhing. Ganz schön viel auf einmal, besonderes für ihn, er ist ein Grübler, kein Bruder Leichtfuß."

Der Ritter klopft ihm fest auf die Schulter: „Ganz anders als ich, als ich jung war, das wolltest du doch sagen, mein Freund."

Cerjoc winkt ab: „So habe ich das nicht gemeint."

Der Ritter weiß nicht, was es mit Kirah und mit Dana auf sich hat, was Cerjoc meint, er beschließt Ronan bei Gelegenheit danach zu fragen: „Lasst uns erst einmal schlafen gehen, morgen sehen wir weiter."

Fen, die in den Unterstand nicht hineinpasst, hat deshalb nur den Kopf hinein gestreckt. Als die anderen gegangen sind, macht auch sie sich auf den Weg zu ihrem Nachtlager, Flox sitzt auf ihrem Kopf: „Fen versteht das nicht, ist Ronan in Gefahr?"

„Nicht direkt, der Ritter macht sich Sorgen, dass Ronan enttäuscht wird, das ist eine andere Art von Schmerz."

„Fen kennt diesen Schmerz, sehr schlimm, aber vielleicht kommt es ja ganz anders, Fen hofft es für Ronan."

Dann kehrt Ruhe im Lager ein.

NACH LANGER ZEIT

Am nächsten Vormittag reitet Ronan nach Tolnar, als er die Tole durchquert hat entdeckt ihn Enjah, seine jüngere Schwester. Enjah hütet auf einer Wiese vor dem Ort Ziegen und Schafe, dass ist notwendig, da der Hirte der Krankheit zum Opfer gefallen ist. Die Bevölkerung des Ortes wurde stark dezimiert. Enjah ist dreizehn Jahre alt, sie ist schlank und hat lange brünette Haare. Ihre braunen Augen blitzen vor Lebensfreude, jetzt aber schaut sie ernst, sie blinzelt in die Sonne und hält deshalb die Hand vor die Augen, um den Reiter besser sehen zu können.

Es scheint ihr als würde sie ihn kennen: „So ein Unsinn", schimpft sie sich in Gedanken selber aus, „solch' einen vornehmen Herren kenne ich nicht, was er wohl hier möchte?"

Dann bemerkt sie Nepomuk, die Verunsicherung ist wieder da. Dieser Hund erinnert sie an den Hund ihres Bruders Josh, der vor einigen Monaten im Wald ermordet wurde. Sie denkt erschauernd an diesen Tag, damals war ein fremder Mann ins Dorf gekommen und hatte von dem Überfall berichtet, den er zufällig beobachtet hatte. Ihr Vater war damals mit einigen Männern aus dem Dorf in den Wald gegangen, sie hatten Blut und Kampfspuren gefunden, von Josh und seinem Hund fehlt seitdem jede Spur. Für Enjah war der Verlust des geliebten Bruders ein schwerer Schlag, war er doch der einzige, der sie verstanden hat, ihrem Vater dagegen schien Joshs Verschwinden nicht viel auszumachen. Im Gegenteil, er hatte geflucht, dass die Sachen verloren seien, und dass Josh hätte besser aufpassen müssen und überhaupt, wozu sei eigentlich dieser nichtsnutzige Hund dagewesen?

Im Laufe der Zeit haben sich zwar die Lebensbedingungen wieder gebessert, aber Enjah hat sich seither einsam gefühlt, der Schmerz wollte nicht vergehen. Inzwischen ist der Reiter, dessen Hund die Erinnerung wachgerufen hat, nähergekommen. In einiger Entfernung bleibt er stehen und schaut zu Enjah herüber: „Enjah? bist du das?"

Enjah ist starr vor Schreck, woher kennt der Fremde ihren Namen? Er springt vom Pferd und kommt auf sie zu: „Hab' keine Angst, ich bin es, Josh."

„Josh? Wir dachten du seist tot und wie siehst du aus und was ist das für ein Pferd?"

Inzwischen ist Nepomuk bei Enjah, er erkennt sie wieder, fiepsend stupst er ihre Hand an. Enjah jedoch begreift was gerade geschehen ist, sie beachtet den Hund nicht, Josh lebt. Sie stürzt auf ihren Bruder zu und umarmt ihn, Tränen laufen ihr über die Wangen. Er hält sie fest in den Armen: „Ist ja gut, ich bin wieder da."

Jetzt wendet sie sich auch dem Hund zu, sie umarmt ihn, während er ihre Tränen abschleckt: „Ich habe euch so sehr vermisst."

Sie wendet sich wieder Ronan zu, scheu fragt sie: „Bleibst du bei uns?", ein hoffnungsvolles Lächeln erhellt ihr Gesicht, ich freue mich ja so." Im nächsten Augenblick wird sie sehr ernst: „Ich weiß nicht, wie die anderen dich empfangen, außerdem glaube ich, du passt ohnehin nicht mehr hierher."

Sie tritt etwas zurück und begutachtet ihn, was sie sieht beeindruckt sie sichtlich.

„Ich weiß es noch nicht, es ist sehr viel geschehen, seit ich damals aufbrach und ich habe eine Aufgabe übernommen."

„Heisst das, das ist dein Pferd?", sie geht zu Sturmwind und streichelt dem Hengst über die weichen Nüstern.

„Ja, das ist Sturmwind, mein treuer Freund."

Sie dreht sich zu Ronan um, ernst sagt sie: „Ich bin erleichtert, dass du gekommen bist, ich habe dich so vermisst und die Ungewissheit war furchtbar, aber ich glaube es ist besser wenn du jetzt wieder gehst. Ich werde zu niemandem etwas sagen, kehre zurück in dein neues Leben, wo auch immer das ist."

Erst der Ritter und jetzt Enjah, Ronan kann sich nicht vorstellen, dass es Schwierigkeiten zuhause gibt, er will zu seinen Eltern. Zugegeben das Verhältnis war immer unterkühlt und er hat darunter gelitten, aber das ist Vergangenheit.

„Ich bin gekommen um euch alle zu sehen und genau das werde ich auch tun."

„Wenn du meinst, aber ich komme mit."

Gemeinsam gehen sie zu ihrem Elternhaus, Sturmwind folgt ihnen selbstständig ohne Zügel.

„Ich heiße jetzt übrigens Ronan, kannst du das verstehen.

Enjah schaut ihn lange an: „Ich finde das passt zu dir, fühlst du dich wohl in deinem neuen Leben."

„Ja, ich habe gefunden, was ich immer suchte."

„Ich freue mich für dich, für mich hat sich leider noch nichts ergeben."

„Na ja, wir werden sehen."

Ronan hat einen Klos im Hals, als er zusammen mit seiner Schwester, die zwei Stufen zu der Haustür hinaufgeht und eintritt.

„Guten Tag!", freudig begrüßt er die Anwesenden. Seine Eltern schauen von Ihrer Tätigkeit auf, bei dem unerwarteten Anblick eines Ritters in ihrem Haus versinken sie in einer tiefen Verbeugung. Wie es normalerweise Brauch ist, vermeiden sie es den Fremden direkt anzuschauen, geschweige denn anzusprechen.

„Ich bin's Josh!"

Zaghaft blickt der Schreiner auf: „Das ist nicht möglich, edler Herr, mein Sohn wurde vor Monaten überfallen und verschleppt. Seither haben wir nichts mehr von ihm gehört."

Die Begrüßung hat er sich anders vorgestellt, sie ist kühl, fast abweisend, er ist momentan sprachlos. Dann macht er sich bewusst, wie sich sein Aussehen verändert hat.

„Ich bin es tatsächlich und das ist Nepomuk." Der Hund spürt die ablehnende Stimmung, eine Begrüssung fällt daher aus.

„Wisst ihr noch, wie wir zusammen Würfel gespielt haben?"

Seine Mutter sieht Ihn an: „Du bist es wirklich!", ungläubig schaut sie genauer hin, „seht ihr das Muttermal am Hals?"

Dann starrt sie ihn an, als hätte sie einen Geist gesehen, sie ist richtig gehend blass und sagt gar nichts mehr.

Ronan ist erleichtert, die Zweifel sind ausgeräumt, umso entsetzter ist er über die Reaktion, die nun folgt. Jetzt, da sie ihn erkannt haben, verlieren sie augenblicklich jeden Respekt.

„Wo warst du bisher, du hast uns im Stich gelassen und jetzt trittst du als feiner Herr auf, meinst, du seist etwas Besseres", herrscht ihn der Schreiner an.

Ronans jüngerer Bruder, der Zweitgeborene ahnt die Konsequenzen, die für ihn persönlich aus Joshs Auftauchen entstehen können: „Ich habe deinen Platz eingenommen, ich werde die Schreinerei übernehmen, das lasse ich mir nicht mehr nehmen."

Joshs Vater wettert weiter: „Jetzt hast du sogar zwei Hunde, ich bin nicht bereit die durchzufüttern."

In diesem Moment ist von draußen das Pferd zu hören: „Was ist das?", der Vater stürzt an das kleine Fenster, „ist das dein Pferd?"

„Das ist Sturmwind."

Ronans jüngerer Bruder schaut aus der Haustür: „Ein Pferd können wir uns nicht leisten, aber es gibt eine Menge Fleisch", höhnt er.

Ronan ist enttäuscht, ja geradezu entsetzt, er hatte einen herzlicheren Empfang erwartet. Jetzt wo ihnen bewusst ist, das er es wirklich ist. Ganz offensichtlich hatte Cerjoc Recht, das Bedauern seiner Familie über das, was ihm offensichtlich zugestoßen war, hielt sich tatsächlich in Grenzen.

Sein jüngerer Bruder sieht nur kurzsichtig und neidisch auf sein Erbe auf seinen, durch Joshs Verschwinden, entstanden Vorteil. Andere Möglichkeiten und Chancen kommen ihm nicht in den Sinn. Sein Vater hadert wegen der damals verlorenen Sachen, und sogar seiner Mutter scheint es gar nicht Recht zu sein, ihn wieder zu sehen. Ihn hat offensichtlich keiner vermisst, und es interessiert sich auch niemand dafür, was wirklich geschehen ist.

Ronan unternimmt noch einen letzten Versuch und geht auf die Bemerkung seines Bruders hinsichtlich des Pferdes ein: „Das könnt ihr nicht machen, Sturmwind ist mein Freund!"

Als sein Bruder das Messer von der Anrichte nimmt, zieht er sein Schwert: „Lass das liegen!", sagt er bestimmt. Ronans Auftreten ist unmissverständlich, er wird Sturmwind verteidigen, gegen jeden. Sein Bruder legt erschrocken das Messer wieder hin, so kennt er seinen Bruder nicht, als dieser noch Josh war, hatte er kein solch bestimmtes Auftreten.

„Dies ist mein Haus", poltert der Vater los, „dein Bruder hat Recht, wir brauchen das Fleisch."

Er ist vollkommen überfordert, dass äußert sich in einer ausgesprochen harschen Art. Seine Frau ist aus ihrer Erstarrung erwacht: „Dein Vater hat Recht, höre auf ihn, du mit deinen Pferden, wir haben das doch schon oft ausführlich besprochen. Pferde gehören nun einmal nicht zu unserem Leben und überhaupt Menschen sind wichtiger, heirate und bekomme Kinder, das ist der Lauf der Dinge."

Ronan hatte vorgehabt, seiner Familie zu erzählen, was geschehen ist, er verwirft diesen Gedanken aber wieder, er vertraut ihnen nicht. Anstelle dessen sieht er seine Mutter lange an und merkt, dass er jeden Respekt und jegliche Achtung verloren hat. Hatte er jemals wirkliche Achtung? War es echte tief empfundene Verbundenheit? Nein, denn dann hätte er sie vermisst. Er weiß, dass seine Familie sehr arm ist und wäre gerne bereit gewesen zu helfen, aber unter diesen Umständen?

Er nimmt ein kleines Silberstück aus seiner Tasche und legt es auf den Tisch: „Damit ist der Verlust der Sachen ausgeglichen", dann dreht er sich um und verlässt wortlos das Haus, die Hunde folgen ihm. Seine Mutter nimmt die Münze in die Hand. Das Silberstück ist schwer, so etwas hatte sie noch nie in der Hand. In diesem Moment wird ihr klar, dass es von Vorteil sein könnte, sich mit Josh gut zu stellen, es war ein Fehler so zu handeln. Sie läuft zur Haustür und ruft ihm nach: „Bleib doch, wir haben es nicht so gemeint, wir waren von deinem plötzlichen Auftauchen sehr überrascht, niemand wird deinem Pferd etwas antun." Als er nicht reagiert fleht sie: „Bitte bleib!"

Aber Ronan geht mit Enjah und Sturmwind die Dorfstraße hinunter, die Hunde folgen ihnen, er dreht sich nicht einmal um, als er seine Mutter hört. In diesem Moment wird ihr klar, sie wird ihn nie wiedersehen, sie hat ihn endgültig verloren. Sie hatte große Träume, aber sie hat vieles falsch angefasst.

Auch Enjah die leise schluchzend neben dem Bruder her läuft, weiß, dass er nicht zuruckkommen wird. Als der Vater laut wurde, wie so oft, ist sie aus dem Haus gelaufen zu Sturmwind, dort hat Ronan sie gefunden, als er herauskam. Sie hat deshalb nicht alles mitgehört, das ist aber auch nicht nötig. Sie kann sich den weiteren Fortgang der Unterhaltung vorstellen. Aber was auch immer in den letzten Monaten geschehen ist, ihr Bruder ist nicht mehr der schüchterne, unsichere Dorfjunge, der sich herum schupsen lässt. Josh oder vielmehr Ronan ist jetzt jemand, zu dem man aufschauen, unter dessen Schutz man sich sicher fühlen kann.

Er hebt sie in den Sattel und führt das Pferd aus dem Ort: „Ich muss mit dir reden, kommst du mit zum Fluss, damit uns niemand belauschen kann?"

Enjah nickt schluchzend, trotzig stößt sie hervor: „Du hast es erlebt, es ist noch schlimmer geworden. Ich weiß nicht warum, aber die Eltern sind ständig gereizt."

„Ich kann es nur vermuten, wahrscheinlich sind die Folgen der Krankheit schlimmer als gedacht."

Er dreht sich zu ihr um: „Jetzt etwas anderes, du solltest hier nicht bleiben, währst du bereit dieses Leben aufzugeben? Wenn ja, könnte ich dich zu mir holen, du könntest dann aber nicht mehr zurückkehren."

Ein Hoffnungsschimmer blitzt in Enjahs Augen auf: „Würdest du mich mitnehmen?,"

„Du weißt ja gar nicht, worauf du dich einlässt."

„Wusstest du es damals genau?"

„Nein!"

„Siehst du und viel verlieren kann ich ja nicht, ich möchte leben."

„Ich weiss noch nicht wie und brauche etwas Zeit, aber wenn du willst werde ich dich in ein anderes Leben holen."

Enjah springt von dem im Schritt gehenden Sturmwind ab und fällt ihrem Bruder um den Hals.

„Josh, ich danke dir."

Er bleibt stehen und hält Enjah etwas von sich weg: „Zunächst musst du mir versprechen den Namen Josh nie wieder zu verwenden, ich heiße Ronan. Zweitens musst du jederzeit bereit sein, aber du darfst mit niemandem darüber reden." Bei dieser Aussage verschluckt er sich fast, diese Forderung hat Dana getötet, aber hier ist die Situation eine andere.

Enjah nickt eifrig: „Das werde ich tun, du kannst dich auf mich verlassen."

„Was ist dir wichtig. Überlege gut."

Enjah überlegt: „Im Grunde ist hier nichts wichtig, aber ich möchte alles erleben."

Ronan lächelt nachsichtig: „Ich denke wir fangen erstmal langsam an", liebevoll schaut er sie an, „ich muss zunächst noch mit jemandem reden."

„Heisst das, du kannst das nicht alleine entscheiden?"

„Nein, aber keine Angst, ich denke das klappt, aber sag´ mal, du hattest doch eine Puppe von Großmutter, willst du die nicht mitnehmen?

„Ja, Lumpenkind, das würde ich gerne." Dann wird sie nachdenklich: „Vater hat die Puppe nie gemocht, jetzt meint er, ich sei zu alt dafür, er sucht einen Ehemann für mich. Meinst du ich könnte die Puppe mitnehmen?"

„Natürlich, aber du musst sie immer bei dir haben."

„Das ist kein Problem", sie nimmt die Puppe aus ihrer Schürzentasche und streichelt sie liebevoll, „sie ist sehr klein und ich nehme sie ohnehin immer mit, damit ihr kein Leid geschieht."

In diesem Moment kommen Ronan Zweifel, tut er das Richtige? Ja, es stimmt, Enjah ist noch sehr jung, aber gerade deshalb hätte sie eine Chance verdient.

„Bedenke, du wirst dich nicht verabschieden können."

Enjah denkt einen Augenblick nach, wird sie jetzt unsicher?

Dann meint sie nachdenklich: „Das ist auch besser so, mit den Eltern über diese Entscheidung zu sprechen, davor hätte ich Angst, sie würden ohnehin kein Verständnis haben", sarkastisch fügt sie hinzu: „Wer sollte dann die Ziegen hüten?"

Das Kind in ihr, das eben für einen kurzen Moment aufblitzte, ist wieder verschwunden.

Ronan stimmt ihr zu: „Da kannst du Recht haben, das wäre vermutlich ihre einzige Sorge", die Zweifel die er eben kurz hatte, sind wieder fort.

Sie gehen weiter und erreichen bald den Fluss, Enjah schaut Ronan eindringlich an: „Vergiss' mich nicht, bitte."

Er steigt auf: „Das werde ich nicht, versprochen, aber denk' daran, es wird eine Weile dauern."

Dann nimmt er den gleichen Weg, wie im Frühjahr bei der alten Eiche hält er Sturmwind kurz an. Er reitet aber schon bald weiter, im langsamen Schritt erreicht er wenig später das Lager.

Der Ritter steht auf, noch bevor Ronan abgestiegen ist, schlägt er vor: „Komm' mit, wir machen einen Ausritt."

Ronan nickt, der Ritter sattelt Taruk, gemeinsam galoppieren sie in dem Wald. Nachdem sie eine Weile schweigend nebeneinander her geritten sind, erreichen sie einen Bachlauf, der seinen Weg durch den Wald sucht.

Der Ritter steigt ab und fordert Ronan auf: „Setz' dich zu mir."

Die beiden Männer sitzen nebeneinander auf einem Baumstamm, die Pferde stehen im Bach und stillen ihren Durst.

„Wie war es in Tolnar?"

„Sie haben sich nicht besonders gefreut mich wiederzusehen, Sturmwind wollten sie schlachten. Mutter hat sich besonders seltsam benommen, sie hat mich angesehen, als würde sie einen Geist sehen."

„Das hat sie in gewisser Weise auch."

Ronan schaut ihn fragend an: „Wie meinst du das?"

Der Ritter räuspert sich, er dreht seinen Hut zwischen den Fingern: „Als ihr damals aufgebrochen seid, habe ich dir versprochen, dir alles zu erklären, du hast es verdient."

„Du muss mir nichts erklären, heute habe ich mich entschieden, ich passe nicht mehr nach Tolnar."

„Das mit Sicherheit nicht, aber ich möchte es, ich möchte dir alles erklären und hoffe auf dein Verständnis."

„Wenn es dein Wunsch ist, in Ordnung, aber du sollst wissen, ich bin dir dankbar für diese Möglichkeiten, die du mir geschenkt hast. Ich vertraue dir und was auch immer du mir sagen wirst, wird daran nichts ändern."

„Danke, dass macht es erheblich leichter. Ich möchte sagen, ich bin nicht stolz auf mich, als ich so alt war wie du heute, verbrachte ich eine Nacht mit dem schönsten Mädchen aus Tolnar. Ohne über die möglichen Folgen nachzudenken, begab ich mich sofort danach auf eine mehrmonatige Reise. Für eine Frau ist es unmöglich ein uneheliches Kind zu bekommen, es bedeutet das Aus. Da ich nicht da war, musste sie handeln, sie traf mit dem Schreiner eine Abmachung. Sie heiratet ihn, wenn er ihr Kind als das seine anerkennt, so wurde es ein Siebenmonatskind."

„Was ist daran so ungewöhnlich?"

„Nun ja, deine Mutter war wirklich eine Schönheit, während dein Vater na ja, schon als junger Mann war er grobschlächtig, jähzornig und wenig attraktiv, obwohl er die Schreinerei einmal erben würde, er hätte sie unter normalen Umständen niemals erobern können."

Zaghaft, fast unsicher fragt Ronan, „... und dieses Kind?"

Ersthaft schaut ihn der Ritter an: „Dieses Kind warst du, auf mein Verhalten von damals bin ich nicht stolz, aber ich bin sehr froh dich zu haben, mein Sohn, ich bin dein Vater."

Obwohl ihm dieser Gedanke schon einmal gekommen war, trlfft Ronan die Gewissheit jetzt wie ein Schlag. Er hat das Gefühl, als würde ihm der Boden unter den Füßen weggezogen, er steht auf und geht einige Schritte, langsam senkt sich der Abend über den Wald, leise säuselt der Wind. Ronan bleibt stehen, sein Vater verhält sich ruhig, während sich der junge Mann beruhigt, ordnen sich die Gedanken in seinem Kopf.

„Also deshalb sehe ich dir so ähnlich und ihr habt mich damals ausgewählt und deshalb hat Mutter mich in der Vergangenheit oft verträumt angesehen und heute so seltsam reagiert."

„Richtig, ich glaubte du seist alt genug, um dir die Wahrheit zu sagen, denn ich sehnte mich nach dir und ich wünschte mir Hilfe bei der Bewachung des Kristalls. Deshalb hielt ich mich in diesem Wald auf, als ich krank wurde."

„Wusstest du, dass ich in die Stadt gehen würde?"

„Ja, nach meiner Rückkehr warst du schon auf der Welt, ich traf mich mit deiner Mutter, sie war geradezu untröstlich. Sie hat nicht nur mich, sondern auch ihre Träume aufgeben müssen.

So schwer es mir auch fiel dir nicht nahe sein zu können, ich musste mich von dir fernhalten. Das gehörte zu der Abmachung zwischen deinen Eltern und war die Versicherung für dich."

„Dieser Mann ist also nicht mein Vater, zum Glück, und meine Mutter werde ich niemals wiedersehen". Die Erleichterung in Ronans Stimme ist nicht zu überhören, er ist diesen Menschen gegenüber zu nichts verpflichtet. Natürlich, sie haben ihn aufgezogen, aber er war immer nur geduldet, und das haben sie ihn beide spüren lassen.

Der Rltter unterbricht seine Gedanken: „Du tust deiner Mutter unrecht, sie hatte damals keine andere Möglichkeit, der eigentlich Schuldige war ich."

Das will Ronan nicht gelten lassen, er kann es auch gar nicht. Um sich auf die neue Situation einlassen zu können, braucht er eine klare Definition der Schuldfrage. Deshalb protestiert er: „Du brauchst sie gar nicht in Schutz zu nehmen, ich war ein Kind und hatte keine Schuld, trotzdem hat sie mich mit Kühle bestraft."

„Das war falsch, aber dein Aussehen hat sie immer stärker an mich und das Leben, das sie beinahe hätte haben können, erinnert. Versuch' bitte etwas Verständnis aufzubringen, je älter du wurdest, umso schwieriger wurde es für sie und auch für mich, obwohl ich diese Situation selbst zu verantworten hatte."

Der Ritter merkt, dass dies zum jetzigen Zeitpunkt zu viel verlangt ist, möglicherweise wird Ronan anders darüber denken, wenn etwas Zeit vergangen ist. Es ist auch unfair, von seinem Sohn jetzt eine Lösung für ein Problem zu erwarten, dass er schon so lange mit sich herumträgt. Darum wechselt er das Thema: „Jedenfalls haben wir, Cerjoc und Abos und ich, dich stets beobachtet, Abos hatte herausgefunden, dass du alleine in die Stadt gehen würdest. Das war die Chance, auf die ich gewartet hatte, dann kam alles ganz anders, wie du ja weißt, die Ereignisse überschlugen sich."

„Deshalb hatte ich bei unserem ersten Zusammentreffen das Gefühl, Cerjoc würde mich kennen."

„Ja, nur kurze Zeit nach meiner Rückkehr auf die Burg, verstarb mein Vater sehr plötzlich, ich musste sesshaft werden. Als ich erkrankte, kamen die Zwerge, die ich bereits kannte, auf mich zu. Seither bin ich der Hüter des Kristalls."

„Diese Geschichte kenne ich von Abos."

„Mein Wunsch hat sich nicht geändert, mein Sohn, würdest du mir dabei helfen, diese Aufgabe zukünftig zu erfüllen?"

„Ich fürchte, ich muss, alles andere wäre höchst unfair und feige noch dazu."

„Das freut mich, obwohl man den Schutz des Kristalls niemals als Zwang verstehen darf."

„So meinte ich das nicht", er setzt sich wieder neben seinen Vater, „aber ich konnte Thyros nicht besiegen. Ich habe ihm eine Hand abgeschlagen, er wird zurückkommen und sich rächen wollen. Das wird sehr gefährlich für euch und ich bin schuld, also ist es meine Pflicht zu helfen.

„Du hast ihm die Hand abgeschlagen?"

„Ja, aber ich weiß nicht wie das ging, ich war bereits geschlagen, konnte nicht mehr stehen, geschweige denn einen kräftigen Hieb

298

ausführen. Sina hat geholfen, so recht erklären kann ich das nicht, es war, als wäre der Arm aus Wachs."

Ronan von Orland schaut seinen Sohn lange an: „Sina hat dich als Hüter des Steins anerkannt, mein Sohn."

Sie sitzen einige Zeit schweigend nebeneinander, es ist dunkel geworden, Ronan kann seinen Vater im Mondlicht aber gut erkennen: „Jetzt fängt ein neues Leben an, ich habe einen Vater, den ich achten kann."

„Es ist schön, dass du mich Vater nennst, ich werde mich bemühen deine Erwartungen zu erfüllen."

Die Enttäuschung Ronans über seine alte Familie hilft ihm, die Situation schnell und ohne Vorbehalte zu akzeptieren.

Da fällt Ronan etwas ein, auch auf den Verdacht hin, dass sein Vater zornig wird, er möchte es hinter sich bringen: „Übrigens, muss ich dir noch etwas sagen", beginnt er zaghaft. Der Ritter schaut ihn erwartungsvoll an: „Raus damit, so schlimm kann es ja nicht sein."

„Dein Schild", beginnt Ronan vorsichtig. „Was ist damit?"

„Es hat schwer gelitten, von seiner einstigen Pracht ist nicht mehr viel übrig."

„Ach so, wenn es weiter nichts ist. Es war mir klar, dass du manche Schlacht schlagen musst, ich hoffte nur, du würdest immer gewinnen. Das Schild lassen wir wieder herrichten, es wird wie neu. Zerbrich' dir darüber nicht den Kopf."

Er blickt hoch in den Nachthimmel, der Mond steht hell am Firmament, er taucht die Landschaft in ein kühles Licht: „Wir sollten zurückreiten, es ist schon dunkel, ich habe Hunger und gegen ein warmes Feuer hätte ich auch nichts."

„Vorher hätte ich noch eine Frage, Vater, entschuldige bitte."

„Was ist noch, was interessiert dich?"

„Von der ganzen Familie liegt mir nur an Enjah am Herzen, sie ist anders, ist sie deine Tochter?"

Der Ritter, der bereits neben Taruk steht, lacht laut auf: „Nein, aber du hast Recht, auch sie hat einen anderen Vater, ein junger Mann aus der Garde des Fürsten."

„Ich würde sie gerne heimlich zu mir holen."

„Ich weiß, Abos hat euch belauscht."

„Das ist doch nicht zu glauben, dieser hinterlistige Zwerg."

Der Ritter zuckt mit den Schultern: „Entschuldige, es war nicht seine Schuld, ich habe ihn darum gebeten. Ich habe Schwierigkeiten erwartet, ich hätte wissen müssen, dass du keine Hilfe brauchst."

„Wenn ihr uns sowieso belauscht habt und du alles weißt, hattest du ja auch schon Zeit darüber nachzudenken, was sagst du also."

„Können wir das vertagen, ich habe Hunger."

„Nein, es soll ja nicht sofort sein, aber allgemein, wie stehst du dazu?"

Der Ritter blickt einen Augenblick auf Taruks Sattel, als hätte er ihn noch nie gesehen: „Ich sehe schon, auf der Burg wird es eng, aber grundsätzlich stehe ich dem offen gegenüber, jetzt lass uns reiten."

Durch diese Bemerkung wird Ronan bewusst, dass es seinem Vater vor zu viel Trubel graust, wobei dieser Punkt offensichtlich sehr schnell erreicht ist.

Gemeinsam reiten sie in die Nacht zum Lager ist es zum Glück nicht weit.

Cerjoc erwartet sie mit einem guten Essen: „Habt ihr euch ausgesprochen?

„Jawohl", antwortet Ronan, „zukünftig werden Vater und Sohn den Kristall gemeinsam beschützen."

„Das ist sehr gut, anscheinend nimmt alles ein gutes Ende."

„Wollen wir es hoffen, noch sind wir aber nicht auf der Burg und auch dann...", der Ritter verstummt.

DER KRISTALL

Am nächsten Tag brechen sie auf in Richtung Burg. Sie achten darauf, Cerjoc, der den Stein transportiert, in der Mitte der Gruppe zu halten. Obwohl sie, seit Thyros verletzt wurde, nichts mehr von ihm gehört haben, rechnen sie ständig mit einem Angriff. Während des ganzen Weges verläuft der Ritt ruhig.

In einer weiten Flussschleife liegt die Burg stolz mehrere hundert Meter oberhalb des Flusses. An den Berghängen in sonniger Südwestlage wächst Rotwein, der zu einem guten Tropfen gekeltert wird. Die Burg ist ein imposantes Bauwerk, das hoch oben über der Ebene thront. Sie ist aus Sandstein erbaut, mächtige Mauern schützen sie. Das Tor wird von schweren Eisengittern gesichert, normalerweise stehen diese offen. Der Weg, den die Gruppe nimmt, führt ein kurzes Stück am Flussufer entlang und gibt aus der Ferne den Blick auf die Burg frei, bevor diese dann wieder vom Wald verdeckt wird.

Der Ritter wendet sich an Fen, als sie das letzte Waldstück erreichen: „Fen, du solltest dich bitte bis es dunkel wird, im Wald verbergen und erst dann nachkommen. Wir müssen erst überlegen, wie wir dich den Menschen vorstellen"

„Gut, Fen möchte niemanden erschrecken."

Flox steigt geschwind aus seinem Beutel und fliegt zu dem Drachen: „Ich komme mit, sonst bist du ja ganz alleine."

Gemeinsam fliegen sie durch den Wald davon, um abseits des Weges die Dunkelheit abzuwarten.

Der Ritter schaut ihnen nach: „Erstaunlich, wie gut Flox fliegt, das hätte ich nicht für möglich gehalten."

Ronan schmunzelt: „Du hättest ihn vor seinem ersten Flug hören sollen, man hätte meinen können, er muss auf die Schlachtbank, so hat er gezetert und gejammert."

„Das kann ich mir sehr gut vorstellen."

Nur Augenblicke, nachdem sie fort sind, bleibt Nepomuk plötzlich stehen, er knurrt in den Wald, sein Fell stellt sich auf. Dieses Verhalten des Hundes versetzt Ronan und Cerjoc sofort in Alarmbereitschaft, Ronan zieht Sina aus der Scheide und blickt starr in die Richtung, die Nepomuk anzeigt.

Der Ritter ist von dem Verhalten seines Sohnes ebenfalls alarmiert: „Was ist los?"

„Halte dich bereit, da stimmt etwas nicht, Nepomuk hatte bisher noch immer Recht."

„Vielleicht hätte ich Fen doch besser nicht fortgeschickt."

„Das ist jetzt nicht mehr zu ändern."

Die Freunde scharen sich dicht um Amsel, um den Kristall zu schützen, alle verharren in atemloser Stille. Augenblicke später wird die Gruppe angegriffen, die Feinde haben den Reitern hinter einer Wegbiegung aufgelauert. Stumm, um den Drachen nicht doch noch auf den Plan zu rufen, stürzen sich zahlreiche, schwarz gekleidete Angreifer auf die Gruppe. Sie tragen gehörnte Helme, deren Visiere die Gesichter vollkommen verdecken, und die eine grinsende Fratze zeigen. Auf ihren Schildern sind Totenköpfe aufgemalt, schmale Stoffstreifen, die an den Schultern angenäht sind, wirbeln beim Reiten in der Luft herum und sollen den Gegner verwirren. In der Hoffnung, das Fen sie noch hört, schreien Ronan und seine Gefährten lauthals, leider ist Fen bereits zu weit weg.

Trotzdem stutzt Flox: „Hast du etwas gehört, Fen?"

„Fen hat nichts gehört, die Burg ist schon so nahe, jetzt geschieht ihnen bestimmt nichts mehr."

„Ich habe kein gutes Gefühl."

„Hat Flox etwas gehört?"

„Nein, aber trotzdem."

„Flox ist zu aufgeregt, Flox sollte sich beruhigen."

„Du hast gut reden, es handelt sich um meine Freunde und ich mache mir Sorgen."

Es sind auch Fens Freunde", empört sich der Drache, „Fen hofft auch, dass alle bald in Sicherheit sind, aber jetzt müssen Fen und Flox warten."

Fen und Flox lagern, um die Dunkelheit abzuwarten.

Etwas entfernt beginnt gleichzeitig der Angriff auf die Gruppe, sofort gibt es einen Tumult. Die Freunde werden von berittenen Kämpfern und zusätzlich von Greifvogelreitern aus der Luft angegriffen. Sie kämpfen furchtlos, aber die Angreifer sind zahlenmäßig weit überlegen, trotzdem wollen die Männer den Stein unter allen Umständen verteidigen. Niemand hat Zeit sich die Angreifer genauer anzuschauen, der Ritter ruft Ronan zu: „Kennt ihr diese Kerle?"

„Nein, aber ich wette Thyros hat etwas damit zu tun."

Die Lage ist aussichtslos, die Gegner haben den Zeitpunkt für den Angriff gut gewählt. Von der Burg aus ist der Ort nicht einsehbar und weit außer Hörweite, von dort ist also keine Hilfe zu erwarten. Fen ist nicht anwesend und Flox, der sie hätte holen können ist bei ihr geblieben. Die Angreifer wissen, dass sie verhindern müssen, dass der Drache zu Hilfe gerufen wird und hindern Abos erfolgreich am Start. Sie wissen aber nicht, dass sich Nill noch bei der Gruppe befindet, er ist unter Klamours Jacke verborgen. Als einer der Kämpfer Klamour mit dem Schwert am Arm trifft und verletzt, lugt Nill vorsichtig hervor, um zu sehen, was geschehen ist. Es bietet sich ein chaotisches Bild.

Ronan hat sich etwas von Cerjoc entfernt, um besser kämpfen zu können, er holt kräftig aus und Sina ist nicht zimperlich. Farib galoppiert laut johlend zwischen den Kämpfern herum, um Verwirrung zu stiften, immer darauf bedacht nicht von einem Schwert getroffen zu werden. Nepomuk schnappt nach den Beinen der Pferde, während sich Lea verängstigt verkrochen hat. Der Ritter und Klamour halten sich dicht bei Amsel, um den Stein zu schützen: „Meint ihr, wir können ausbrechen und in der Burg Zuflucht suchen?", brüllt Cerjoc zu dem Ritter hinüber, „sie würden uns kommen sehen und uns zu Hilfe kommen."

„Ich glaube nicht, dass wir es auch nur aus diesem Wald heraus schaffen, bevor wir überwältigt werden."

Nill zupft Klamour am Ärmel, da das den Schmerz verschlimmert reagiert dieser sofort. Der Fortgang des Kampfes erlaubt es ihm allerdings nicht, Nill anzuschauen, deshalb sagt er zu ihm, während er sich mit dem Schwert einen Angreifer vom Hals hält: „Versteck dich, hier ist es zu gefährlich."

„Vielleicht kann ich helfen."

„Du?"

„Ja, lenke die Reiter ab, ich fliege zu Fen und hole sie her", flüstert er dem anderen zu.

„Darauf hätte ich auch selber kommen können, aber pass' gut auf."

Nill startet, kaum sichtbar für die vielbeschäftigten Kämpfer, auch Ronan, der Ritter, Cerjoc und Farib ahnen nichts davon.

Nill fliegt eilig durch den Wald, schon von weitem ruft er in hoher Tonlage nach Flox, damit ihn die Menschen nicht hören können.

Flox hört plötzlich ganz leise ein Rufen, aufgeregt flattert er vor Fens Gesicht: „Ich hatte doch Recht, Nill ruft nach uns."

Der Drache schreckt auf, aufgeregt läuft sie hin und her: „Was ist, was, was?", stottert sie.

„Ich weiß nicht was los ist, er ruft nach Hilfe, komm schnell, wir müssen zurück."

Da Fen deutlich schneller fliegen kann, setzt sich Flox auf ihre Kopf. Schon nach wenigen Flügelschlägen stoßen sie beinahe mit Nill zusammen, Fen kann ihn gerade noch auffangen, vollkommen außer Atem keucht der Fee zusammenhanglos: „Schnell ... schrecklich ... dunkle Reiter."

Fen versteht nicht genau, was er sagen will, aber sie weiß, ihre Freunde sind in Gefahr, sie setzt Flox vorsichtig auf den Boden: „Flox und Nill bleiben hier, Fen kann nicht aufpassen."

Ohne eine Antwort abzuwarten fliegt sie los, Flox und Nill sehen staunend, wie der Drache in einem halsbrecherischen Tempo durch den lichten Wald davonschießt. Der Sog, der durch ihren mächtigen Flügelschlag entsteht, reisst dünne Äste von den bereits kahlen Bäumen.

„Oh oh, ihr möchte ich jetzt nicht begegnen," Nill schüttelt den Kopf. „Ich auch nicht", stimmt ihm Flox zu, „sie ist sehr nett, und wenn sie dein Freund ist, ein großer Vorteil. Wenn nicht, ist sie ein gefährlicher Gegner, sie ist immer noch ein Drache, wenn man sie reizt, ist mit einem Drachen nicht zu spaßen."

Als Fen an die Weggablung kommt, ist der Kampf bereits vorbei. Erstaunt ruft Cerjoc ihr zu, während er verschwitzt auf dem Pferd sitzt: „Wo kommst du her?"

„Nill kam Fen holen, was ist los?"

Cerjoc sieht zu Klamour und dem Ritter hinüber und nickt diesen erleichtert zu.

„Thyros' Schergen haben uns überfallen, schwarze Reiter, es waren zu viele, wir haben verloren. Sie sind mit dem Kristall in diese Richtung geflohen", er weist mit dem Schwert Richtung Fluss. „Ronan verfolgt sie, hat aber keine echte Chance, aber du kannst sie vielleicht noch einholen."

Fen ist nur kurz gelandet, um Cerjoc zuzuhören. Als dieser sagt, dass die Angreifer den Stein gestohlen haben und überdies Ronan in Gefahr ist, funkeln ihre Augen rot vor Zorn. Sie fliegt in die angegebene Richtung durch den Wald davon. Die Gruppe bleibt zurück, Klamour und Cerjoc wurden bei dem Kampf verletzt. Klamour interessiert sich dafür aber überhaupt nicht, seine Stute Lysana liegt im Sterben. Sie wurde mit einem Schwert an der Brust getroffen. Bis der Kampf vorüber war, hat das Pferd tapfer durchgehalten, um seinen Herren nicht abzuwerfen, und damit in Gefahr zu bringen. Jetzt ist sie entkräftet zusammengebrochen, aus der grossen, klaffenden Wunde sickert pulsierend das Blut, die Lebensenergie verrinnt im

Staub. Ihr Herr hat ihren Kopf in seinen Schoß gebetet: „Fen wird dich rächen, leb' wohl meine Teure", traurig streichelt er sie und ordnet ein letztes Mal ihre Mähne. Als sie tot ist, steht er auf, Zorn verdunkelt sein Gesicht: „Wenn ich darf, würde ich gerne auf der Burg bleiben und euch helfen, den Kristall wieder zu beschaffen. Wir werden ihn dann verteidigen und sollte dieser Hurensohn von Thyros es noch einmal wagen, seine dreckigen Finger nach dem Stein oder einem meiner Freude auszustrecken, schlage ich ihm mit Vergnügen auch noch die zweite Hand ab. Das schwöre ich hiermit feierlich."

„Dein Verlust ist furchtbar, aber Ronan hat es alleine mit einer Vielzahl sehr brutaler Gegner zu tun", mit sorgenvollem Blick schaut der Ritter in die Richtung, in die Fen verschwunden ist.

Farib tritt an den Ritter heran: „Es wird schon gut gehen, sollen wir ihnen folgen?"

Der Ritter besinnt sich auf seine Führungsrolle: „Nein, wir müssen uns zusammenreissen und uns zunächst um unsere Verletzungen kümmern. Sollte Ronan Hilfe brauchen, müssen wir bereit sein."

Der Ritter wendet sich wieder an Klamour:

„Natürlich kannst du bleiben solange du willst, aber jetzt kümmern wir uns erst einmal um deine Wunde." Der Ritter zieht ihn weg von der toten Lysana und fordert ihn auf, sich auf einen Stein zu setzen.

Abos sieht sich den Schnitt an Klamours Arm und die Wunde an Cerjocs Bein an. „Urks", er schüttelt den Kopf: „Sobald Fen zurück ist, und wir sicher auf der Burg sind, holen wir von diesen Blättern und bringen auch einige Pflanzen mit. Wie es aussieht, brauchen wir sie öfter."

„Welche Blätter?" „Fen hat uns Blätter gezeigt, die eine erstaunliche heilende Wirkung haben. Sie haben uns mehrfach gerettet." Der Ritter nickt, er ist damit beschäftigt die Wunden der Freunde zu reinigen und zu verbinden, Farib hilft ihm: „Ihr erzählt immer von diesen Blättern, die Pflanze interessiert mich, vielleicht wusste der alte Farib etwas darüber", Farib schaut den Zwerg fragend an. Als Abos nicht reagiert, spinnt er den Gedanken weiter: „Wir sollten versuchen sie anzubauen, was meinst du? Auch müssten wir ausprobieren, ob sie auch getrocknet wirkt. Falls das mit dem Anbau nicht klappt, könnten wir sie auch verkaufen. Burg Orland Heiltinktur, das würde sich gut anhören."

Den Ritter nervt diese Unterhaltung sichtlich: „Sollten wir uns nicht zunächst darum kümmern, den Stein wieder zu bekommen?"

„Du hast ja Recht", Farib schaut die Freunde zerknirscht an, „ich bin nur so furchtbar nervös, wie es Ronan wohl gerade ergeht, ich muss mich irgendwie ablenken."

Klamour hat sich wieder etwas erholt: „Was machen wir jetzt?"

In diesem Moment kommen Nill und Flox atemlos angehetzt: „Was ist los?", keucht Flox.

Klamour nimmt die beiden auf den Arm: „Jetzt beruhigt euch erst einmal, Ronan und Nepomuk sind den Schurken gefolgt, Fen ist auch hinter ihnen her."

„Wer war das überhaupt?"; Nill steht die Panik im Gesicht, „ich hatte solche Angst."

„Das waren Thyros' Schergen", Cerjocs Gesicht ist ernst.

„Meinst du, das oder so etwas ähnliches hätte mein Volk erwartet?"

„Es ist noch nicht vorbei, sie haben den Kristall wieder in ihrer Gewalt. Wir müssen ihn zurückholen, hoffentlich sind die Verfolger schon erfolgreich und dann müssen wir für seinen Schutz sorgen."

Nill zittert, ängstlich stammelt er: „Hoffentlich gewinnen Ronan, Fen und Nepomuk und niemand wird ernsthaft verletzt", es schüttelt ihn, „ich möchte gar nicht daran denken, was sonst geschehen wird. In jedem Fall werde ich Königin Mirabell berichten, was uns droht, solltet ihr verlieren, mir war das gar nicht so bewusst."

Der Ritter hat Cerjocs und Klamours Verletzungen verbunden, jetzt überlegt er: „Meint ihr, wir sollten ihnen hinterher reiten?"

Abos schüttelt den Kopf: „Ich denke nicht, Cerjoc und Klamour können sowieso nicht mit, wir sollten hier bleiben und versuchen Ruhe zu bewahren."

Nill zieht an seinem Ärmel: „Ich finde du hast Recht", zitternd klammert er sich an den Zwerg, „lass uns hierbleiben."

„Dann soll zumindest Flox hinfliegen und nachsehen wie es steht, würdest du das machen?"

„Das mache ich", er startet. Sein Flug ist noch unsicherer als sonst, daran sieht man, wie viel Angst er hat.

Der Ritter hat keine Ruhe, nervös läuft er auf und ab, wie ergeht es seinem Sohn gerade? Kurze Zeit, nachdem Flox losgeflogen ist, hört man den dumpfen Hufschlag mehrerer Pferde auf dem Waldboden. Der Ritter, Cerjoc und Farib steigen auf, sie ziehen abwehrbereit die

306

Schwerter. Kommen die Angreifer zurück, um die Zeugen zu beseitigen?

„Es war ein Fehler hier zu bleiben", murmelt Cerjoc, während er in die Richtung starrt, aus der das Geräusch kommt.

„Wo hätten wir hinsollen?, meinst du etwa zur Burg und Ronan hier alleine lassen?", der Ritter ist zornig.

„So meinte ich das nicht", Cerjoc versucht zu beruhigen, „ich sorge mich auch um Ronan, aber lebendig können wir ihm ohne Zweifel besser helfen."

„Entschuldige meine Reaktion, aber ich halte die Ungewissheit kaum aus."

Die Geräusche der Pferde kommen näher, die Freunde stellen sich auf einen erneuten Kampf ein.

Die Erleichterung ist riesig, als Ronan zwischen den Bäumen auftaucht, er führt sechs reiterlose Pferde am Zügel. Sein Blick ist ernst, zunächst sitzt er einen Moment schweigend im Sattel.

Cerjoc lenkt Amsel zu ihm hinüber, und legt ihm wortlos die Hand auf die Schulter.

Ronan blickt in erwartungsvolle Gesichter: „Fen kommt gleich, hier sind einige Pferde der Angreifer, die anderen Tiere sind geflohen, die Angreifer sind alle tot, wir haben den Stein zurückerobert."

Nepomuk, erschöpft von dem Kampf, hat sich hechelnd hingelegt. Farib gibt ihm aus seiner Wasserflasche zu trinken.

Der Ritter tritt an Sturmwind heran, erleichtert streckt er Ronan die Hand entgegen: „Zum Glück, das erspart uns einiges, ich gratuliere dir."

Farib richtet sich auf: „Ich bin froh, dass euch nichts passiert ist."

Ronan antwortet nicht darauf, er wendet sich an seinen Vater.

„Danke, aber wenn mir Fen nicht geholfen hätte... ."

In diesem Moment landet der Drache, er trägt den Kristall in den Händen: „Bitte Cerjoc, nimm' den Stein, nimm' Fen diese Last ab."

Cerjoc nimmt Fen den Stein ab und steckt ihn wieder in den Beutel, er wendet sich wieder an Ronan: „Was ist genau geschehen?"

„Fen kam mir in letzter Minute zu Hilfe, alleine mit Nepomuk hatte ich keinen guten Stand. Ich habe die Fremden zwar eingeholt, stellen konnte ich sie aber nicht."

„Nun erzähl schon, mach es nicht so spannend", fordert Farib Ronan ungeduldig auf.

„Ihr könnt es euch nicht vorstellen, es war ein richtiges Massaker. Ich war, wie gesagt, knapp hinter den Dieben, als Fen im Sturzflug von hinten kam. Sie hat Thyros' Schergen überholt und noch bevor diese wussten wie ihnen geschieht, den Weg abgeschnitten. Als sie drohend die Flügel ausgebreitet hat und ich ihre rotglühenden Augen sah, hatte ich eine Vorahnung, was gleich geschehen würde. Ich beeilte mich, etwas Abstand zwischen mich und die fremden Reiter zu bringen und rief auch Nepomuk zu mir. Als sich der Drache vor den Reitern aufbaute und furchterregend fauchte, haben die Pferde der Fremden gescheut und ihre Reiter abgeworfen. Die in Panik flüchtenden Tiere brauchte ich nur einzufangen. Nahezu gleichzeitig hat Fen die am Boden liegen Männer mit einem starken, langanhaltenden Feuerstoß getötet, noch bevor sie ihre Schwerter ziehen konnten. Einen, der diesen Angriff überlebt hatte, und in den Wald fliehen wollte, mehrfach ist er gestolpert, hat Fen dann verfolgt. Als sie zurückkam sagte sie nur: „Der macht Ronan nie mehr Schwierigkeiten". Dann haben wir begonnen den Stein zu suchen, wir fanden ihn bei den verkohlten Überresten des Anführers. Zum Glück hat der Kristall den Angriff unbeschadet überstanden."

„Fen konnte nicht anders, um dem Stein zurück zu holen mussten die Angreifer sterben."

Farib kommt zu dem Drachen und schmiegt sich an: „Die sind nicht wichtig, sie haben es nicht anders verdient. Hauptsache, euch ist nichts geschehen, ich hätte nie gedacht, dass ich mich einmal so freue, einen Drachen zu sehen."

Klamour schaut die Beutepferde nachdenklich an: „Hmmm, zumindest habe ich jetzt ein Ersatzpferd."

„Wieso Ersatzpferd?, Ronan folgt mit den Augen Klamours Blick und sieht Lysana auf dem Boden liegen. „Als ich die Verfolgung aufnahm, stand sie doch noch."

„Schon, aber sie war bereits getroffen, mein gutes Mädchen hat nur noch durchgehalten, um mich zu schützen."

„Sie war wirklich ein gutes Tier", sagt er bewundernd, dann dreht er sich zu den Pferden um, die er mitgebracht hat: „Zum Glück sind die

Pferde vor Fen weggelaufen, so konnte Fen die Männer töten ohne den Pferden etwas anzutun."

Cerjoc nickt zustimmend: „Die Tiere können ja nichts für die Taten ihrer Herren, also such dir eines aus, dann können wir gleich aufbrechen."

Klamour sucht sich einen Fuchs aus, alle martialischen Zeichen entfernt er: „Das arme Tier derart zu missbrauchen, nicht zu fassen", wütend schüttelt er den Kopf. Der Ritter beobachtet ihn kurz: „Du hast Recht, wir nehmen uns die Zeit und befreien die armen Tiere von dieser Last."

„Die Art und Weise wie mit ihnen umgegangen wurde, war mit Sicherheit schlimmer für sie."

„Woher willst du das wissen?"

„Zum einen glaube ich nicht, dass jemand, dessen Handeln so Menschen verachtend ist, ausgerechnet gegenüber den Pferden einen respektvollen Umgang zeigen soll. Zum anderen sind die Schenkel der Pferde, blutig von rücksichtslosen Einsatz der Sporen und die mit Dornen besetzten Kandaren sind die reinsten Folterwerkzeuge."

Der Ritter brummt etwas Unverständliches vor sich hin. Er pflegt einen respektvollen, sanften Umgang mit seinen Pferden, ohne Kandaren und Sporen einzusetzen. Dies verlangt dem Reiter viel Einfühlungsvermögen ab, ist aber am Ende sehr erfolgreic, da die Tiere nicht unter Zwang arbeiten, sind die Ergebnisse besser.

Nacheinander fallen mit Totenköpfen bemalte Schabracken, mit Runen bestückte Ketten, Stachelkandaren und ähnlich schaurige Ausrüstungsgegenstände auf den Boden.

Der Ritter betrachtet den Haufen: „Wir sollten die Sachen mitnehmen, das Metall ist wertvoll, man kann es einschmelzen."

„Davon würde ich abraten, Vater, diese Sachen sind vielleicht verhext."

„Schade, aber du hast Recht. Was machen wir dann damit? Wir können es nicht einfach hier liegen lassen."

Fen meldet sich zu Wort: „In der Ferne hat Fen einen Vulkan gesehen, ist der aktiv?"

„Der letzte Ausbruch war schon lange vor meiner Zeit, wenn du das meinst, aber in seinem Krater ist ein Lavasee. Ich war noch niemals auf dem Rand, es ist zu heiß."

„Dann wird Fen heute Abend über den Vulkan fliegen und die Sachen hinein fallen lassen. Wohnen Menschen in der Gegend um den Vulkan?"

„Nein, zwischen der Burg und dem Vulkan wohnt niemand, die Leute haben zuviel Angst vor einem Ausbruch."

„Fen wird sehr niedrig bis zu dem Berg fliegen."

Der Überfall hat jedoch bei dem Ritter zu einem Umdenken geführt, entgegen seiner Äußerung von vorhin sagt er: „Du kannst das gleich erledigen, die Menschen müssen sich ohnehin an dich gewöhnen, komm dann bitte gleich zurück, vielleicht brauchen wir dich noch einmal."

Sie packen alles in Klamours Stoffbeutel und Fen macht sich auf den Weg zu dem Vulkan, während die Reiter wieder aufbrechen. Der Schreck des Überfalls sitzt allen noch mächtig in den Knochen, im Galopp versuchen sie, auf schnellstem Weg die Burg zu erreichen. Als sie sich dem Bauwerk nähern, zügelt Ronan Sturmwind, hier wird in Zukunft ihr Zuhause sein. Das will er sich genau ansehen. Die Burg ist imposant, an den Fenstern lockern rot-weiß gestrichene Fensterläden die Fassade auf, die Wände sind aus rötlichem Sandstein gemauert. Spitze Dächer schützen die Gebäude, der gesamte Eindruck ist ruhig. Es gibt nur einen einzigen niedrigen Turm, nur wenig höher, als die Gebäude, von seiner Aussichtsplattform bietet sich mit Sicherheit ein wunderbarer Blick über die Hochebene und das Flusstal. Ronan nimmt sich fest vor, in den nächsten Tagen hinauf zu steigen. Das große Eingangstor steht meistens offen, kann aber bei Bedarf geschlossen und zusätzlich zu dem Holztor noch mit einem schweren Eisengitter gesichert werden. Für den kurzen Burggraben wurde der Bach umgeleitet und aufgestaut. Zur Hochebene hin schließt sich ein lebhafter Ort an die Burg an. Zur Not können sich die Bewohner des Ortes schnell in den sicheren Burghof retten. Unter diesem Schutz hat sich ein blühender Ort entwickelt. Handwerker, Geschäftsleute und Händler sorgen für ein geschäftiges, buntes Treiben, unterstützt durch das umsichtige Handeln des Ritters. Er hat ein sehr geschicktes Händchen bei der Förderung des ansässigen Handwerks. Als umsichtig herzlich, aber auch sehr streng bekannt, ist er bei den Menschen sehr beliebt. Da der Ritter entspannt unter den Reitern ist, fürchten sich die Menschen auch nicht vor Fen, der Drache ist von seinem Ausflug zu dem Vulkan schon wieder zurück. Als Drache bewältigt sie große Entfernungen in kürzester Zeit, sie ist schon weit vor der Ansiedlung wieder zu der Gruppe gestoßen.

Gemeinsam durchqueren sie den Ort, von gut gelaunten, fleißigen Menschen freundlich gegrüsst. Während er die Menschen grüßt, erklärt der Ritter seinem Sohn: „Ich musste nach meiner Rückkehr erst lernen, dass dieses Erbe eine Menge Verantwortung bedeutet. Ich bin Berater, Beschützer, Seelentröster, Richter und Schutzmann, alles zur gleichen Zeit. Die Menschen versorgen mich durch ihre Abgaben, dafür erwarten sie zu Recht eine Gegenleistung."

„Diese Verantwortung nimmt aber nicht jeder Gutsherr ernst."

„Das ist richtig, mein Sohn, aber ich kann nachts alleine durch die Straßen gehen, ohne Angst haben zu müssen, hinterrücks erstochen zu werden. Außerdem stehen die Leute auch in schlechteren Zeiten treu zu mir und sind ohne Murren bereit Anstrengungen und Mühsal auf sich zu nehmen, sollte dies notwendig sein."

Ronan sieht sich in dem Ort um, mit den Hütten in Tolnar sind diese Häuser nicht zu vergleichen, sie sind durchweg viel solider. Alle Gebäude sind sauber und ordentlich, an jedes grenzt ein kleiner Gemüsegarten an, der von jeder Familie selber bewirtschaftet wird. Das Wintergemüse steht noch auf den Beeten, Ronan erkennt Kohl, Lauch, Rüben und Rossäpfel. Andere Gemüsearten sind bereits in Erdmieten eingelagert und auf diese Weise haltbar gemacht, jetzt scharren die Hühner auf den abgeernteten Beeten. Als sich die Freunde dem Torbogen nähern, erkennen sie den Zwergenkönig, Ahmund erwartet sie mit seinem Hofstaat: „Willkommen, zu Hause."

Ronan springt vom Pferd, er verbeugt sich: „Seid gegrüßt Majestät."

Der König winkt ab: „„Nicht doch, ich bin euch zu großem Dank verpflichtet, Ihr habt die Welt vor grossem Unheil bewahrt. Dafür bewundere ich Euch und hoffe, Ihr werdet uns auch zukünftig helfen den Kristall zu bewachen."

Der Ritter ist auch abgestiegen: „Seid gegrüßt, lieber Freund, ich verspreche Euch, zukünftig werden Vater und Sohn gemeinsam dem besonderen Stein dienen."

Ahmund sieht ihn erfreut an, sein Gesicht strahlt: „Das ist eine gute Nachricht, ihr habt euch ausgesprochen."

Cerjoc, der bei der Gruppe steht, mischt sich ein: „Seid gegrüßt Majestät, würdet Ihr mir bitte den Kristall abnehmen, uns von dieser Last befreien."

Der König nimmt den Stein in Empfang: „Danke", gar nicht staatsmännisch ergriffen streichelt er ihn, „ich kann euch nicht oft genug für euren Einsatz danken." Obwohl er so etwas sonst niemals tun würde, diesen Schatz trägt er höchstpersönlich.

Gemeinsam gehen sie in den Burghof, sogleich nehmen Pferdeknechte die Tiere in Empfang. Ronan sieht sich um, er atmet tief durch.

„Herzlich willkommen, sieh dich gut um, das wird zukünftig dein Zuhause sein, das hoffe ich zumindest."

Ronan reicht seinem Vater die Hand: „Danke!", er hält die Hand für einen langen Augenblick fest umschlossen, „nach dieser Geborgenheit habe ich mich immer gesehnt."

Sein Vater nickt, auch er drückt die Hand fest und voller Rührung, auf diesen Moment hat auch er lange gewartet.

Der Hof ist geräumiger als es von außen gewirkt hat, sogar ein großer Baum steht in der Mitte, daneben ein gemauerter, runder Brunnen. Die Wände der Burg sind mit Efeu berankt, dessen immergrünes Blätterkleid das Gebäude schützend einhüllt. Der dem Eingangstor gegenüber liegende Flügel beherbergt das Herrenhaus. Nur zwei Stufen führen zum Eingang, einer großen, zweiflügligen Holztür, in die das Wappen derer von Orland eingearbeitet ist. Das unterste Stockwerk in den anderen Flügeln ist fast vollständig den Stallungen vorbehalten. Darüber gibt es großzügige Lagerräume, wieder darüber Wohnräume für das Gesinde. Die ganze Anlage ist darauf ausgelegt im Notfall einer großen Anzahl von Menschen Schutz und Nahrung zu gewähren.

Torjan kommt aus der Tür, ihm wurde Meldung gemacht, dass die Reiter eingetroffen sind, deshalb tritt er eilig ins Freie. Zunächst verbeugt er sich tief, wobei er ehrfürchtig die rechte Hand auf das Herz legt: „Herzlich willkommen, Herr, es ist schön alle wohlauf zu sehen."

„Sei gegrüßt, wir haben harte Tage hinter uns, wir brauchen ausreichend Speisen und angemessene Gemächer für unsere Gäste, der Drache heißt übriges Fen und wird ab heute bei uns leben."

Torjans Gesicht zeigt, ganz Diener, keine Regung ob dieser Ankündigung, er ist durch seinen Dienst im Hause von Orland an allerhand gewöhnt. Er verschwindet, um sich um die Bewirtung der Ankömmlinge zu kümmern.

„Wie gehen wir mit der Tatsache um, dass Fen nicht durch die Eingangstür passt?"

„Du musst dir nicht nur um diese erste Tür Gedanken machen, mein Sohn, drinnen sieht es auch nicht besser aus."

„Macht euch um Fen keine Sorgen, Fen muss nicht mit reinkommen." Cerjoc regt sich auf: „Das kommt gar nicht in Frage, wir gehören zusammen!"

Der Ritter beruhigt: „Wenn es Sommer wäre, würde ich sagen wir essen einfach draußen, aber dafür ist es zu kalt, leider."

Klamour, der sich die ganze Zeit im Hintergrund gehalten hat, meint: „Ihr solltet ruhig bleiben, wir finden schon eine Lösung. Hast du nicht eine Scheune oder einen Stall, in dem wir essen können? Es wird dann einfach etwas rustikaler."

„Das wäre eine gute Lösung, nur sind um diese Jahreszeit die Scheunen zum Glück recht gut gefüllt, ihr habt den Kristall gerade noch rechtzeitig in eure Gewalt gebracht, der Platz reicht nicht."

„Dann schlage ich vor, wir machen es so wie in meiner Hütte, diese war auch zu klein. Wir setzen uns in die Eingangshalle, Fen kann durch die geöffnete Tür hereinschauen und so dabei sein."

„Das wird gehen", Cerjoc schaut den Ritter an, „es wird dann zwar eine kühle Angelegenheit, aber ich habe Hunger."

„Ich auch", der Ritter winkt ein kleines Mädchen heran, das auf dem Burghof Kästchen hüpfen spielt, respektvoll, aber ohne Angst kommt sie heran. „Lauf' und suche Torjan, er soll zu mir kommen."

Das Kind springt davon und wenig später taucht Torjan auf: „Ihr habt nach mir geschickt, Herr?"

Der Ritter nimmt Torjan auf die Seite: „Wir werden in der Vorhalle speisen."

Ungläubig schaut der Diener seinen Herren an, doch dieser geht nicht weiter darauf ein: „Beeile dich, ich habe Hunger."

Torjan verbeugt sich und entfernt sich kopfschüttelnd. „Vergiss nicht die Schlafgemächer für meine Freunde richten zu lassen", ruft ihm der Ritter nach.

„Es tut mir leid Fen, das ist noch nicht zufriedenstellend, wir werden einiges umbauen müssen, vor dem Winter, vorerst muss es aber so gehen."

„Fen ist gerührt, dass ihr euch bemüht."

Später sitzen alle in der Vorhalle, Fen steckt den Kopf herein und fühlt sich dazugehörig, auch Drachen haben Gefühle. Die Zwerge und Nill sitzen auf dem Tisch, der Zwergenkönig und Abos auf kleinen Stühlen, der Bart des Königs liegt aufgerollt auf dem Stab neben ihm, Nill sitzt auf einem weichen Kissen. Nach dem Essen spielt Farib mit seiner Fidel auf, es ist eine gemütliche Runde, obwohl es durch die offene Tür kalt hereinzieht.

Ronan und Cerjoc fühlen sich Monate zurückversetzt, deutlich vermissen alle plötzlich Gisbert.

Cerjoc erhebt seinen Becher: „Halte mal kurz ein, lasst uns auf Gisbert trinken, er war uns ein guter Freund."

„Nicht nur das", stimmt Ronan ihm zu, „er war sehr geduldig, ich habe ihm viel zu verdanken, er hat einen großen Anteil an unserem Erfolg." Dann berichten sie von der Reise, der Ritter möchte jede Kleinigkeit wissen, zwischendurch nickt er bewundernd mit dem Kopf.

Nach einiger Zeit horcht Nill plötzlich auf: „Habt ihr das gehört?"

Die Freunde verneinen, aber der Feenjunge hüpft aufgeregt auf dem Tisch herum: „Königin Mirabells Fanfaren! Sie kommt her", er wirkt erschrocken, „ich hätte ihr Bericht erstatten müssen, hoffentlich ist sie nicht zu ärgerlich, oh je."

Abos, der Nills Angst ja schon früher kennen gelernt hat, beruhigt ihn: „Wir werden sagen, dass wir dich noch gebraucht haben und deshalb nicht gehen lassen konnten."

„Stimmt ja auch", bestätigt Ronan, „wenn du bei dem Überfall Fen nicht gerufen hättest, würden wir hier nicht zusammensitzen und Thyros hätte den Kristall wieder. Die Wunden, die Cerjoc und Klamour davongetragen haben, werden wieder heilen. Dank deinem Mut haben wir nur Lysana verloren."

„Das würdet ihr tun?"

„Natürlich, du bist einer von uns."

Abos steigt auf seinen Vogel: „Komm' wir fliegen ihr entgegen, sie muss sich ja nicht erst vor Fen erschrecken."

Gemeinsam mit Nill verlässt er die Eingangshalle, wenig später kehren sie als Eskorte der Königin zurück. Der Auftritt ist eindrucksvoll, beleuchtet von ganzen Heerscharen von Irrlichtern, begleitet von Fanfarenbläsern, Fahnenträgern und Wachsoldaten wird Mirabell in ihrer Sänfte in die Eingangshalle geflogen.

„Torjan, beeile dich und räume den Tisch ab", Abos, der als einziger Erfahrung mit Mirabells Auftritten hat, übernimmt die Organisation. Das Gefolge landet auf dem eiligst freigeräumten Tisch, die Fahnenträger und die Fanfarenbläser marschieren zum Empfang auf. Eine mit schicken Uniformen ausgestattete Ehrenformation im Miniaturformat nimmt Aufstellung, die Bläser sorgen mit ihren Fanfaren für Aufmerksamkeit. Fasziniert beobachten die am Tisch sitzenden Freunde den Aufmarsch: „In dem Moment, als ein ohnmächtiger Fee in meine Hütte aufgetaucht ist, wurde mir klar, dass ich über diese Welt nichts wusste, aber das... ." Ungläubig schüttelt Klamour den Kopf, aber er ist nicht der einzige, jeder ist fasziniert und gleichermaßen erstaunt über das, was sich gerade abspielt. Mirabell, schön und zart, wie Abos sie in Erinnerung hatte, betritt die Szenerie. Trotz ihrer Kleinheit und ihrer zerbrechlich wirkenden Gestalt, schlägt sie alle Anwesenden sofort in ihren Bann. Mirabell trägt heute, der Jahreszeit und der Reise geschuldet, ein etwas wärmeres, aber nicht minder elegantes Kleid. Es ist schmal, die schlanke Figur umspielend, geschnitten, aus nachtblauer Seide gearbeitet und hat genau wie das erste Kleid einen aufgestellten hohen Kragen. Vor dessen blauen Hintergrund das zarte, schöne Gesicht der Königin zu leuchten scheint. Mirabell trägt eine weiße Stola, aus kleinsten Vogelfedern gefertigt, über den Schultern, ihr Haar ist auch heute wieder zu einer kunstvollen Frisur hochgesteckt und wird durch die zierliche Krone geschmückt. Würdevoll hält sie das kleine Zepter aus Perlmutt in der Hand, das Zeichen ihrer Macht, als sie in der Mitte des Tisches stehen bleibt. Abos, noch immer geblendet von ihrer Schönheit, tritt hervor, er nimmt seinen Hut ab und verbeugt sich tief: „Darf ich es wagen Eure Majestät anzusprechen und Euch die Anwesenden vorstellen?"

„Ich bitte darum, Herr Zwerg", sagt sie mit glockenheller, erstaunlich gut verständlicher Stimme und lächelt ihn huldvoll an, Abos wird puterrot und beeilt sich alle vorzustellen.

Er beginnt mit dem Zwergenkönig, dieser tritt auf Mirabell zu und verbeugt sich leicht: „Es ist mir eine besondere Ehre Eure Majestät kennenzulernen und Euch persönlich für Eure Unterstützung zu danken."

„Keine Ursache, besonders groß war unser Beitrag ja nicht und Herr Abos war sehr überzeugend", sie wirft Abos einen verschmitzten Blick zu, dieser wird daraufhin schon wieder rot.

„Groß vielleicht nicht, aber jedes Detail ist entscheidend, soll eine solche Aufgabe gelingen. Erst bei dem letzten Überfall war es Nills mutiger Einsatz, der uns den Sieg ermöglicht hat. Es ist sehr erstaunlich welch' unterschiedliche Wesen zusammen geholfen haben, um das Unterfangen zum Erfolg zu führen."

Nill ist erleichtert, jetzt hat sich sogar der Zwergenkönig für ihn verwendet. Einer nach dem anderen wird vorgestellt, Mirabell bedenkt einen jeden mit freundlichen Worten. Bei Fen ist sie sichtbar ängstlich, größer könnte der Unterschied zwischen beiden kaum sein.

„Ich habe viele Dinge über Drachen gehört, aber Sie scheinen anders zu sein, ich freue mich Sie kennen lernen zu dürfen."

„Fen freut sich auch, Fen verspricht der Königin stets für den Schutz der Feen zu kämpfen."

Mirabell richtet das Wort an die gesamte Runde: „Das Volk der Feen bedankt sich bei allen für den Einsatz und bittet darum, den Kristall weiter zu beschützen."

Alle applaudieren, in der Not sind Allianzen entstanden, die vorher niemand für möglich gehalten hätte, dann ergreift der Ritter das Wort: „Es ist spät geworden, Torjan zeigt euch eure Gemächer. Ihr mein Freund", spricht er Ahmund an, „hättet Ihr die Güte, unseren Gast in der Zwergenstadt unterzubringen?"

„Selbstverständlich, Majestät, seid heute unser Gast."

Gemeinsam verlassen beide mit ihren Gefolgen den Raum und gehen in die Zwergenstadt. Dabei handelt es sich um ein geräumiger Zimmer in der Burg, in das die Zwerge mehrstöckig eine ganze Stadt eingebaut haben.

„Du Fen musst heute leider im Stall schlafen, in den nächsten Tagen werde ich ein eigenes Gemach für dich bauen lassen."

Dann begeben sich alle zur Ruhe, Ronan liegt auf dem Bett, auch in den letzten Tagen haben sich die Ereignisse überschlagen, langsam kommt er zur Ruhe. Nepomuk und Lea liegen bereits eng aneinander gekuschelt am Fussende des Bettes und schlafen. Ronan möchte über alles nachdenken, aber die Müdigkeit übermannt ihn. Das Letzte was er denkt ist wieder einmal morgen, ja morgen, er greift noch nach

316

Sinas Knauf, umschließt diesen fest mit der Hand, dann schläft er erschöpft aber beruhigt ein.

Schon am frühen Morgen des nächsten Tages ist der Ritter damit beschäftigt, ein Schlafgemach für Fen umbauen zu lassen. Die Feenkönigin ist bereits abgereist, nicht ohne vorher einen ständigen Kontakt mit dem Hause von Orland und dem Volk der Zwerge zu vereinbaren. Die Feen haben eingesehen, dass auch ihnen eine Zusammenarbeit zukünftig nutzen wird. Nill hat sich freiwillig gemeldet, auf der Burg zu bleiben und mit Hilfe der Irrlichter eine ständige Verbindung zu halten. Abos hat sich riesig über diese Entscheidung gefreut, die beiden haben sich angefreundet, derzeit schwebt Abos allerdings noch auf Wolke sieben, wegen Mirabells gestriger Anwesenheit. Flox hat verkündet: „Momentan ist es zwar ruhig, aber wie ich euch kenne, wird das nicht lange anhalten, und dann muss ich wieder eingreifen. Deshalb muss ich jetzt Kräfte sammeln", theatralisch nimmt er, auf dem Tisch stehend, eine heroische Pose ein und wirft seinen Lederumhang über die Schulter. Dann startet er, hängt sich an einen Deckenbalken und schläft. Klamour und Cerjoc schwelgen in Erinnerungen an alte Zeiten.

Da ihn sowieso niemand beachtet, steigt Ronan auf den Turm der Burg. Die obere Ebene ist sehr geräumig, umschlossen wird sie durch eine niedrige Mauer, sie ist vollkommen leer.
„Von hier hat man einen überwältigenden Ausblick, hier sollte eine Bank stehen, dieser Ort ist gut zum Nachdenken." Nach Westen schaut Ronan über den Fluss und die anschließende Tiefebene, Richtung Osten streift der Blick über die landschaftlich sehr abwechslungsreiche Hochebene, in der Ferne erhebt sich der Kegel des Vulkans. Die Ebene umfasst Wälder und einen kleinen Fluss, der sich vornehmlich durch, mit breiten Hecken voneinander abgeteilte, Viehweiden und Felder schlängelt. Den besonderen Wert solcher Hecken kennt Ronan von Tolnar, umsichtig bewirtschaftet, versorgen sie die Menschen reichlich mit Wildfrüchten, Nüssen und Brennholz. Der Herbst, mit seinen sonnigen Tagen und leuchtenden Farben ist vorbei. Es ist stark bewölkt, mit wenigen Sonnenlöchern, der Wind hat aufgefrischt, die Bäume haben ihre Blätter verloren und ist bereits winterlich kühl, der erste Schnee lässt sicher nicht mehr lange auf sich

317

warten. Ronan steht sinnierend an die Brüstung gelehnt, als sein Vater, auf der Suche nach ihm, auf den Turm kommt: „Ach, hier bist du, ich wollte dich fragen, ob du mich auf einen Ausritt über unsere Ländereien begleiten willst?"

Ronan nickt: „Ich wollte sowieso mit dir reden."

Sein Vater bleibt stehen und sieht ihn erwartungsvoll an: „Was hast du auf dem Herzen, mein Sohn?"

Ronan ist verunsichert, zaghaft und unbeholfen beginnt er: „Ich habe Angst dich zu enttäuschen", seine Stimme verebbt.

Dem Vater wird klar, zu einem echten Vertrauen ist es noch ein weiter Weg. So schnell wird das nicht gehen: „Du brauchst nicht zu fürchten, ich könnte mich wieder von dir abwenden, du kannst mit allem zu mir kommen. Wir finden eine Lösung, bitte wage das Vertrauen. Cerjoc hat angedeutet, dass dein Herz gebrochen wurde, näheres hat er nicht verraten, ich würde dir gerne helfen."

„Darum geht es nicht, ich werde es dir später sicher erzählen, aber ich brauche noch etwas Zeit."

„Worum geht es dann?"

„Um Enjah, du weißt ja, ich versprach ihr, sie zu mir zu holen. Ich habe aber das Gefühl, selber noch nicht richtig angekommen zu sein. Was soll ich tun? Sie verlässt sich auf mich."

„Du solltest nicht zu viel Zeit verstreichen lassen, ich helfe dir so gut ich kann."

Es ist etwas Neues für Ronan, so viel persönliche Nähe und Vertrauen ist er nicht gewöhnt, noch ist er misstrauisch. Zukünftig ist vielleicht Nepomuk nicht mehr sein einziger Gesprächspartner.

Als die beiden wenig später auf den Burghof treten, stehen Taruk und Sturmwind schon gesattelt bereit.

Der Ritter hat deutlich unsere gesagt, das ist Ronan nicht entgangen, er ist angekommen, aber daran muss er sich noch gewöhnen. Er kennt dieses Leben noch nicht, was erwartet ihn? Was, erwartet sein Vater von ihm?"

Eine Weile reiten sie über Feld- und Waldwege, der Ritter zeigt Ronan die Ländereien: „Mein Vater hat dem König einst einen wertvollen Dienst erwiesen, als Dank wurde er zum Ritter geschlagen und erhielt diese Burg."

318

„Das heißt, die Familie von Orland ist kein altes Herrschergeschlecht?"

„Nein, dieser Umstand fordert von uns besonders großen Einsatz."

„Ich bin der Meinung, das spielt keine Rolle."

„Sollte es auch nicht, aber zu oft ist es anders, Dekadenz und Machtgier stehen einem verantwortlichen Handeln im Weg, alte Rechte ermöglichen vieles. Wir dagegen müssen uns erst beweisen."

„Hmm", Ronan sieht seinen Vater zweifelnd an, eigentlich ist ihm dieser und seine Gedankenwelt noch fremd: „Ich habe auf meiner Reise sehr viele Menschen getroffen, für die sich Einsatz in keinster Weise gelohnt hätte. Ist es die Menschheit überhaupt wert, für sie zu kämpfen?

„Ich weiß, was du meinst, aber diese Entscheidung steht uns nicht zu und ich sage dir, ich bin froh darüber. Gerechtigkeit und Unvoreingenommenheit gibt es niemals, das ist Wunsch-denken. Wir erfüllen unsere Aufgabe so, dass wir uns selbst nichts vorzuwerfen haben, glaube mir, das ist schwer genug."

„Das ist aber eine schwache Motivation."

„Tröste dich damit, selbst wenn es nur wenige sind, lohnt für diese jedes Bemühen."

Eine Weile reitet Ronan gedankenverloren neben seinem Vater, dann spricht er aus, was ihn am meisten bewegt: „Du weißt schon, das es noch nicht zu Ende ist, Thyros wird sich rächen."

Der Ritter stutzt einen Moment, dass ist ein Themenwechsel oder eigentlich auch wieder nicht. Cerjoc hat schon angedeutet, Ronan sei ein Grübler, der Ritter freut sich auf interessante Gespräche. Jetzt aber sehnt er sich an das warme Kaminfeuer, deshalb ist er kurz angebunden: „Mit Sicherheit, ich denke auch, dass wir davon ausgehen müssen."

Es beginnt zu regnen, der Wind peitscht den Regen vor sich her. Ronan und sein Vater machen sich eilig auf den Heimweg. Welche neuen Herausforderungen wird die Zukunft bringen? Ronan weiß es nicht, aber im Kreis seiner Freunde wird er es mit Allem aufnehmen.

Sanfte-Brise.de

Die Internetseite zeigt Ihnen die schönen Seiten des Lebens.
Besuchen sie uns im Internet, dort können sie die sanfte Brise
abonnieren und weitere Exemplare von Ronan erwerben.
Die Seite wird in Kürze verfügbar sein.
Einmal im Monat erfahren sie interessantes über Bäume, Blumen und
Tiere. Erfrischende Poesie, schöne Bilder und eine nette Kleinigkeit
als Geschenk für sie persönlich.